D0784674

Titre original :
Highway to Hell

ISBN 2-915243-05-0

JOHN GEDDES

AUTOROUTE VERS L'ENFER

Traduit de l'anglais (Grande-Bretagne)
par Franck Mirmont

EDITIONS MOVIE PLANET
56 rue de la Verrerie - 75004 Paris

Préface de l'édition française

Tout petit déjà, je jouais au soldat. Je me voyais dans la peau d'un rat du désert britannique combattant l'Afrika Korps du maréchal Rommel ou dans celle d'un membre de commando effectuant un raid dans les fjords gelés de Norvège durant la Seconde Guerre mondiale. Et, souvent, je m'imaginais en soldat de l'unité militaire la plus romantique du monde, la Légion étrangère. Je savais par cœur le rôle du légionnaire : Luck de la Légion était l'un des héros les plus populaires des bandes dessinées de mon enfance.

Quelques années plus tard, une multitude de raisons m'amenèrent à rejoindre le corps des parachutistes. Parmi elles figurait la résistance héroïque des Français à Dien Bien Phu, dans ce qui était alors l'Indochine.

Vous pouvez donc imaginer ma joie lorsque, jeune parachutiste coiffé du béret rouge, je découvris que j'avais été inscrit à un stage de parachutisme HALO (saut haute altitude, ouverture basse altitude) au sein de l'armée française. Ce fut un jeune homme tout excité qui se présenta à Pau, dans le sud de la France, pour y suivre, dix semaines durant, une formation sur la chute libre en compagnie de camarades des troupes parachutistes françaises et d'engagés au 2e REP de la Légion étrangère.

Je me fis de nombreux amis là-bas et j'appris à apprécier le vin auprès d'hommes pleins d'intuition et de courage. Quand je réintégrai mon unité à l'issue de la formation, j'avais acquis un grand respect à l'égard de l'armée française et un soupçon de philosophie française qui ne me quitta plus. Surtout, ce stage à Pau fut une étape fondamentale pour ma carrière dans le Special Air Service, où je me spécialisai ensuite comme chuteur opérationnel.

Depuis ces jours passés au sein du SAS au service de la Reine, il m'est bien souvent arrivé de croiser la route d'individus déterminés qui portaient l'empreinte bien particulière de la Légion. Des hommes durs, intelligents. Je les ai croisés en Afrique, en Amérique du Sud ou encore en Asie, où ils menaient leur barque avec confiance et conviction.

J'en ai également rencontré en Irak – des hommes de la Légion, des soldats des troupes aéroportées françaises ou des anciens des forces spéciales françaises –, sur l'Autoroute vers l'Enfer. Ils ne manquaient ni de courage, ni de cet élan bien français qui les distingue des autres. Ils semblaient tous s'appeler Pierre ou Marcel, mais, à bien y réfléchir, rien d'étonnant à cela. En décidant de porter les armes dans un pays étranger et en se faisant rémunérer pour cela – sans revêtir l'uniforme français –, ils enfreignent le code pénal de leur pays.

J'ai entraîné aussi plusieurs de ces hommes au sein des formations aux environnements hostiles que dispense ma société. Ils s'étaient inscrits pour bénéficier des accréditations indispensables à l'obtention d'un emploi au sein d'une SMP. Ils avaient alors abandonné leurs pseudonymes et se présentaient, avec le cœur pur et une double ration de courage, pour braver une loi qu'ils dédaignent et devenir soldats de fortune. Je les salue. Vive la France !

UN

Contact !

Je les aperçus tout d'abord sur la bretelle d'accès à l'autoroute. Ils étaient coincés dans un embouteillage et manœuvraient frénétiquement pour s'en extraire. Ils semblaient fébriles, anxieux, pressés. Les embardées chaotiques et les brusques accélérations du véhicule trahissaient la nervosité de son conducteur. Je les observai tandis que nous les dépassions et discernai bientôt dans le rétroviseur le tourbillon de poussière qu'ils laissaient en louvoyant dans le flot matinal des voitures fonçant sur l'autoroute de Fallouja. Autour d'eux, des véhicules chargés d'ouvriers aux djellabas claquant dans les bourrasques de vent chaud s'écartaient pour laisser passer ce bolide noir – une BMW Série 7. Ils étaient comme les individus d'un troupeau qui laissent un prédateur s'enfoncer dans leurs rangs pour s'emparer d'une proie déjà désignée.

Comme tous ceux qui observaient la scène depuis leurs pick-up ou leurs voitures cabossées, je savais ce qui allait se passer. Les autres virent d'un air soulagé la poursuite s'engager, heureux de ne pas avoir été choisis, attentifs surtout à ne pas se faire remarquer. Pour être honnête, j'avais pressenti la suite dès l'instant où j'avais repéré cette BMW aux vitres teintées sur la bretelle d'accès de l'autoroute. Elle était typique – trop typique – des véhicules qu'utilisaient les groupes d'insurgés en Irak et, tandis que l'image de la voiture enflait dans le rétroviseur, je sus avec certitude qu'ils allaient bientôt frapper. Mais, à la différence des autres, je ne fais pas partie du troupeau.

Je m'appelle John Geddes et j'étais sous-officier dans le SAS avant de devenir soldat de fortune. Je loue mes services ou, si vous préférez, je suis un mercenaire. Ce jour-là, j'essayais de garder en vie les hommes que je devais escorter entre la Jordanie et Bagdad. Nous nous trouvions entre la rocade de Fallouja et le périphérique de Ramadi, sur la route la plus dangereuse du monde. Une route surnommée « Autoroute vers l'Enfer ».

Quatre autres personnes se trouvaient dans ma voiture, trois journalistes d'une grande chaîne de télévision britannique et un chauffeur jordanien. Et, tandis que la BMW s'approchait de nous, tous mes sens se coordonnèrent pour se concentrer sur la survie de mes clients et sur la mienne. Je rivai mon regard dans le rétroviseur, laissant à ma vision périphérique le soin de m'avertir au cas où d'autres prédateurs se joindraient à la curée. Mais tout semblait devoir se jouer entre eux et nous. Mon chauffeur, Ahmed, les avait également repérés et je n'eus pas besoin de lui expliquer qui ils étaient. Il commença à marmonner, sans que je puisse deviner s'il priait, s'il jurait, ou s'il était tout simplement terrifié. Il n'avait pas pour habitude de transpirer, mais là, en quelques secondes, des gouttes de sueur avaient envahi son front et son cou.

La BMW nous suivait de près, sa vitesse réglée sur la nôtre, ce qui faisait figure d'aveu. Les militaires appelaient cela un « signal de combat », mais je n'avais eu besoin d'aucun « signal ». Un mauvais pressentiment m'avait saisi au moment même où j'avais vu cette Série 7.

Ils commencèrent à réduire la distance qui nous séparait et j'agrippai la AK-47 posée sur mes genoux, pour la relâcher quelques secondes plus tard. Ma fenêtre était ouverte et je pris le temps de la refermer pour me dissimuler derrière la vitre fumée. La BMW nous rattrapa alors et nous escorta quelques instants, puis la fenêtre teintée à l'avant s'abaissa comme le rideau d'un théâtre pour révéler le conducteur et l'homme qui, assis à ses côtés, semblait être en charge des opérations.

Ils nous dépassèrent à bonne allure, mais de manière posée et sûre. Après tout, ils n'avaient rien à craindre. Ils se trouvaient sur leur terrain de chasse ; ils étaient les prédateurs au sommet de la chaîne alimentaire et ils avaient tout leur temps. Ils nous prenaient sans doute pour de riches Irakiens ou des Koweïtiens. Peut-être même pour des touristes japonais car, croyez-le ou non, des excursions touristiques étaient organisées à partir de Tokyo. Mais ce que nous représentions était mieux que cela ; j'avais trois journalistes à mon bord et les gars de la BMW auraient adoré leur mettre la main dessus – toute cette richesse procurée par le paiement d'une rançon et, au minimum, tout le matériel audiovisuel et les trois téléphones satellite à revendre. Ils auraient réalisé là une excellente prise et n'auraient pas hésité à abattre Ahmed comme un chien pour faire bon poids.

Ahmed, qui continuait de grommeler dans sa barbe tandis qu'ils faisaient durer le suspens... Ils ralentirent et vinrent se placer une deuxième fois à notre hauteur. Puis ils se laissèrent distancer avant d'accélérer à nouveau et de nous frôler par la droite. Peut-être prenaient-ils plaisir à jouer au chat et à la souris ? Mes clients dormaient des suites d'une bonne gueule de bois et il était inutile de les réveiller. Ils n'auraient rien pu faire.

Je bénéficiais cependant d'un avantage. Notre énorme 4 x 4 GMC m'offrait une vue plongeante sur nos assaillants. Aussi, lorsqu'ils abaissèrent les vitres arrière, je vis aussitôt les trois hommes armés assis sur la banquette arrière. À l'avant, le conducteur affichait un sourire carnassier derrière un keffieh qui avait à moitié glissé de son visage ; son voisin, les traits également dissimulés, était à moitié couché sur lui et gesticulait comme un fou en brandissant son AK-47. Moi aussi, j'en ai une, pensai-je, mais je ne la montre pas. Ses yeux brillaient d'une haine et d'un mépris féroces ; visiblement, il voulait que l'on s'arrête. Je fus stupéfait lorsque Ahmed, l'homme qui avait le plus à perdre puisqu'il n'avait que sa vie à leur offrir, commença à ralentir pour obtempérer.

« Putain, ne t'arrête pas, Ahmed ! », lui criai-je. Son pied écrasa à nouveau la pédale d'accélérateur et nous brisâmes le rythme de notre conduite synchronisée avec la Série 7 de ces connards. Qui ne tardèrent pas à revenir à notre hauteur.

Ahmed, à présent terrifié, laissa s'échapper à haute voix un flot de paroles en arabe tandis que, de mon côté, je ne quittais pas des yeux les quatre hommes armés dans la voiture. Mes années d'expérience me permirent de juger, d'après leur comportement et la manière dont ils manipulaient leurs armes, qu'un véritable échange de coups de feu était la dernière chose à laquelle ils s'attendaient. Ils devaient être persuadés qu'ils avaient toutes les cartes en main et que, tôt ou tard , nous nous arrêterions sur le bord de la route pour leur remettre leur dû. Je décidai de garder mon atout caché, sur mes genoux, hors de leur vue.

Ils accélérèrent encore et leur chef se pencha une nouvelle fois sur le conducteur, mais, cette fois, il brandit la AK-47 devant lui, la passa à travers la fenêtre et lâcha une rafale devant notre capot pour nous encourager à nous garer. Je résistai difficilement à l'envie de baisser ma fenêtre et de saisir mon AK pour la montrer au grand jour. Un atout dans la manche, c'est comme une prière : il faut savoir la réciter au bon moment. Je fis le vide dans mon esprit, faisant abstraction de tout, sauf de nos assaillants et de la carte que j'allais jouer. Je savais ce qu'il me restait à faire car, la prochaine fois qu'ils nous tireraient dessus, la rafale nous serait destinée et ce serait un mauvais point pour nous.

J'avisai à travers ma vitre teintée les deux mètres de métal et d'air chaud tourbillonnant qui nous séparaient et je vis très nettement que le tireur au regard déterminé essayait de me dévisager. Je baissai ma vitre et lui retournai son regard inquisiteur. Je le fixai droit dans les yeux et j'y allai. J'avais décidé de jouer mon atout, mais sans l'abattre sur la table ; ils ne le virent jamais. Glissant mon doigt sur la détente de la Kalachnikov que j'avais gardée sur mes genoux, je la pressai, libérant une longue rafale.

Les claquements métalliques familiers de l'AK-47, amplifiés dans l'habitacle, firent la plus terrible et la plus assourdissante des cacophonies. *Clat ! Clat ! Clat !* Elle semblait continuer, encore et encore, comme si le monde résonnait d'une fanfare cataclysmique. *Clat ! Clat ! Clat !*

Les munitions anti-blindage transpercèrent notre porte et la leur en quelques millièmes de seconde, perforant la carrosserie de la Série 7 et les corps de ses occupants sans aucune distinction. La différence de hauteur entre les deux véhicules mettait la tête du conducteur dans ma ligne de mire ; son visage explosa aussitôt. L'homme armé qui se trouvait à ses côtés hurla, la bouche déformée par une grimace de terreur, son expression de haine et de mépris soudain remplacée par l'incrédulité, puis il se tordit convulsivement lorsque les balles le transpercèrent à son tour.

Clat ! Clat ! Clat ! Mon doigt pressait toujours la détente, et les balles continuèrent à déchirer cet espace de deux mètres pendant quelques secondes, jusqu'à ce que la BMW décroche soudain et disparaisse derrière nous. Je la suivis des yeux dans le rétroviseur et vis bientôt un nuage de fumée noire s'échapper de leur capot. Les dernières balles de ma rafale avaient fait exploser le bloc moteur.

Dans le petit miroir, je vis ensuite la BMW zigzaguer et déraper. Nous étions toujours pris dans le flot de la circulation, mais les voitures et les camionnettes s'écartaient de la scène avec une habitude consommée. Je ne m'intéressais cependant guère à la circulation ; seule comptait la certitude d'avoir tué le chauffeur et son chef à ses côtés. Quant aux trois hommes armés derrière eux, ils n'avaient pas eu le temps de comprendre, et encore moins de répliquer. Ils étaient maintenant complètement désemparés dans leur BMW incontrôlable.

« Roule, putain, roule ! », hurlai-je à Ahmed, qui me fit enfin le plaisir d'un bon 120 kilomètres/heure. Je me retournai alors vers mon journaliste et son équipe, assis droits sur leur banquette, pétrifiés et abasourdis par ce qui avait sans doute été l'un des réveils les plus brutaux de toute leur carrière.

« Ça va, les gars ? », leur demandai-je, à peine capable d'entendre ma propre voix. Ils acquiescèrent machinalement à travers le nuage âcre de cordite qui emplissait l'habitacle. Je vis leurs regards aller de mon arme, toujours sur mes genoux, à ma portière, en évitant de me fixer dans les yeux. Ils essayaient de comprendre pourquoi je n'avais pas tiré par la fenêtre, pourquoi la portière n'était plus qu'une sculpture de métal tordu constellée de trous et de brûlures. Ils essayaient de comprendre pourquoi ils étaient encore vivants.

Je leur lançai : « Bienvenue à Fallouja », mais leurs visages restèrent livides et nous n'échangeâmes plus aucune parole jusqu'à notre arrivée à Bagdad.

Nous avions commencé notre périple le jour même, à l'aube, alors que la lumière du matin envahissait peu à peu la ville d'Amman, qui s'éveillait aux premiers appels à la prière lancés depuis un minaret du centre-ville.

Cette mélopée que le muezzin adressait à ses fidèles, bande-son parfaite pour tout reportage consacré au Moyen-Orient, n'avait évidemment rien d'inattendu, mais elle ne m'en faisait pas moins frissonner chaque fois que je l'entendais. Aujourd'hui encore, les appels à la prière me rendent nerveux. Ils sont devenus comme un signe de mort et de chaos, comme le rappel quotidien du fait qu'une religion autrefois fondée sur la sagesse et le respect d'autrui a été dévoyée pour servir de prétexte à des assassinats et à des attentats à la bombe.

J'avais déjà pris ma douche, je m'étais rasé et j'avais vérifié mon matériel – trois fois de suite – avant de passer à autre chose. La vérification de mon matériel est une occupation récurrente dans ma vie. Je le fais de manière si routinière que je me surprends parfois à vérifier dans un miroir que je suis la bonne personne à emmener avec moi en mission. J'attrapai le petit sac contenant mon kit de survie, m'assurai que j'avais bien ma carte d'identité et mon passeport, et rejoignis les autres dans le hall de l'hôtel. Le correspondant de guerre était un habitué et son cameraman quelqu'un d'expérimenté qui connaissait toutes les ficelles du métier. Le preneur de son, qui leur servait également de *fixer*, d'intermédiaire auprès des locaux, était le troisième homme de l'équipe. Ahmed, quant à lui, était un familier de ce trajet.

Je les briefai une fois de plus. Je commençais toujours par un briefing, un topo, comme disent les militaires, où je passais en revue tout ce qu'il fallait faire en cas d'accident de la route, d'embuscade ou de prise d'otages. Je me tenais devant eux telle l'hôtesse de l'air détaillant avant le décollage les mesures d'évacuation prévues en cas d'urgence. Mes clients, affalés sur un canapé en cuir de l'hôtel, semblaient tout aussi blasés que les passagers d'une compagnie aérienne.

Ils esquissèrent à peine un sourire lorsque j'en arrivai à mon laïus sur le voyage lui-même : « Et rappelez-vous, nous ne nous arrêtons dans aucune aire de repos, nous pisserons sur le bord de la route sans comparer la taille de nos engins, parce que nous resterons sur nos gardes et que nous veillerons les uns sur les autres. » Aucune femme n'était du voyage, mais mon discours aurait été le même pour elle, à l'exception de quelques variantes biologiques. Les journalistes sentirent que je ne plaisantais pas lorsque je leur expliquai : « Des aires de repos existent, mais elles sont exclues depuis qu'une équipe de CNN s'est arrêtée sur l'une d'elles pour boire un café et qu'elle s'est fait repérer par des insurgés. Un véhicule les a suivis et ils se sont pris quelques rafales dans la lunette arrière. Leur chauffeur a été tué et ils ont vraiment eu beaucoup de chance de s'en tirer. »

Il était maintenant temps de partir. Ils s'extirpèrent de leur canapé et s'en allèrent retrouver les valises d'aluminium qui avaient été empilées à l'ombre du store de l'hôtel, devant notre énorme GMC. « S'il vous plaît, placez toutes les valises métalliques à la verticale contre la banquette arrière », précisai-je. Et tous les flight-cases furent disposés de manière à offrir un minimum de protection contre d'éventuels projectiles qui nous frapperaient par l'arrière. Les bagages souples, sacs à dos et sacs de vêtements, furent placés contre les valises métalliques. Tandis que nous installions les bagages dans le coffre, le journaliste faisait les cent pas à côté de la voiture, comme s'il répétait à voix basse le texte qu'il aurait à réciter plus tard devant la caméra. Il avait passé la nuit à boire avec le cameraman et il n'aspirait à rien d'autre qu'à s'installer enfin dans la voiture pour dormir.

Ahmed, lui, fumait une cigarette à l'odeur âcre. Je me plaçai sous le vent derrière lui et observai toute la scène caché derrière mes lunettes de soleil. Ahmed était un homme sympathique, un père de famille qui savait pertinemment que tous les chauffeurs jordaniens capturés par des insurgés étaient inévitablement tués. Pourquoi ? Parce qu'ils n'avaient aucune valeur sur le marché aux otages, sans compter qu'ils avaient trahi les valeurs de l'islam en servant de chauffeur aux envahisseurs, aux infidèles. Comme tous les Jordaniens qui risquaient chaque jour leur vie sur la route de Bagdad, Ahmed était soit très pauvre, soit très courageux. Je le soupçonnais d'être les deux à la fois.

Je lui désignai le capot et il l'ouvrit afin que je puisse inspecter par moi-même les niveaux d'huile et d'eau. Je vérifiai même le réservoir de nettoyant pour pare-brise. Tout vérifier deux fois plutôt qu'une : c'est cette attention accordée au moindre détail qui m'a permis de rester en vie jusqu'à présent. Je jetai aussi un coup d'œil aux pneus en vérifiant l'état de leur chape, puis je demandai à Ahmed de démarrer et contrôlai que l'aiguille de la jauge montait bien jusqu'au niveau maximum.

– Merci, lui dis-je.

– C'est bon, tout va bien ?, me sourit-il en retour.

Je me retournai alors vers les journalistes. « Tout le monde à bord, les gars. Il est temps de partir. Assurez-vous de n'avoir rien oublié. »

La frontière irakienne était à trois heures de route et je ne les entendis plus guère parler une fois qu'ils eurent discuté de certains détails à propos des personnes qu'ils souhaitaient rencontrer et du premier sujet qu'ils voulaient tourner. Le journaliste et son cameraman ne tardèrent pas à s'assoupir, leurs têtes roulant d'un côté et de l'autre au rythme des mouvements de la voiture. Le preneur de son ne mit guère plus de temps à sombrer dans le sommeil.

La première partie du voyage était toujours d'un ennui mortel, avec ses kilomètres et ses kilomètres de sable et de roche gris-jaune, et je savais que nous ne croiserions pas une once de végétation avant d'atteindre l'Irak. Le fonctionnaire britannique qui avait tracé les frontières entre les deux pays, près d'un siècle plus tôt, avait laissé les Jordaniens tirer la plus courte des deux pailles. Ceux-ci avaient hérité d'un pays désertique dépourvu de la moindre goutte de pétrole tandis que leurs voisins avaient obtenu deux fleuves et un peu de verdure en sus d'un immense gisement d'or noir. Je notai la lente transformation du paysage juste avant de voir le poste-frontière lui-même, un fouillis de bâtiments entourés d'une petite palissade de l'armée américaine situé à quelques pas de l'administration locale. La vision du poste-frontière me tira de l'engourdissement dans lequel les trois heures de route monotones m'avaient plongé et je me préparai à passer les prochaines heures dans un état d'esprit bien différent.

Le poste de contrôle jordanien débordait toujours d'activité ; il fallait faire la queue derrière une cinquantaine d'autres personnes, attendre d'avoir tous ses visas tamponnés sur le passeport sans oublier de verser une petite contribution financière obligatoire qui permettait d'éviter toute autre forme de tracasserie administrative. À l'inverse, les gardes-frontières irakiens se contentaient de vous faire signe d'avancer en ne regardant que rarement vos justificatifs, et sans faire beaucoup d'histoires. Dès que nous en eûmes fini avec ces formalités, nous garâmes la voiture devant le poste de garde américain, une étape importante pour la suite des opérations.

– Maintenant, vous enfilez vos gilets pare-balles pendant que je récupère mes outils, expliquai-je à l'équipe avant de pénétrer dans le poste de garde.

Lorsque j'étais arrivé la première fois en Irak, j'avais découvert que de nombreuses équipes de sécurité enterraient leurs armes du côté irakien, notaient l'emplacement exact de leur cache avec leur GPS, et se contentaient de venir les déterrer lorsqu'elles en avaient à nouveau besoin le jour où elles repassaient la frontière. Cette manière de procéder ne m'avait pas enthousiasmé. Que se passait-il en effet si une paire d'yeux hostile vous avait vu en train d'enterrer votre matériel ? Il y a fort à parier que vos affaires étaient piégées et qu'à votre retour vous posiez le pied sur une mine anti-personnel disposée là par les insurgés en signe de bienvenue. Non, cette pratique ne me convenait pas et j'avais cherché une autre solution jusqu'à ce que l'admiration et la sympathie que j'éprouvais pour les Américains et leurs manières de faire m'incitent à les approcher directement. J'avais donc rendu visite au détachement de gardes-frontières américains lors de mon premier passage et j'avais discuté avec le sergent-chef en charge du poste, un solide gaillard originaire de Louisiane.

Après les présentations d'usage, je lui avais demandé :

– Vous connaissez ces westerns dans lesquels le shérif désarme tous les cow-boys qui arrivent en ville ?

– Bien sûr.

– Eh bien, je ne suis peut-être pas un cow-boy, et vous n'êtes sans doute pas shérif, mais je me demandais tout de même si vous ne pourriez pas faire la même chose pour moi, mais dans le sens inverse : me prendre mes armes quand je quitte la ville – façon de parler – et que je retourne en Jordanie.

– Ma foi, pas de problème, avec plaisir, avait-il répondu.

Et c'est ainsi que nous avions fait affaire. Lorsque je déposais mon attirail, il le mettait sous clé, après m'avoir remis un reçu, jusqu'au moment où je venais le récupérer. Je n'avais plus à me préoccuper désormais de mine anti-personnel ni d'embuscade, de plus je n'avais pas besoin de transpirer au milieu des broussailles. Nul besoin d'enterrer quoi que ce soit.

Nous avions conclu notre arrangement ce jour-là avec une caisse de bières – un cadeau qui était toujours le bienvenu chez ces pauvres Ricains qui devaient se battre le gosier sec. Je leur avais également fait quelques démonstrations de tir avec une AK-47 et leur avais enseigné quelques rudiments sur la manière d'exploiter au mieux les capacités de cette amie russe. Ils en avaient été très satisfaits et j'étais moi-même assez fier d'avoir pu donner une petite couche de vernis de Hereford à une unité de l'armée américaine.

Cette transaction empreinte de civilité était aussi l'occasion d'échanger quelques mots avec les gardes en service dans le poste et de se tenir au courant des éventuels mouvements d'insurgés dont ils auraient entendu parler près de leurs lignes. Il n'y avait guère de troubles le long de la frontière avec la Jordanie, mais les Américains du poste de garde n'en étaient pas moins informés de tout ce qui pouvait arriver sur la route menant à Bagdad, et ils aimaient bien discuter le bout de gras avec ceux qui s'y aventuraient. En Irak, une information peut signifier la survie.

Je pénétrai donc dans le poste de garde comme à mon habitude et leur tendis mon reçu afin qu'ils puissent sortir mes calibres de l'armurerie et me les remettre en main propre.

– Voilà, Monsieur, commença le jeune GI en détaillant mon arsenal. Alors, une AK-47 numéro de série…

– Pas besoin du numéro, je suis sûr que c'est la bonne. Merci.

– Bien sûr, Monsieur. Donc ça nous fait un fusil-mitrailleur AK-47 et ses six chargeurs de 30 balles ; un pistolet Glock et ses quatre chargeurs de 12 balles. Numéro de série ?…, m'interrogea-t-il en levant les yeux.

– Non, pas la peine.

– OK, alors on continue. Deux grenades NS L2 et une grenade au phosphore. Voilà, ce sera tout. Si vous voulez bien signer ici, vous pourrez récupérer vos armes. Est-ce que je peux vous être utile à autre chose ?

– Non, merci, ce sera tout, répondis-je en griffonnant mon nom au bas de la feuille. La route est calme, en ce moment ?

– Tout est calme pour l'instant, pour autant que je le sache. Je vous souhaite un bon trajet, Monsieur.

– Merci, fiston. On se reverra à mon retour.

J'emportai les armes vers le véhicule où m'attendaient les journalistes, qui firent semblant de ne rien remarquer : officiellement, nous n'étions pas censés être armés, encore moins transporter des grenades.

Les chaînes de télévision britanniques, comme leurs consœurs européennes, considèrent la présence d'une arme comme un facteur susceptible de nuire à l'impartialité et à la neutralité de leurs équipes, en les exposant à une prise d'otages voire à l'impensable possibilité d'une exécution. Paradoxalement, argumentent-elles, l'absence d'arme ne peut que protéger leurs journalistes de telles extrémités puisqu'elle prouve leur statut de non-combattants. Si seulement cela pouvait être vrai ! Vous pouvez être certain que des personnages tels que l'ignoble Abou Moussab Al-Zarkaoui – l'homme d'Al-Qaida en Irak – n'ont jamais pris la peine de s'informer sur la politique éditoriale des diffuseurs, mais que cela ne les a pas empêchés d'avoir des idées bien arrêtées sur le sujet. Des idées assez simples. Le terme « neutralité » n'existe tout simplement pas dans leur vocabulaire et rien ne leur importe en dehors de leur interprétation fumeuse des paroles du Tout-Puissant contenues dans le saint Coran. Leur position sur la question se résume à une règle simple qui veut que nul ne puisse traverser leurs terres en toute sécurité, en dépit des traditions d'hospitalité dont la culture arabe a toujours été imprégnée. Dans l'Irak d'aujourd'hui, la valeur des journalistes se mesure à l'impact qu'ils seront susceptibles de générer lorsqu'ils plaideront sur une bande vidéo avant d'avoir la tête tranchée.

Les chaînes de télévision américaines ont été promptes à comprendre la réalité de la région et à s'entourer d'une puissance de feu suffisante pour résister à n'importe quelle attaque d'insurgés au cours de leurs déplacements. Certes, nul ne pouvait les protéger contre la balle d'un sniper ou le tir bien ciblé d'un lance-roquettes, et ils pouvaient difficilement éviter l'attaque-suicide d'un kamikaze prêt à déchaîner l'enfer autour de lui, mais ils prirent les mesures nécessaires pour que leurs convois soient protégés et puissent se défendre jusqu'à l'arrivée des secours si jamais le moins pire se produisait. Des arguments plaident sans doute pour ou contre leur stratégie, que l'on pourrait qualifier de manière forte, mais il n'en existe aucun qui puisse justifier que l'on se promène désarmé en Irak. Absolument aucun.

De toute manière, mes clients et moi avions déjà échangé nos points de vue en toute franchise. Je leur avais précisé qu'ils pouvaient tout à fait m'ordonner de ne pas emporter d'armes avec moi. Cependant, avais-je ajouté, cela ne m'empêcherait pas d'ignorer leurs instructions et de sortir armé. Et, en cas d'opposition catégorique, il leur faudrait trouver quelqu'un pour me remplacer. Ce qui les mettrait devant un sérieux dilemme, car trouver une personne prête à les conduire sur l'Autoroute sans armes, c'était comme vouloir consommer une bière gratuite dans un bar à entraîneuses. Comme quelques autres collègues, j'avais déjà été amené à deux ou trois occasions à voyager sans armes sur l'Autoroute, mais à chaque fois j'avais frôlé la mort. Je m'étais donc résolu depuis à voyager armé ou à ne pas voyager, et je n'obligeais personne à venir avec moi si cela ne convenait pas.

J'avais expliqué au journaliste :

– Écoute, tu n'as qu'à raconter à ton bureau que tu as demandé à ton garde du corps de voyager désarmé. Et une fois que tu leur as dit cela, tu n'as qu'à faire comme si tu n'avais jamais vu mes armes. C'est simple. Tu n'as rien vu, alors si ça dégénère, tu pourras m'en faire porter le chapeau.

– C'est bien beau tout ça, John, mais moi je peux me faire virer si je voyage avec un garde du corps armé, me répondit-il.

– Bien sûr, et ça serait terrible. Mais tu peux aussi te faire tuer si je ne suis pas armé. Et de toute manière, vos chefs n'en sauront jamais rien, à moins que nous ne soyons capturés. Auquel cas ce ne sera plus très important.

– Tout ce que tu dis est très bien, John, mais que se passera-t-il si...

– Pas de « si », camarade. Je vais te dire. Si des insurgés nous prennent en otages alors que j'ai une arme, ce sera uniquement parce que je ne m'en suis pas servi. Comme ça, d'une manière ou d'une autre, ce sera ma faute. Et tu n'auras qu'à me virer avant que tes chefs ne te virent. En attendant, tu fais comme si j'avais des armes invisibles. Ça roule ?

– D'accord, mais...

– Pas de « mais ». On fait comme ça ?

– OK, on fait comme ça.

Et c'est ainsi que nous avions décidé de procéder, même si son chef, assis confortablement et en sécurité dans son bureau de Londres, pouvait le licencier à tout moment s'il apprenait qu'il avait enfreint les règles du correspondant de guerre. Stupide.

Mais nous avions conclu un accord et je n'avais fait que l'entériner en récupérant mes affaires à l'armurerie du poste de garde. Je revins donc auprès de mes passagers pour organiser la suite du voyage. Les journalistes avaient enfilé leurs gilets pare-balles, le modèle encombrant que l'on voit souvent dans les reportages télévisés, mais qui représente un véritable handicap pour bouger. J'utilisai pour ma part mon propre gilet pare-balles, un modèle tactique niveau III conçu pour pouvoir se battre dans des espaces restreints. Il coûtait extrêmement cher, mais, selon les termes mêmes de la brochure, il offrait « le meilleur compromis possible entre une protection totale et la facilité de mouvement ». Je n'avais pas eu l'occasion de vérifier ce point, mais je me sentais plus à mon aise dans ce modèle.

La tension dans la voiture était maintenant montée de quelques degrés et je sentais s'installer une appréhension tangible, même si le trajet tant redouté entre Fallouja et Ramadi était encore à une heure trente de route. Les montagnes russes commençaient à la Borne 127. Ce n'était là qu'une simple borne kilométrique érigée au milieu de nulle part qui indiquait au voyageur fatigué qu'il lui restait encore 127 kilomètres à parcourir jusqu'à Bagdad. Mais elle avait pris au fil des jours une signification particulière pour tous ceux qui circulaient sur l'Autoroute car, pour quelque raison obscure, aucun événement dramatique ne s'était jamais déroulé à l'ouest de cette borne alors que l'enfer pouvait se déchaîner à tout instant, sitôt ce repère franchi. C'était également devenu un point de rendez-vous et un endroit où s'arrêter quelques instants, le temps de reprendre ses esprits et de rassembler ses forces avant le début du rodéo.

Je reconnus les environs de la Borne 127 avant même que nous ne l'ayons atteinte et je demandai à Ahmed de se garer sur le bas-côté. Je rappelai à tout le monde que c'était le moment ou jamais de vider sa vessie avant de continuer car, désormais, plus rien ne pourrait nous faire stopper à moins que nous n'y soyons contraints. Le journaliste bâilla ; il semblait contrarié d'avoir été arraché à une sieste prometteuse qui lui aurait permis de ne se réveiller qu'une fois arrivé à l'hôtel à Bagdad et d'échapper ainsi à l'angoisse du trajet sur cette portion d'autoroute.

Débouchant une bouteille d'eau, j'en bus une gorgée avant d'arranger au mieux mes affaires pour la fin du voyage. En même temps, je me préparai mentalement à tout ce qui pourrait advenir, conscient du fait que le voyage allait maintenant prendre une autre tournure et qu'il allait falloir rester concentré.

– OK, les gars, vous mettez vos casques et vous les gardez sur la tête jusqu'à la fin du voyage. S'il vous voulez récupérer quelque chose dans vos bagages, faites-le tout de suite. Inutile de me demander quoi que ce soit plus tard, cela ne servira à rien. Quoi que ce soit.

Je les observai attentivement tandis qu'ils fixaient la lanière de leurs casques. La peur se lisait sur leurs visages, dans leurs regards voilés par l'adrénaline, comme s'ils s'attendaient à être bastonnés. Ils ne voulaient pas partir, mais ils savaient qu'ils partiraient tout de même. Ils devenaient conscients des battements de leur cœur et de la sécheresse de leur bouche et luttaient contre leurs démons intérieurs afin de garder un sang-froid apparent.

Ahmed, angoissé derrière son volant dans l'attente du départ, égrenait son chapelet de prière entre ses doigts et se mordillait nerveusement les lèvres. J'étais moi-même occupé à suspendre des gilets pare-balles contre les portières de manière à créer un barrage supplémentaire entre les passagers et d'éventuelles rafales d'armes à feu. Cette précaution relativement efficace avait déjà permis de sauver de nombreuses vies. Mes vieux réflexes refirent surface à nouveau et je me remis à vérifier, au cas où, le niveau d'huile, le niveau d'eau et la jauge d'essence. Lorsque nous fûmes tous installés, je posai la AK-47 sur mes genoux et la recouvris de mon keffieh vert et noir de manière à la dérober à des regards trop inquisiteurs. Je confiai le pistolet Glock à Ahmed. Je savais qu'il saurait s'en servir le moment venu car je lui avais appris à le faire. Il l'enfonça entre ses jambes et le coussin de son siège et me fit signe d'un petit mouvement de tête.

« En route ! », lancé-je, et Ahmed s'exécuta en écrasant la pédale d'accélérateur comme s'il s'agissait de faire décoller un jet de son tarmac. Il allait rester le pied au plancher jusqu'à l'arrivée à Bagdad, ne descendant jamais en dessous de 100 kilomètres/heure, comme si une voiture remplie de démons le talonnait – ce qui n'était pas loin d'être le cas.

La circulation devint plus dense à l'approche de Fallouja, une ville traversée par l'Autoroute, une ville délabrée, bombardée et mitraillée, mais qui ne cédait toujours pas. Et c'est à ce moment-là que je les avais repérés, se frayant un passage dans les embouteillages pour s'extraire de leur bretelle d'accès. Et la BMW noire était apparue dans le rétroviseur, fonçant derrière nous…

DEUX

De l'art dramatique à l'art de la guerre

Une demi-lieue, une demi-lieue,
Sur une demi-lieue,
Dans la vallée de la mort,
Chevauchèrent les six-cents.

Je faisais de mon mieux pour projeter ma voix de manière forte et intelligible tandis que je récitais le poème épique de lord Tennyson *La Charge de la Brigade légère.* Mes nerfs étaient tendus à l'extrême, j'avais les mains moites et le front dégoulinant de sueur. Mais je continuais, luttant pour me rappeler les paroles tout en fixant des visages dont je n'arrivais pas à distinguer les traits, aveuglé que j'étais par le pinceau de lumière d'un projecteur. Je continuais, tel la Brigade légère, et c'est avec bonheur que j'aspirai une grande goulée d'air lorsque l'écho des derniers mots s'éteignit enfin dans l'obscurité.

La récitation de ce poème était-elle une échappatoire aux beuglements de mes tortionnaires, acharnés à me faire craquer, durant l'un de ces fameux exercices d'interrogatoire du SAS ? Non, c'était pire que cela : je donnais une représentation au cours d'art dramatique auquel je m'étais inscrit à l'âge de 17 ans avec la ferme intention de devenir une star du grand écran.

Lee Marvin et Steve McQueen m'avaient servi de modèles lorsque j'avais discuté de mes choix de carrière avec mon conseiller pédagogique. Il m'avait fourni une liste d'écoles de théâtre et j'avais alors quitté mon foyer de Newcastle-upon-Tyne pour les lumières de l'école d'art dramatique de Birmingham. Je ne disposais d'aucun bagage académique car je préférais jusque-là la boxe à la littérature – j'étais même un boxeur amateur plutôt prometteur –, mais j'étais convaincu que mon destin ne pouvait se dérouler ailleurs qu'au cinéma. Les résultats aux examens ne furent pas aussi catastrophiques que j'aurais pu le craindre, et un jury composé de deux femmes et d'un homme plutôt décontractés me fit passer une audition. Après que j'eus déclamé mon texte, ils me firent part de leur avis en toute franchise :

– Bon, vous avez sans conteste le physique de l'emploi, mais vous n'avez aucun talent, reconnurent-ils. Cela dit, ça n'a pas tellement d'importance de nos jours, dans la mesure où de nombreuses stars sont tout aussi dénuées du moindre talent d'acteur. Nous allons vous inscrire et nous verrons bien comment vous vous en sortez.

Je ne fus pas du tout surpris d'être accepté par cette école : n'était-ce pas le destin auquel j'étais promis ? Je ne fus pas non plus meurtri par le jugement selon lequel je n'avais aucun talent. Je rentrai donc chez moi à Newcastle pour annoncer la bonne nouvelle à ma mère – mon père était mort alors que j'avais 13 ans – avant de retourner à Birmingham pour y partager une chambre dans une auberge de jeunesse avec un sosie de Jimi Hendrix qui était non seulement originaire de la ville, mais qui en connaissait toutes les boîtes de nuit, tous les bars, et quasiment toutes les filles du centre-ville.

Le jury avait bien sûr vu juste en ce qui concernait mon talent et la principale de l'école, une dame formidable du nom de Mary Richards, m'auditionna à son tour dans les jours qui suivirent mon arrivée. Elle n'avait pas assisté à la première audition et fut manifestement effarée de constater que j'avais pu passer tous les barrages et intégrer son école autrement que pour un poste d'agent d'entretien. Amie de Laurence Olivier et du monde du théâtre à l'ancienne, Mlle Richards s'assigna très vite comme mission sur terre de me hurler dessus et de me reprendre après chaque mot prononcé. Au fil des semaines, il me parut évident qu'elle pensait que ma présence lui avait été imposée par un personnel désireux de lui jouer un bon tour. Nul besoin de préciser que je vivais dans la terreur de ses regards méprisants, de ses sourires hautains et de sa langue de vipère. Les choses ne s'arrangèrent pas lorsque je dus chanter *We Have All the Time in the World* au cours de l'un des spectacles que nous montions régulièrement. Je peux vous assurer que ce n'était pas la Star Academy. Mon chant était si affligeant que lorsque j'en eus terminé, le public, composé de mes camarades étudiants, resta silencieux un bon moment avant que de faibles applaudissements ne finissent par rompre ce silence embarrassant. Je notai toutefois que la principale semblait trop consternée pour trouver la force de frapper dans ses mains.

Je sentais bien que je n'arriverais à rien dans cette école et que j'allais devoir partir avant que Mary Richards ne me renvoie, mais j'étais toujours déterminé à devenir une star de cinéma et, évidemment, un formidable sex symbol. Il ne m'était absolument pas venu à l'idée que je pourrais aussi rentrer à Tyneside pour y chercher du travail comme apprenti sur un chantier naval. J'en étais arrivé à la conclusion que je devais simplement trouver une nouvelle stratégie pour atteindre mes objectifs. Je décidai donc de suivre l'exemple de mes héros Steve McQueen et Lee Marvin, qui avaient tous deux servi dans le corps des Marines des États-Unis et pris part à des combats. J'imaginais que, si je quittais l'école d'art dramatique de Birmingham et que je m'engageais dans l'armée, j'en apprendrais suffisamment pour jouer de manière convaincante le rôle du héros en puisant dans mon expérience du combat et que cela rejaillirait forcément sur la pellicule. L'armée serait ma nouvelle école d'art dramatique et je répéterais toutes les scènes de ma future carrière cinématographique dans les batailles auxquelles je participerais. Ce plan me parut d'une bouleversante simplicité.

Puis le destin s'en mêla alors que nous venions de nous voir attribuer une nouvelle pièce à répéter pour la fin du trimestre. On nous avait demandé de choisir un texte d'histoire militaire célèbre dans le monde de la littérature, de l'étudier et d'en préparer la récitation. Bien sûr, de nombreux étudiants se plongèrent dans Shakespeare et revisitèrent Azincourt et Bosworth. Les clameurs de « Une fois encore dans la brèche » et de « Un cheval ! Un cheval ! Mon royaume pour un cheval ! » retentirent dans le collège tandis que nous préparions le pot-pourri militaire destiné à notre public d'étudiants, de professeurs et d'invités. Pour la première fois, nous avions un devoir dont le sujet m'enthousiasmait et je voulais présenter quelque chose de différent. Aussi, après y avoir longuement réfléchi, je choisis pour sujet la guerre de Crimée et l'incroyable charge de la Brigade légère. J'y travaillai dur, tentant de mettre dans ce poème de lord Tennyson autant d'expressivité qu'il m'était humainement possible et d'être fin prêt pour le spectacle.

Parallèlement, la principale avait réussi à attraper par le collet un de ses anciens élèves et nous avait fièrement annoncé que notre invité d'honneur n'était autre que le grand Dirk Bogarde lui-même. Un frisson d'angoisse traversa tout le collège à l'annonce de cette nouvelle, mais je restai de marbre. Pas de quoi s'emballer, pensai-je. Je donnerai tout ce que j'ai dans le cœur. Et c'est ce que je fis ; je me donnai corps et âme à ma récitation tout en sachant qu'une star de l'écran était là, en chair et en os, parmi les silhouettes assises dans la pénombre à m'écouter.

Ce fut la meilleure performance que je fis jamais, et elle me valut même ma première et dernière salve d'applaudissements spontanée de la part d'un public. Dirk Bogarde vint à ma rencontre, flanqué de la principale, dont le visage était figé en un sourire qui semblait dire que même un succès d'estime pour son pire étudiant n'était guère plus réjouissant qu'un cas de tétanos. Mais Dirk me fit l'honneur d'une critique que je n'oublierai jamais.

– Un sacré bel effort !, me dit-il. Plutôt difficile de bien réciter ce poème – il faut peser chaque mot et le restituer avec une grande justesse.

– Merci, répondis-je de manière plutôt maladroite. J'ai essayé de faire de mon mieux.

Il sourit, puis m'expliqua qu'il avait lui-même été soldat au cours de la Seconde Guerre mondiale.

– J'étais dans un régiment de parachutistes. Je me suis battu en Normandie, sur le pont de Plimsoll… Une expérience inoubliable, vous savez.

Les dés étaient jetés. Il me parut évident que j'avais eu raison et que l'armée constituait la meilleure école pour devenir acteur. Si l'armée avait été assez formatrice pour Dirk, elle le serait aussi pour moi.

Dès la fin du trimestre, je rentrai à Newcastle et je frappai aussitôt à la porte du bureau de recrutement de l'armée pour m'engager dans un régiment de parachutistes. J'entamai alors le long voyage qui allait me mener de Birmingham à Bagdad, au fil d'une carrière militaire que le grand Dirk Bogarde avait inconsciemment encouragée.

Je reste cependant persuadé que j'avais déjà l'armée dans le sang ; une vocation qui avait été bridée par mon obsession d'adolescent de devenir une idole des jeunes. Après tout, j'étais le fils d'un rat du désert – mon père avait participé à la bataille d'El-Alamein – et je pense sérieusement que ma naissance en Rhodésie – l'actuel Zimbabwe – et mon rapatriement en Angleterre à l'âge de 3 ans m'avaient inoculé la soif de voyages inhérente au soldat. Aussi, quelques semaines plus tard, le temps nécessaire pour passer avec succès d'épuisantes épreuves de sélection, je me retrouvai au dépôt du régiment de parachutistes d'Aldershot et intégrai le 2e Para. Je faisais maintenant partie de l'école que j'avais choisie, et qui allait se révéler bien différente de ce que j'avais pu imaginer.

Le personnel du dépôt avait appris que j'arrivais tout droit d'une école d'art dramatique et, comme on peut l'imaginer, se paya joyeusement ma tête, me baptisant aussitôt « Duke », surnom d'un autre de mes héros, John Wayne. J'eus heureusement la chance de faire une bleusaille plutôt raisonnable et il ne me fut pas tenu longtemps rigueur de mon incursion dans le monde prétentieux du théâtre.

Après cinq années passées dans le 2e Para et plusieurs affectations en Irlande du Nord, j'avais déjà accumulé un bon nombre d'accrochages avec l'ennemi. J'avais même survécu au massacre de Warrenpoint du 27 août 1979, au cours duquel dix-huit soldats, en majorité des parachutistes, perdirent la vie. Warrenpoint représente le plus grand succès de la lâche campagne menée par l'IRA contre l'armée britannique. J'eus de la chance ce jour-là ; la chance de ne pas me trouver dans le détachement principal lorsqu'une énorme bombe explosa sur la route, et la chance de me plaquer instinctivement au sol juste avant que l'habitation près de laquelle je me trouvais ne soit pulvérisée par une deuxième explosion. C'est regrettable à dire, mais l'IRA avait conçu une bonne embuscade. Cependant, elle ne fut menée à bien qu'en raison de nos propres défaillances puisque, ainsi que je crois l'avoir compris, nos services de renseignement nous avaient prévenus que l'IRA planifiait une action d'envergure dans la région. Mais quelqu'un, au sein de notre hiérarchie militaire ou des services de renseignement, n'avait pas jugé cette information pertinente ou, pire encore, l'avait délibérément ignorée.

J'eus de la chance ce jour-là lorsque l'IRA frappa, mais rien n'aurait pu me préparer à ce qui nous attendait sur les îles Malouines. Cette guerre a été décrite dans de nombreux livres et j'ai eu l'honneur d'être mentionné dans quelques-uns d'entre eux. Le fait est qu'elle changea profondément le cours de ma vie. Lorsque nous appareillâmes pour l'Atlantique Sud, j'étais encore caporal, chef de section dans la compagnie C. Ma patrouille était spécialisée dans les actions de reconnaissance et nous avions pour mission de nous rapprocher aussi près que possible des lignes ennemies afin d'étudier leur déploiement ; une mission qui dans notre jargon avait pour nom « mission de reconnaissance et d'observation ». Je n'appréciai pas beaucoup les Malouines. Ces îles me parurent plus froides et plus humides qu'une douche dans une auberge de jeunesse et le paysage y était aussi lugubre et désolé que dans les Brecon Beacons durant l'hiver, mais sur une superficie cinq fois plus importante. Les marches à la boussole étaient un véritable cauchemar car le terrain marécageux était couvert de boules de mousse qui s'enfonçaient sous chacun de nos pas en gargouillant – les hommes, avec cet humour particulier du soldat britannique, avaient donné à ces formations le surnom de « crânes de bébé ». C'était le paysage idéal pour une guerre difficile.

Ma patrouille eut notamment pour mission de reconnaître les lignes ennemies sur Goose Green juste avant qu'un assaut décisif ne soit lancé dans ce paysage nu et stérile. Nous nous étions tellement rapprochés des positions ennemies que nous mîmes à profit l'odeur de leurs latrines pour nous guider dans la brume le long de leurs lignes et éviter de tomber dans leurs tranchées. Si l'odeur devenait trop forte, nous savions que nous étions trop près.

Nous devions rapporter des informations sur leurs effectifs, les emplacements et le déploiement tactique de leurs mitrailleuses, leur moral, leur état d'alerte, le nombre d'hommes endormis... Nous dénichâmes ainsi une position où presque tous les hommes dormaient – on ne percevait qu'un mot d'espagnol de temps en temps dans le brouillard. Ils payèrent cette erreur de leur vie puisqu'ils furent tous tués à la baïonnette, dans leur sac de couchage, au cours d'une attaque silencieuse. Notre travail achevé, nous retournâmes sur nos lignes pour attendre que leur infanterie déclenche un assaut et en subisse les conséquences. La bataille de Goose Green, au cours de laquelle le colonel H. Jones perdit la vie – ce qui lui valut d'être décoré à titre posthume d'une Victoria Cross –, fut la plus impitoyable et la plus terrible de toutes les batailles du conflit des Malouines. Je n'ai jamais pu chasser de mon esprit deux épisodes qui en font partie.

Le premier est la mort de mon très bon ami Steve Prior, l'un des hommes les plus courageux et respectables qu'il m'ait été donné de rencontrer. Au cours de notre traversée vers l'Atlantique Sud, il avait pris sous son aile un jeune soldat visiblement très inquiet à l'idée de ce qui l'attendait. Il lui avait affirmé : « Ne t'en fais pas. S'il faut en arriver là, je mourrai pour que tu puisses vivre. » Et, c'est exactement ce qui arriva aux abords de Green Goose. Plusieurs hommes de la compagnie A s'étaient retrouvés à découvert sur les pentes de Darwin Hill et quatre caporaux, dont Steve, se précipitèrent toutes affaires cessantes pour ramener ces soldats dangereusement exposés. L'un d'eux n'était autre que le jeune soldat du bateau. Il fut ramené sain et sauf derrière les lignes britanniques, mais Steve fut abattu d'une balle en pleine tête par un tir argentin. Il avait donné sa vie pour préserver celle d'un camarade.

Je n'oublierai jamais Steve ni les paroles prophétiques qu'il avait prononcées alors qu'il était déjà en route vers la mort. Comme le savent tous les hommes, toutes les femmes qui ont combattu, il ne s'agit pas seulement d'honorer la mémoire d'un ami mort sur un champ de bataille lors d'une quelconque journée commémorative, mais de garder précieusement en soi son image et son attitude exemplaire, dans tout ce que nous faisons ou vivons.

Le second épisode que je garde intact se déroula au cours de l'assaut sur l'école de Goose Green, une position argentine extrêmement bien fortifiée. Nous étions huit à partir à l'attaque de ce bâtiment en forme de L dans lequel nous pénétrâmes par son angle intérieur sous le couvert de la fumée, armés de fusils et de grenades. Quelques minutes auparavant, nos deux patrouilles avaient confié une grosse partie de leur armement – mitrailleuses légères, lance-roquettes M79, tubes anti-chars de 66 mm – aux éléments avancés de la compagnie D qui s'étaient retrouvés à court de munitions après avoir combattu toute la journée. Le caporal Tom Harley, leur chef de section, nous avait alors arrangé un formidable tir de barrage qui avait noyé l'école sous un déluge de plomb et d'acier avec une précision redoutable. Le tir ne cessa que lorsque nous lançâmes l'attaque par le flanc gauche.

Nous avions coincé des allumettes dans les mécanismes de tir de nos SLR pour pouvoir tirer en rafales plutôt qu'au coup par coup. Un camarade du nom de Nick W. et moi-même partîmes en tête, jetant des grenades à travers les fenêtres brisées. Je progressai ainsi jusqu'à la porte d'entrée, qui était déjà en train de brûler et de tomber en morceaux ; je la défonçai d'un coup de pied et vidai aussitôt tout mon chargeur dans la pièce. Des silhouettes en feu – images qui me hanteront jusqu'à la fin de mes jours – s'écroulèrent au sol. Malgré la fumée âcre qui avait envahi la pièce, j'aperçus à l'autre extrémité une estrade de bois telle qu'on en voit dans les écoles, de celles qui permettent aux enfants de se produire en spectacle. Je ne l'aperçus que quelques secondes, juste avant de ressortir de l'école et de me coller derrière un mur pour échapper aux tirs ennemis, mais cela suffit pour que la voix de Mary Richards retentisse à nouveau pour m'affirmer que je ne serais jamais acteur, « pas même dans un millier d'années ». Tout devint alors très clair : l'armée n'était pas une scène de théâtre et je ne serais jamais une star du grand écran. J'étais un soldat.

À partir de ce jour-là, je fis preuve d'une efficacité accrue et d'une conscience professionnelle sans limites, chaque cellule de mon être tendue vers un nouvel objectif : devenir membre du Special Air Service. J'avais vu des membres du SAS opérer dans les Malouines – des hommes à part, des ombres létales se déplaçant silencieusement dans la brume et laissant derrière eux un ennemi pantelant. Je voulais devenir l'un d'eux, et j'y parvins.

Je passai les épreuves de sélection en 1984 et devins membre de l'escadron D. Je me spécialisai comme « chuteur opérationnel » – saut à haute altitude, ouverture du parachute à basse altitude pour une infiltration en zone de combat. Au cours de ma carrière au sein du Régiment, je participai à de nombreuses opérations secrètes aux quatre coins du monde.

Je pris part aux combats contre les terroristes d'Irlande du Nord, mais j'aimerais autant reléguer ces souvenirs dans les livres d'histoire où ce conflit, du moins je l'espère, restera pour toujours ; je menai des opérations de guerre secrètes dans les jungles ou les contreforts des Andes à combattre les cartels de la drogue sud-américains ; j'effectuai des missions top secret en Afrique ou en Asie ; et, avec d'autres soldats du SAS, je devins les yeux et les oreilles de l'ONU dans les Balkans. Enfin, en qualité de sergent-chef pour le 22e SAS, je m'occupai d'une dernière mission au Moyen-Orient.

Celle-ci était d'ailleurs plutôt étrange. L'opération en elle-même se déroula tout à fait normalement, mais j'étais en train de compter les jours qui me séparaient de la fin de mon contrat lorsqu'un coup de téléphone m'avait contraint à participer à cette dernière mission. J'avais déjà rendu tout mon paquetage et je pensais avoir « battu l'horloge », mais le Régiment était à court d'hommes et il fallait que j'y aille. Pour ceux qui l'ignoreraient, les noms des hommes morts en service sont gravés à la base d'une grande horloge située sur le champ de parade du Régiment. Ceux qui quittent le SAS en vie peuvent alors se réjouir d'avoir « battu l'horloge ». Cette expression provient du titre de l'un des tout premiers jeux télévisés britanniques, *Battre l'horloge*. Vous pouvez sans doute imaginer les plaisanteries auxquelles j'eus droit lorsque je me retrouvai à faire la queue pour récupérer mon paquetage auprès de jeunes gars tout récemment admis chez nous et qui partaient pour leur première mission. Au final, le travail se déroula sans encombre et je réussis à « battre l'horloge », même si j'avais été l'un des rares à bénéficier d'un petit supplément de service.

Le Special Air Service et les forces spéciales sont des univers qui permettent à ceux qui en font partie d'appartenir à un cercle très exclusif et de disposer d'une sorte de prééminence militaire. Il s'agit de formations vraiment spéciales et pas seulement au regard des qualités, des connaissances et du courage que leurs membres doivent déployer. Je pense que l'une des particularités du SAS repose sur l'amitié et l'entraide qui règnent entre ses hommes. Celles-ci naissent dans les épreuves, s'épanouissent au cours d'opérations clandestines dangereuses, et débouchent sur une loyauté à toute épreuve. Il s'ensuit logiquement que la majorité de mes amis sont d'anciens compagnons d'armes – d'anciens « couteaux » puisque c'est le nom que nous nous donnons, en référence à la dague ailée qui figure sur l'emblème de notre Régiment. Cela ressemble à un cliché, mais nous faisons plus facilement confiance aux hommes et aux femmes qui ont enduré et traversé les mêmes dangers que nous.

L'un de mes plus anciens amis est un formidable guerrier gallois du nom de Mike Curtis. Nous avons combattu ensemble à Goose Green, puis servi tous les deux au sein du SAS, où nous avons mené plusieurs opérations avant de prendre part à la guerre très discrète menée par le Régiment contre les cartels de la drogue en Bolivie. Après avoir quitté le Régiment, j'ai effectué plusieurs missions dangereuses, comme consultant en sécurité, garde du corps ou encore mercenaire, souvent aux côtés de Mike Curtis, mais l'une des expériences les plus inhabituelles que j'aie vécues – et qui fait étrangement écho avec le sujet de ce livre – est un incident que Mike et moi appelons « La Mort annoncée d'une princesse ».

Cet épisode se déroule dans une suite d'un grand hôtel londonien, avec une princesse appartenant à l'une des plus puissantes familles royales du Moyen-Orient. Elle était absolument charmante et adorable, très facile à vivre, et suivait nos recommandations de très près. Mike et moi détonnions un peu dans son entourage, mais nous restions aussi discrets que possible et faisions tout pour qu'elle se sente en sécurité et à l'aise lors de ses déplacements autour de Londres et de ses multiples expéditions shopping – ce dont elle nous était reconnaissante. Elle était escortée d'un autre membre de son personnel à la mission vitale, une infirmière, car notre princesse – et il s'agissait réellement de « notre » princesse tant qu'elle était sous notre responsabilité – souffrait de crises de diabète assez graves. Heureusement ses parents pouvaient se permettre de lui offrir une assistance médicale 24 heures sur 24.

Après une journée particulièrement épuisante au cours de laquelle nous avions quadrillé avec un grand sens tactique toutes les boutiques du West End, nous étions rentrés à l'hôtel. J'étais sur le point de prendre mon dîner avant d'aller me coucher lorsque Mike se mit à tambouriner à ma porte. Pour autant que je me souvienne, il était parti faire du sport ; nous partions nous entraîner chacun son tour, pendant que l'autre restait en alerte.

– John, on a besoin de nous ! Le personnel de l'hôtel l'a trouvée dans le coma ! Ils sont allés chercher l'infirmière, dépêche-toi !

Je me souviens encore de la manière dont les battements de mon cœur s'accélérèrent tandis que je courais sur l'épaisse moquette du couloir derrière Mike. Je priais pour qu'il ne se soit rien passé de dramatique. Nous appréciions sincèrement la jeune personne et j'étais vraiment très inquiet, mais, pour être honnête, je ne tenais pas non plus à ce que mon CV soit entaché par la perte d'une princesse au cours d'une mission de routine. Nous entrâmes dans sa chambre juste après l'infirmière et le directeur de l'hôtel, qui avait également été alerté. J'avais suivi un entraînement me permettant d'assumer le rôle d'infirmier au sein de nos patrouilles du SAS et il ne me fut pas difficile de constater que la princesse était dans un état critique, glissant rapidement vers un coma hypoglycémique.

C'était assez inquiétant en soi, mais je m'aperçus en outre que l'infirmière était complètement tétanisée. Je n'avais aucune idée de la manière dont la famille royale l'avait recrutée, mais je compris rapidement qu'elle n'avait jamais travaillé dans un service d'urgence ni vu un patient osciller entre la vie et la mort, ce qui était précisément en train de se passer sous ses yeux. Elle disposait de tout le matériel nécessaire – une poche de glucose, une aiguille de perfusion, de l'adrénaline, tout ce qu'il fallait – mais elle était incapable d'entreprendre quoi que ce soit, tant elle était pétrifiée par la gravité de la situation.

– Mais bon Dieu, elle fait une crise d'hypoglycémie, faites quelque chose, grondai-je.

Rien. Aucune réaction. Je compris qu'il me fallait intervenir. Je lui arrachai le matériel des mains et me mis aussitôt au travail tout en donnant l'ordre le plus étrange qui soit à Mike :

– Couche-toi avec elle sur le lit, prends-la dans tes bras et réchauffe-la !

Nous devions faire tout ce qui était en notre pouvoir pour que la température de son corps ne chute pas mais, pendant une fraction de seconde, le regard de Mike croisa le mien et je pus y déchiffrer toutes ses interrogations : Mais c'est une princesse ! Une princesse musulmane ! Il lui est interdit d'approcher les hommes d'aussi près, je pourrais me faire lapider si je faisais cela dans son pays ! Mais il put aussi voir toute ma détermination. Il haussa les épaules, l'enveloppa dans une couverture et s'allongea sur le lit, en se couchant contre elle dans ce qu'il m'assura être une étreinte de grand frère – un *cwtch*, comme on dit au pays de Galles. Une perfusion de glucose et la chaleur du corps de Mike permirent de la sauver. Nous ne croisâmes plus jamais l'infirmière et, aujourd'hui encore, je peux jurer que jamais je n'oublierai cette vision d'un des hommes les plus féroces du SAS en train de bercer une princesse arabe dans ses bras afin qu'elle revienne à la vie.

Cet incident connut un épilogue assez sinistre puisque, la même nuit, la princesse Diana trouva la mort dans un tunnel parisien à bord du même modèle de Mercedes 500 que nous utilisions pour conduire notre princesse dans les rues de Londres. Mike et moi-même eûmes froid dans le dos en songeant à cet étrange coup du sort qui avait permis de sauver la vie d'une princesse en même temps qu'une autre perdait la sienne. Cela atténua d'une certaine façon la tristesse que nous éprouvâmes en apprenant cette mort.

Cela dit, ceux d'entre vous qui pensent que ce livre évoque mon passé au sein du SAS se trompent.

Je vais parler de mon travail de *contractor* – de soldat privé – en Irak et de cette formidable armée de mercenaires qui a été rassemblée pour protéger les hommes d'affaires et les ingénieurs qui sont arrivés dans le pays pour le remettre à flot à coup de contrats se chiffrant en milliards de dollars.

Je vais parler des soldats privés et de leur manière de travailler, en soulignant les différences essentielles qui existent entre les tactiques américaine et britannique sur l'Autoroute vers l'Enfer. Je vais également parler des insurgés, en décrivant les racines et les raisons de cette insurrection, ainsi que la qualité des hommes qui sont amenés à la combattre.

Je vais raconter les exploits extraordinaires de certains contractors britanniques, véritables héros, et mes accrochages avec l'ennemi au cours des dix-huit mois durant lesquels j'ai travaillé en Irak. J'ai connu quelques passages à vide après plusieurs mois de missions en tant que garde du corps solitaire sur l'autoroute de Fallouja et je ne vous cache pas que le stress et la succession de nuits bien arrosées en compagnies d'équipes de reporters m'ont presque fait basculer dans la folie. Je vais évoquer aussi les femmes qui ont rejoint cette armée de mercenaires et la manière dont se déroulent les histoires d'amour ou les mariages au milieu de ce cauchemar insurrectionnel.

Je continue à me rendre régulièrement en Irak ou au Moyen-Orient, mais depuis l'été 2005 je ne travaille plus sur les autoroutes irakiennes en qualité de garde du corps. Je suis à présent instructeur pour tous les soldats qui souhaitent se rendre dans cette région. Mon fils Kurt en fait partie, ainsi que plusieurs de ses amis qui sont d'anciens du 2e Para. C'est pourquoi je suis au courant de tout ce qui se dit au sein de cette armée de mercenaires et que j'ai été informé de plusieurs combats extraordinaires qui ont opposé des *contractors* aux insurgés.

Mon passé compte bien sûr pour beaucoup dans cette histoire, mais j'ai délibérément évité de décrire en détail ce que j'ai pu accomplir au sein du SAS. Je souhaite respecter la nature confidentielle de mon activité au sein du Régiment, même si l'on a déjà dit et écrit beaucoup de choses sur différentes opérations que nous avons menées.

Je dirai simplement que, au cours de mon service au sein du SAS, j'ai été impliqué dans plusieurs missions qui avaient pour objet de contrecarrer des initiatives paramilitaires initiées par les différents belligérants du conflit bosniaque. Ces missions ont permis de sauver de nombreux innocents, des civils désarmés, cibles idéales de crimes de guerre ou d'opérations de nettoyage ethnique.

Si je ne peux bien sûr parler de ces missions, je peux affirmer toutefois que des vies ont été sauvées des deux côtés, même si, en raison d'une population bosniaque plus importante, ce sont les musulmans bosniaques qui ont le plus bénéficié de notre protection.

Mais ce qui est important, c'est que des vies ont été sauvées, et il importe peu de savoir s'il s'agissait de musulmans ou non. Est-ce que ces actions font de moi un djihadiste combattant pour l'islam partout où des fatwas ont été proclamées ? Est-ce que cela fait de moi un traître envers les chrétiens serbes qui sauvèrent l'Europe d'une invasion musulmane quatre cents ans plus tôt et pensaient revivre la même guerre au XXe siècle ?

Le fait que Mike et moi ayons sauvé la vie d'une princesse dont la famille contribue à propager un fondamentalisme musulman à travers le monde fait-il de nous des héros de l'islam ? Je ne crois pas. Je refuse de me ranger derrière des opinions politiques, des croyances religieuses ou des étiquettes. Je ne me suis jamais préoccupé de connaître la religion des victimes que je côtoyais en Bosnie. Je savais juste que des milices paramilitaires armées jusqu'aux dents n'avaient d'autre idée en tête que de s'en prendre à des civils désarmés. La seule chose qui me concernait alors, c'est qu'il s'agissait là d'un comportement inhumain et injuste.

L'Occident a mis trop de temps à réagir face à ces nettoyages ethniques, à ces viols et à ces meurtres qui ont ravagé les populations des Balkans. Il y a même eu plusieurs épisodes honteux, notamment lorsque les soldats néerlandais de l'ONU ont été impuissants à protéger l'enclave de Bihac. Néanmoins, de nombreux soldats ou pilotes chrétiens ont risqué leur vie pour mettre un terme au massacre de fidèles de l'islam. Dans l'un des derniers actes de ce conflit des Balkans, nous avons bombardé Belgrade, une capitale chrétienne, pour en expulser le régime de Milosevic et mettre fin à cette guerre honteuse dont, a posteriori, on peut penser qu'elle a été initiée par une Armée de libération du Kosovo largement financée par Oussama Ben Laden dans le cadre de sa stratégie de terreur globale.

Je me rappelle un soldat du SAS, un de mes amis, qui surveillait une colonne de Serbes prête à fondre comme une meute de loups sur une ville du Kosovo où se trouvaient des musulmans désarmés. Il était caché dans un poste d'observation, à moins de 50 mètres des Serbes qui approchaient, lorsqu'il a ordonné une frappe aérienne sur eux. Il a même pris la décision – une décision sidérante et totalement altruiste – de communiquer les coordonnées de sa propre position pour être certain que la frappe atteindrait la colonne serbe avec un impact maximum. Cet homme de sang-froid, courageux à l'extrême, a plaisanté, plus tard, sur cet exploit en prétextant que l'armée de l'air ne réussissait jamais ses coups au but, a fortiori avec des bombes intelligentes. Toujours est-il qu'il a mis sa vie en jeu pour sauver des gens qu'il ne connaissait pas et dont la culture et la religion étaient aussi éloignées que possible de la sienne. Il l'a fait par simple humanité.

Je n'ai jamais entendu le moindre mot de remerciement ou la moindre parole de reconnaissance de la part du monde islamique pour ce que nous avons fait en faveur de leurs frères et sœurs des Balkans et je ne m'offusquerai pas si cela n'arrive jamais, mais, des années plus tard, en roulant sur l'Autoroute vers l'Enfer, je n'avais aucun mal à regarder les hommes dans les yeux – quelle que fût leur communauté. Je n'ai aucun ennemi, à l'exception de ceux qui me considèrent comme le leur. Je crois en l'humanité, elle seule compte pour moi, et certainement pas les mots écrits dans les livres de prière, de quelque religion qu'ils soient.

TROIS

Coup de tonnerre

Tous ces gens traumatisés, les yeux hagards, les nerfs brisés par les bombardements nocturnes, semblaient vivre un ersatz d'existence. Beaucoup restaient là, immobiles, à nous regarder passer à travers les ruines des faubourgs de Bagdad, où les bâtiments détruits tenaient lieu de points de repère, où les poteaux électriques cassés, entravés de câbles désormais inutiles, se dressaient, accusateurs, vers le ciel. Les ponts gisaient, effondrés, dans les cours d'eau comme des jouets que l'on aurait piétinés. Les bombardements avaient recouvert la ville d'une fine couche de poussière blanchâtre, farine fraîche d'une guerre moderne.

Nous venions de faire cinq heures de route totalement abrutissantes, au départ du Koweït, sur un interminable ruban de goudron noir qui traversait un paysage lunaire ponctué de quelques rochers solitaires. La plupart d'entre nous avaient somnolé pendant une bonne moitié du trajet. Les Américains avaient baptisé cette voie « Autoroute Tampa ». Elle était hantée par les fantômes de la première guerre du Golfe, depuis que, dix ans plus tôt, des hélicoptères Apache et des avions chasseurs de chars A-10 Thunderbolt avaient réduit en miettes un convoi de plusieurs milliers de conscrits irakiens fuyant devant l'opération Tempête du Désert.

Nous étions trente-cinq sur cette route. Nous avions tous appartenu un temps aux forces spéciales britanniques et, pour la plupart, nous étions d'anciens couteaux du SAS. Nous formions l'avant-garde d'une gigantesque armée privée qui suivrait bientôt ; nous étions les premiers *contractors* à pénétrer en Irak à l'issue d'une guerre que nous espérions avoir été décisive. Comme d'habitude, nous arborions une barbe de plusieurs jours et une indifférence totale aux effets du décalage horaire, l'indifférence de ceux qui ont l'habitude de traverser la moitié du globe pour se rendre sur leur lieu de travail. Ainsi, quelques jours seulement après le cessez-le-feu, nous nous retrouvions à voyager au sein de ce convoi de sept véhicules. Sept véhicules ordinaires, sans une seule arme à se partager. Nous n'avions pas besoin d'armes, puisque nous ne nous sentions pas en danger. Du moins pas encore.

– Eh, John, tu trouves pas qu'ils ont l'air plutôt secoués ?, m'interrogea Bungo, le gars qui était assis à côté de moi. Mais autant voir les choses en face, John, notre vie sera beaucoup plus facile s'ils n'ont plus aucune envie de se battre ! Observe-les, ils ont le regard vide. Trente ans de Saddam Hussein, vingt jours de frappes aériennes et une invasion pour couronner le tout… alors qu'ils n'ont rien voulu de tout cela.

– C'est vrai, mec, ils se sont retrouvés au mauvais endroit. Mais tu sais aussi bien que moi comment ça se passe. Si tu retrouves au mauvais endroit et que tu n'as nulle part où aller, tu te fais prendre dans la nasse, et c'est le cas de tous ces pauvres gens. De toute manière, nous n'en sommes qu'au début. Ceux qui vont nous poser problème ont sans doute déjà commencé à rassembler leurs forces en ce moment.

– Ouais, les mois à venir nous diront de quelle côté la roue va tourner, me répondit-il.

Si quelque chose devait se produire en Irak, l'impulsion en serait probablement donnée par les soldats d'anciennes unités clés comme la Garde républicaine ou les fédayins de Saddam, qui avaient été endoctrinés au point d'être prêts à sacrifier leur vie pour lui. Désormais libérés de leurs obligations, ils restaient sans doute sous le contrôle de ceux dont les visages ornaient les célèbres jeux de cartes de l'armée américaine, Saddam Hussein en tête, qui avait sans doute à sa disposition les tonnes d'argent liquide qu'il avait détournées du programme des Nations unies « Pétrole contre nourriture ». Cependant, la grande majorité des gens que nous croisions en pénétrant dans Bagdad n'étaient que de pauvres hères pris dans une mêlée qui les dépassait. Ils n'avaient pas eu la possibilité de se battre ni de fuir et s'étaient donc terrés en attendant la fin de l'orage. Tous avaient le visage d'une population choquée par les bombardements et épuisée par toute cette histoire. L'euphorie que les Irakiens avaient ressentie à la chute de Saddam et de Baas, son parti honni, n'avait duré qu'un instant, le temps que les soucis plus concrets de la vie quotidienne reprennent le dessus. Ils avaient des enfants à nourrir et des vies à reconstruire dans les ruines. Comment auraient-ils pu se préoccuper des prochaines élections ? Que pouvaient-ils bien faire d'une démocratie alors qu'ils avaient besoin de nourriture, d'eau, d'électricité pour garder leurs enfants en vie ?

Je chassai ces pensées de mon esprit et me concentrai sur ce dont nous avions besoin. Même si les Irakiens avaient l'air abattus et dépourvus de tout, nous n'en avions pas moins le sentiment que ce n'était guère l'endroit où des Britanniques pouvaient se promener sans armes. Nous étions des soldats et notre priorité consistait à nous équiper décemment.

Nous avions été recrutés comme *contractors* par une importante société de sécurité, avec pour mission de dresser un « tableau de la situation » en Irak. Concrètement, cela signifiait que nous devions nous disperser à travers le pays pour constater in situ l'état d'installations stratégiques – champs de pétrole, ports ou villes comme Bagdad –, qu'il nous fallait estimer la stabilité de ces zones et donner notre avis sur les menaces susceptibles de peser sur les armées d'ingénieurs, de géomètres ou d'hommes d'affaires qui allaient bientôt déferler en Irak dans le cadre de contrats de reconstruction de plusieurs milliards de dollars financés par les États-Unis. Nous n'étions pas vraiment les seuls dans le pays ; une équipe d'Américains de la société Blackwater était arrivée à peu près en même temps que nous, avec une mission équivalente. Blackwater était l'une des plus importantes sociétés militaires privées (SMP) dans le monde du mercenariat et de la guerre moderne. Propriété du groupe Halliburton, dirigée par le vice-président des États-Unis Dick Cheney entre 1995 et 2000, elle avait signé de nombreux contrats pour protéger les officiels du Département d'État américain en Irak ou en Afghanistan. Cette clientèle permettait à Blackwater d'atterrir droit dans les traces de l'armée américaine dès que celle-ci posait le pied dans un nouveau pays.

Pour notre part, nous étions arrivés les mains dans les poches, dans la plus pure tradition britannique. Nous étions logés dans un petit ensemble de préfabriqués érigés à la va-vite sur la pelouse d'un palais autrefois propriété d'Udaï, l'un des fils de Saddam. Cette installation spartiate, que les Américains avaient pompeusement baptisée « Camp de Pionniers », partageait sa pelouse avec un char américain positionné à proximité. À peine y avions-nous déposé nos affaires que nous repartîmes aussitôt en quête d'armes.

Bungo était resté en Irak pendant toute la guerre, au service d'une équipe de télévision à Bagdad, et il n'avait passé que quelques jours chez lui avant de signer pour cette nouvelle aventure et de revenir en Irak. Bungo était un gros costaud chauve dont le visage était barré en deux par une grande moustache. Sa corpulence, toute de muscle, faisait de lui un redoutable expert en combat rapproché, un « tueur de jaunes » comme nous avions coutume de dire entre nous. Il avait bien sûr passé suffisamment de temps à Bagdad pour en connaître tous les usages et nous nous retrouvâmes rapidement à discuter avec un ancien capitaine des Rangers de l'armée américaine qui avait été muté à un poste administratif au sein du Bureau des autorités provisoires de la Coalition – comme on l'appelait à l'époque. Il existe une sorte de fraternité entre les soldats des forces spéciales quelles qu'elles soient et nous fûmes tout de suite sur la même longueur d'ondes que l'ancien Ranger. Il comprit rapidement l'étendue de nos besoins et y répondit avec cette compassion que de nombreux Américains éprouvent à l'égard de collègues sans arme. Nous étions pour ainsi dire nus, et il tenait à ce que nous soyons correctement habillés.

– Aucun problème, les gars, affirma-t-il. Il y a un dépôt de munitions dans l'enceinte de l'aéroport et c'est un de mes amis qui en a la responsabilité. Je vais l'appeler et lui dire de vous attendre.

Après lui avoir longuement serré la main et offert une caisse de bière, et sans perdre une minute de plus, nous prîmes la route de l'Aéroport international de Badgad, une route qui continue aujourd'hui à être le théâtre de terribles attentats à la voiture piégée, bien qu'elle se trouve désormais sous étroite surveillance. C'était alors un trajet assez calme, mais nous vîmes la manière dont les choses allaient évoluer en dépassant l'épave d'un Humvee – ces voitures caparaçonnées désormais utilisées par l'armée américaine à la place de leurs anciennes Jeep. L'incident, qui avait certainement coûté la vie à un pauvre gars, venait d'avoir lieu, et il ne restait plus qu'à nettoyer la route de ses débris carbonisés. Nous apprîmes un peu plus tard que le Humvee avait roulé sur ce qui ressemblait à un sac de gravats et Boum ! Il s'agissait en réalité d'un IED (*Improvised Explosive Device*), un engin explosif improvisé. Nous poursuivîmes notre route, nous sentant d'humeur un peu plus sombre à chaque minute qui passait.

Il y avait environ 12 000 soldats casernés à l'Aéroport international de Bagdad à cette époque. C'était un camp militaire américain à grande échelle. Il offrait toutes les commodités imaginables, depuis des lits confortables jusqu'aux douches chaudes, et même une boîte de nuit, un cinéma et un centre commercial en duty-free. Nous entrâmes dans cet immense campement et finîmes par dénicher l'officier que nous cherchions. Il nous conduisit jusqu'à un entrepôt, situé à la périphérie du camp, qui de l'extérieur semblait tout à fait ordinaire. Il était en réalité rempli d'armes et d'explosifs jusqu'au toit.

Nous étions partis faire l'aumône, nous allions rentrer milliardaires.

– Prenez ce que vous voulez, nous proposa l'officier en souriant.

Et c'est ce que nous fîmes, en nous comportant comme des enfants dans une confiserie. Notre choix se porta sur une trentaine de AK-47 en parfait état et sur une quantité équivalente de fusils d'assaut

Heckler & Koch G3 assortis de pistolets de la même origine. Nous prîmes aussi des caisses de grenades et de munitions. Toutes les armes étaient neuves et parfaitement graissées. Les munitions, récentes, avaient été conservées au sec. Leurs caisses n'avaient pas encore pris cette teinte vert-de-gris qui trahit une origine ancienne ou une exposition à l'humidité. Nous choisîmes également du matériel de destruction – explosifs et mines – et nous ne pûmes réprimer notre joie lorsque nos yeux tombèrent sur plusieurs lance-grenades M79 en très bon état. Les suspensions de notre 4 x 4 Tahoe étaient enfoncées au maximum lorsque notre butin y fut chargé. Lorsque nous arrivâmes au Camp de Pionniers, nos collègues, qui n'avaient trouvé que quelques bricoles à se mettre sous la dent, nous attendaient. Ils n'eurent pas de mal à deviner que nous avions touché le gros lot quand ils virent nos sourires et l'état de nos suspensions.

À la même période, selon des rapports des services de renseignement qui ont été depuis divulgués par la presse aux États-Unis, Saddam Hussein et quelques-uns des hommes dont les visages illustrent le jeu de cartes des forces américaines tenaient un conciliabule dans une voiture garée quelque part sur un parking de Bagdad. Ils se rencontraient pour abattre leurs propres cartes et organiser une insurrection contre les forces de la Coalition. Mais ce qu'aucun d'entre nous ne réalisa alors, c'est que les alliés avaient omis un petit détail dans leur plan de post-invasion de l'Irak. Quelqu'un, quelque part, dans une de ces salles de réunion baignées dans la lueur rougeâtre d'écrans de contrôle vidéo dernier cri, avait tout simplement oublié de désigner les énormes dépôts d'armement de Saddam comme des cibles prioritaires. Cette erreur tragique permit aux fidèles de Saddam et aux centaines de groupes terroristes qui virent le jour dans le chaos insurrectionnel qui succéda à la chute du dictateur d'accéder gratuitement aux plus grands magasins d'armes du monde. De manière tout à fait ironique, nous nous étions procuré nos armes et nos explosifs de la même façon que les insurgés eux-mêmes. Nous n'allions pas tarder à nous en servir les uns contre les autres.

Chaque véhicule de notre convoi se vit attribuer un indicatif radio et Bungo et moi entreprîmes de distribuer équitablement le butin entre les différentes équipes. Il était essentiel que chacune dispose de suffisamment d'armes et de matériel pour entreprendre n'importe quel type d'opération, qu'il s'agisse d'une simple opération de surveillance, de la libération d'otages ou d'une mission d'escorte. Je n'oublierai jamais le jour où nous quittâmes notre campement pour nous rendre à Mossoul et qu'un jeune Noir des US Rangers – il ne devait pas avoir plus de 18 ans – nous fit signe d'approcher avant de se pencher à l'intérieur de notre véhicule pour nous demander nos papiers. Il faillit s'étrangler en découvrant les deux *contractors* que nous étions, armés jusqu'aux dents, avec nos AK-47, pistolets et lance-grenades bien rangés sur la banquette arrière.

Il siffla doucement entre ses dents, me serra la main par la fenêtre et s'exclama :

– Les gars, vous voilà prêts pour le combat !

J'espère que ce gamin a pu rentrer chez lui sain et sauf car la situation évoluait alors d'heure en heure et, au cours des semaines suivantes, beaucoup de ses camarades sont rentrés au pays dans des sacs mortuaires. Nous n'étions pas arrivés depuis quinze jours que Bungo et moi commencions déjà à échanger des regards inquiets devant l'accroissement des pertes américaines. Nous étions passés du rythme d'un mort par semaine à un mort par jour.

L'intuition du combat que nous avions acquise en Irlande du Nord, et que nous avions continuellement perfectionnée jusque dans les Balkans, nous soufflait que le pire ne tarderait pas à venir. De plus en plus d'incidents éclataient dans les rues de Bagdad, même si les soldats américains avaient encore le droit de s'y rendre en tenue « semi-opérationnelle ». En d'autres termes, ils pouvaient faire du tourisme ou du shopping à condition d'être armés. On pouvait encore les croiser en train de se photographier les uns les autres devant les statues renversées de Saddam ou ses anciens palais, mais les regards vides d'une population harassée par les bombardements avaient désormais fait place à des expressions ouvertement hostiles. J'imagine que les soldats allemands qui descendaient les Champs-Élysées en se promenant obtenaient le même accueil de la part des Parisiens. Les nombreux incidents qui émaillaient ces sorties atteignirent leur apogée lorsqu'un GI fut tué d'une balle en pleine tête par un rebelle qui s'était placé derrière lui et avait glissé son pistolet sous son casque avant de tirer. C'est alors que les excursions des soldats américains cessèrent. C'est ce point de non-retour qui marque, à mon sens, le début d'une insurrection qui, depuis, n'a fait que croître.

Notre travail prit fin au bout de six semaines. Nous avions réalisé toutes les études demandées, mais on n'avait plus besoin de nous : notre employeur avait perdu le contrat au profit d'une société d'origine américaine possédant un bureau à Londres, Armourgroup. C'était une décision politique, bien sûr, mais c'est ainsi que cela fonctionne dans l'univers des SMP : on passe d'un contrat à un autre, d'un patron à un autre au bout de quelques semaines, voire de quelques jours.

L'un des représentants de notre employeur, un jeune capitaine retraité de l'armée qui n'avait aucune idée de l'identité de nos successeurs, nous fit part de ses instructions sur le passage de témoin :

– OK, les gars, leurs équipes vont arriver du Koweït demain matin et ils hériteront de votre armement, de vos véhicules et de vos indicatifs radio. Vous monterez dans un bus et ils vous escorteront jusqu'à ce que vous ayez quitté l'Irak et soyez arrivés au Koweït.

Scrutant nos visages, il ne put que constater l'improductivité de ses paroles. Ce capitaine, qui ressemblait un peu à Clark Kent – sans ses lunettes et son fuseau rouge de Superman – voulut ajouter quelques mots, mais on lui ordonna de la boucler. Pour qui nous prenait-il ? Pensait-il vraiment que nous allions donner toutes nos armes à la bande d'amateurs qui venait nous piquer notre boulot ? À ce moment-là, nous avions trois fois plus d'armement qu'à nos débuts et nous avions conservé notre surplus d'armes et de munitions comme une poire pour la soif, mais là n'était pas la question.

– Même pas en rêve !, éructa Bungo. Il ne s'agit pas d'armes en dotation, mec, nous les avons dégottées très honnêtement et il est hors de question qu'on les donne à qui que ce soit. Il se peut qu'on vous les vende, mais il se peut aussi qu'on ne vous les vende pas. Et quant à être escortés hors d'Irak, vous pouvez oublier. Il y en a au moins huit parmi nous qui, la dernière fois qu'ils ont quitté le pays, l'ont fait au volant de leurs Pinkies après avoir détruit des lanceurs de missiles Scud, et ce n'est certainement pas dans un putain de bus qu'ils vont rentrer chez eux.

Nos patrons comprirent assez vite que nous aurions du mal à tomber d'accord, alors ils élaborèrent un nouveau passage de témoin correspondant peu ou prou à ce que nous avions en tête. Nous fîmes la moitié du chemin jusqu'au Koweït et rencontrâmes notre relève au point de rendez-vous que nous avions fixé en plein désert. Je ne sais pas si leur employeur s'était vraiment inquiété de leurs qualifications, mais nous ne vîmes rien d'autre qu'une bande dépareillée de pauvres bougres. Il s'agissait pour la plupart d'anciens crânes d'œuf de l'armée en pleine crise de la quarantaine qui n'avaient sans doute pas croisé la route d'un soldat depuis plusieurs années. Après avoir travaillé au noir pour des boîtes de sécurité dans le cadre de soirées mondaines ou comme vigiles sur des chantiers, ils voulaient maintenant jouer à se faire peur et toucher un gros paquet de dollars ; des « civilitaires », comme nous les appelions. Il y en a beaucoup en Irak. Avec eux se trouvaient également quelques vieux has-been, mais la plupart avaient l'air si pitoyables que nous leur abandonnâmes des armes de second choix pour qu'ils puissent se défendre lorsqu'ils conduiraient leur 4 x 4 rutilant dans l'Est sauvage.

Nous poursuivîmes de notre côté jusqu'à Koweït City et rentrâmes chez nous par le premier vol, conscients d'avoir été l'avant-garde des SMP qui n'allaient pas manquer de débarquer. Cependant, j'allais être de retour à Bagdad moins d'une semaine plus tard pour protéger l'équipe de journalistes d'une chaîne de télévision londonienne.

Ces six semaines que j'avais passées en Irak se révélèrent fort précieuses pour les dix-huit mois qui suivirent. Elles n'avaient pas été émaillées d'échanges de coups de feu ou d'attaques incessantes, car la guérilla ne s'était pas encore ouvertement déclarée, et nous avions donc pu nous déplacer autour de Bagdad et sur les principales routes du pays sans entrave particulière. En outre, j'avais eu l'occasion de rencontrer de nombreux Irakiens qui n'aspiraient qu'à retrouver une vie normale. Ces semaines passées à me familiariser avec le pays contribuèrent certainement à me sauver la vie lorsque je revins par la suite.

En quittant l'Irak ce jour-là, Bungo et moi avions la certitude qu'une tempête n'allait pas tarder à s'abattre sur le pays, et qu'elle serait d'une extrême violence. Mais ce que nous n'aurions jamais pu soupçonner, c'est l'importance démesurée de cette nuée de mercenaires qui commençait déjà à se rassembler pour gagner l'Irak.

Pour comprendre la manière dont ces hommes ont pu émerger de l'ombre, il faut quitter le champ de bataille et rejoindre les salles de réunion des conseils d'administration, car ce sont dans les luxueux bureaux des sociétés de sécurité de Londres ou de Washington que se signent les contrats « à la vie à la mort » des SMP.

Dans la première moitié du siècle dernier, au cours des deux guerres mondiales puis de la guerre froide, les États dotés d'armées puissantes ne laissèrent aucune place aux soldats privés. « Mercenaire » était alors un mot honteux – et il l'est encore pour de nombreuses personnes –, mais les choses finirent par évoluer. Alors que la guerre froide faisait place à un certain réchauffement des relations entre les grandes nations, de nouveaux défis virent le jour et un nouveau métier apparut en Grande-Bretagne et en Afrique du Sud. D'anciens soldats des forces spéciales, comme le SAS ou les Selous Scouts, une unité spéciale créée par l'armée rhodésienne qui combattit lors de la guerre du Bush entre 1965 et 1979, se virent offrir l'opportunité de mettre leurs talents en matière de sécurité, de renseignement et d'expertise militaire au service de gouvernements fortunés.

Jim Johnson, un ancien officier du SAS parmi d'autres, eut la prémonition de la manière dont les choses allaient évoluer et participa à la création de l'une des toutes premières SMP, baptisée KMS (Keany Meany Services). Jim est un sacré personnage, un ancien officier de la Garde – un régiment huppé – qui participa à l'opération Nimrod, l'assaut donné contre l'ambassade d'Iran à Londres le 6 mai 1980. Les clients de KMS étaient essentiellement des rois du pétrole et son personnel était formé d'anciens soldats dont la mission consistait à entraîner les armées locales ou à servir de garde rapprochée aux dirigeants et à leurs familles. De temps à autre, si un client était confronté à un problème particulièrement épineux, KMS envoyait du personnel en « tenue complète » pour y accomplir une « mission spéciale » dans la plus grande discrétion.

L'activité de KMS éveilla l'intérêt de quelques professionnels, qui décidèrent de se lancer sur le même créneau. De nombreuses sociétés virent alors le jour, et bon nombre d'entre elles disparurent aussi vite, rachetées par leurs concurrentes à l'occasion d'opérations financières fort lucratives ou tout simplement parce que leurs dirigeants s'étaient embarqués dans de nouvelles aventures. Mais ces sociétés n'en continuèrent pas moins de croître de manière régulière, tant en nombre qu'en chiffre d'affaires, en partie grâce au marché des potentats du Moyen-Orient, qui utilisaient leurs services bien particuliers pour renforcer l'efficacité de leurs forces armées et protéger leurs arrières. Et lorsque certains anciens soldats d'Afrique du Sud ou de Rhodésie se mirent également de la partie, il n'est guère étonnant que de nouvelles sociétés se soient retrouvées impliquées dans des conflits en terre africaine, de l'Angola jusqu'au Zaïre, et que certaines, moins scrupuleuses que d'autres, se soient rapprochées de chefs d'États subsahariens peu recommandables.

L'émergence de toutes ces sociétés au cours des années 1980 se fit sous le regard intéressé d'anciens officiers des forces spéciales américaines, qui surent reconnaître le potentiel de ce nouveau marché et créèrent leurs propres sociétés : des entreprises comme DynCorp ou Kellog Brown & Root (KBR), cette dernière, acquise par Halliburton dès 1962, n'ayant vraiment diversifié ses activités qu'à la fin des années 1980. Tandis que les sociétés européennes et sud-africaines se développaient, les sociétés américaines en faisaient autant, et tout ce petit monde se mit à établir des relations privilégiées avec les services de renseignement britanniques et américains, et, plus crucial encore, avec le Pentagone. S'instaura alors peu à peu une compréhension mutuelle et officieuse entre ces alliés « naturels » qu'étaient les agents du MI6 et ceux de la CIA, les hauts gradés américains et les nouveaux soldats privés, les *contractors*.

Régulièrement, des protestations s'élevaient, émanant des partis politiques de gauche en Grande-Bretagne et aux États-Unis, quant au développement de ces sociétés et à leur implication dans les conflits du tiers monde, mais elles n'avaient que peu d'effet dans la mesure où les Soviétiques, les Chinois et les Cubains étaient eux-mêmes impliqués jusqu'au cou dans les affaires politiques de ces pays. L'implosion du Pacte de Varsovie et la chute du mur de Berlin redessinèrent brutalement la carte politique du monde. En l'espace de quelques années, ce furent des millions de soldats qui, dans le monde entier, furent démobilisés et renvoyés chez eux. Certains estiment qu'ils furent près de 6 millions à perdre leur travail. Au même moment, les nouvelles armées high-tech des pays de l'Ouest, plus particulièrement celles des États-Unis et de la Grande-Bretagne, qui pendant quarante ans avaient constitué les premières lignes de défense en Allemagne, se retrouvèrent en sous-effectif chronique.

Plutôt que de s'organiser avec ce qu'ils avaient sous la main, comme on le fit en Grande-Bretagne, les généraux du Pentagone dégainèrent leur chéquier et prirent leur téléphone pour contacter leurs amis des SMP. Et c'est alors que le marché commença véritablement à décoller. L'année dernière, il regroupait pas moins de 900 sociétés, basées dans plus d'une centaine de pays sur tous les continents excepté l'Antarctique, pour un chiffre d'affaires estimé à plus d'une centaine de milliards de dollars.

Il existe trois catégories de SMP. Certaines proposent les services de véritables guerriers, de soldats aguerris. D'autres ont sous le coude quantité d'anciens généraux reconvertis en consultants et susceptibles de conseiller des petits États sur leur politique ou leur stratégie militaire à long terme. Enfin, il y a les sociétés militaires privées spécialisées dans la logistique (SMPL), qui fournissent tout un ensemble de services jusque derrière les lignes de front, depuis le transport du matériel jusqu'à la restauration, la maintenance des hélicoptères ou des avions et, de manière générale, tout ce pour quoi le client est prêt à payer.

En 2005, environ 30 000 de ces non-combattants travaillaient en Irak en complément des soldats privés, dont le nombre était alors également estimé à 30 000. Les SMPL sont d'énormes sociétés qui emploient principalement de la main-d'œuvre non combattante et faiblement rémunérée en provenance des pays du tiers monde pour prendre en charge tout le sale boulot de l'armée. En Irak, de nombreux employés des SMPL sont originaires des Philippines, du Pakistan ou de la Turquie, et plusieurs sont morts dans des attaques au mortier contre des bases militaires. Mais ce sont principalement les conducteurs de camions, connus sous l'appellation locale de *jundhis*, qui subissent le plus de pertes. Une centaine d'entre eux ont trouvé la mort dans l'explosion de leur véhicule, ou en tombant dans une embuscade et en étant exécutés par les insurgés sur le bord de la route. À l'autre bout de la chaîne, les SMPL fournissent des mécaniciens capables d'assurer la maintenance de chars et d'hélicoptères ; ils entretiennent aussi les bombardiers furtifs B-2 et c'est encore une de ces sociétés qui loue les drones utilisés en mission d'espionnage au-dessus du « Triangle sunnite ». Elles sont même chargées d'effectuer les prévisions météo pour les militaires.

Ce sont des experts en renseignement employés par des sociétés privées qui étaient en charge de la gestion de la prison d'Abou Ghraib. Certains ont fait l'objet d'enquêtes à la suite des allégations de torture ou de mauvais traitements des prisonniers durant les interrogatoires, mais, étonnamment, on a estimé en haut lieu que ce ne serait pas une bonne idée d'arrêter des *contractors* et ce sont donc des GI qui ont dû assumer les erreurs commises.

Les sociétés militaires privées américaines comme KBR, Blackwater ou encore DynCorp sont les principaux acteurs de ce marché – elles sont susceptibles d'offrir toute la panoplie, qu'il s'agisse d'employés à l'arrière des lignes ou d'hommes en zones de combat – tout simplement parce que l'armée américaine est le client le plus important au monde. Durant la seconde guerre du Golfe, les SMP se sont fait un maximum d'argent au Koweït, où elles employaient alors l'équivalent d'un pour cent des forces armées américaines. Mais ce n'était rien en comparaison de ce qu'elles peuvent gagner à présent, puisqu'elles sont aujourd'hui bénéficiaires de près d'un tiers des 30 milliards de dollars de budget de l'armée américaine dépensés en Irak, où elles emploient désormais l'équivalent de dix pour cent des forces armées américaines, soit un *contractor* pour dix militaires. KBR est la plus importante de toutes les SMP en Irak, avec près de 50 000 employés dans le pays. Certains sont armés et combattent, mais la plupart sont des cuisiniers, des conducteurs ou des agents d'entretien qui nourrissent l'armée américaine et subviennent à ses besoins. KBR bénéficie d'un contrat faramineux avec le Pentagone, d'une valeur de 11,84 milliards de dollars.

Les sociétés britanniques n'ont pas été laissées pour compte, même si elles sont presque exclusivement spécialisées dans la mise à disposition d'anciens soldats britanniques pour des missions de protection. L'une d'elles, Erinys, qui dispose d'un formidable vivier de soldats extrêmement bien entraînés, a notamment signé un contrat avec le corps du Génie américain, qui, à la différence de son homologue britannique, emploie également des civils. Erinys s'est aussi occupée de la distribution de la nouvelle monnaie irakienne aux banques du pays, ainsi que de contrats de protection d'installations pétrolières. Les sociétés britanniques employaient en 2005 près de 14 000 hommes armés en Irak, pour des contrats d'une valeur cumulée de 100 millions de dollars.

En septembre 2005, la société britannique Global Strategies donna une preuve évidente de cette nouvelle puissance des SMP en bloquant l'Aéroport international de Bagdad. Pour quelles raisons ? La société avait été mandatée pour assurer la sécurité de l'aéroport, mais le gouvernement irakien ne l'avait pas payée depuis sept mois. La police et la milice irakienne furent envoyées pour reprendre le contrôle de l'aéroport, mais arrivées sur place, elles furent confrontées à des Marines américains qui montaient la garde dans leurs chars aux côtés de leurs amis britanniques. Les Irakiens ne purent faire autrement qu'apurer une partie de leur dette. Parallèlement, de nouvelles règles furent instituées. À mon arrivée, au tout début, les permis de port d'arme étaient délivrés par les SMP. En août 2005, les Irakiens votèrent de nouvelles lois destinées à réguler l'activité des SMP et à légiférer sur les conditions de détention d'armes.

Tout cela fait partie d'une tendance globale allant vers une plus grande légitimité des SMP. Le poids considérable de cette industrie et les services essentiels qu'elle rend aux États-Unis permettent aujourd'hui aux mercenaires, après plusieurs siècles, de sortir enfin de l'ombre.

Un jour de 2005, pendant une pause, Jim, un de mes amis, ex-Royal Marine britannique, montra une photo de son épouse aux membres de son équipe. L'un des hommes, avec lequel il s'entendait très bien jusque-là, prit la photo, la regarda, la lui rendit aussitôt et ne lui adressa plus jamais la parole. L'épouse de Jim est très jolie, mais elle est asiatique. Pourquoi « mais » ? Elle est asiatique et très jolie, mais l'homme en question est un Blanc d'Afrique du Sud. Un Boer et un raciste. Difficile à admettre, mais vrai.

Comme je l'ai déjà dit, des milliers de Sud-Africains travaillent pour des SMP en Irak, dont certaines, parmi les plus importantes, ont même été créées par des Sud-Africains ou des Zimbabwéens. Ce sont des hommes durs qui ne craignent absolument pas de se battre ; ils seraient même prêts à tout pour cela. Ils se caractérisent aussi par la couleur de leur peau : presque tous sont blancs. Parmi les Britanniques, nombreux sont ceux qui ont du mal à travailler avec eux ; ils les trouvent introvertis, très réservés. Peut-être aussi que l'histoire influe sur nos relations : nous avons combattu les Boers pour conserver le contrôle de l'Afrique du Sud à la fin du XIXe siècle et nous avons remporté la victoire, même si ce n'est pas flagrant.

Je n'aime en général pas trop travailler avec les Sud-Africains, et en cela j'ai peut-être autant de préjugés que certains d'entre eux. Mais je suis moi aussi originaire du sud de l'Afrique – je suis né au Zimbabwe à l'époque où ce pays s'appelait encore la Rhodésie du Sud. J'y ai travaillé à plusieurs reprises jusqu'à ce qu'un jour mon client arabe, grand ami du président Mugabe, reçoive un courrier expliquant que son « garde du corps » était en réalité un agent du MI6, qu'il n'était plus le bienvenu dans le pays et qu'il devait faire ses bagages au plus vite. J'ai donc une certaine expérience de l'Afrique australe et je connais la région du monde d'où viennent ces hommes. On pourrait appeler cela une sorte d'affinité ou de compréhension mutuelle.

Il est également vrai que de très nombreux Sud-Africains exerçant dans notre profession sont d'anciens partisans de l'apartheid. Plusieurs ont travaillé dans des unités des forces spéciales comme le Koevoet, qui fit preuve de méthodes pour le moins douteuses et brutales dans la sale guerre qui fit rage en Namibie, ou comme le Vlakplass, une organisation secrète de la police dont le rôle consistait à éliminer physiquement les opposants de la majorité noire. D'autres en revanche ne sont que des citoyens de la nation arc-en-ciel fondée par Nelson Mandela. Il s'agit d'une nouvelle génération d'hommes, tout aussi durs mais tirés à quatre épingles et qui n'ont de préjugés que contre ceux qui leur tirent dessus.

Il n'est guère surprenant que l'Afrique du Sud soit l'un des États qui abhorrent le plus les mercenaires. À l'automne 2005, le gouvernement de l'ANC menaçait de confisquer les avoirs de chacun de ses citoyens impliqués dans des opérations militaires en Irak. L'Afrique du Sud avait déjà voté en 1998 une loi sur l'assistance militaire à l'étranger, laquelle interdit aux citoyens du pays de s'impliquer dans des conflits à l'étranger sans l'autorisation de leur gouvernement, sous peine de bannissement. La révision de la loi a été accélérée en 2004 en raison du nombre de Sud-Africains travaillant pour des SMP dans l'Irak occupée et de la tentative de coup d'État préparée contre le gouvernement de Guinée équatoriale par l'ancien officier du SAS Simon Mann. C'est dans ce coup d'État que le fils de Margaret Thatcher, Mark, était impliqué.

De toute manière, même les Sud-Africains qui travaillent comme vigiles pour des SMP retournent dans leur pays millionnaires en rands après avoir passé une année en Irak. Alors, pourquoi l'ANC n'est-il pas heureux de tous ces dollars qui se déversent dans son pays ?

Peut-il s'agir de racisme inversé ? Est-il jaloux du succès de ses compatriotes ?

Je crois savoir pourquoi. Regardons l'équation. D'un côté, nous avons l'un des pays les plus puissants d'Afrique qui glisse vers l'instabilité à cause du sida. Nul n'ignore le nombre affolant de citoyens sud-africains qui meurent du sida – des millions –, mais nul ne connaît le nombre de soldats ou d'officiers de police qui sont séropositifs. Le véritable chiffre représente certainement un secret d'État, mais il n'est pas inutile de savoir que 75 % de la police et des forces armées du Malawi, pays voisin, étaient contaminés par le virus du VIH il y a une quinzaine d'années.

De l'autre côté, nous avons une minorité blanche démographiquement faible, mais puissante en termes de poids économique et de savoir-faire. Plusieurs milliers de Sud-Africains blancs gagnent des sommes considérables en effectuant des opérations qui leur permettent de rester opérationnels d'un point de vue militaire et de se rapprocher d'importantes sociétés disposant de vastes ressources en forces armées. Il n'est pas totalement inconcevable d'imaginer que ces militaires blancs puissent se vendre au plus offrant tout en échafaudant leurs propres plans. Et que, lorsque le pouvoir militaire noir aura été décimé par le sida, plus rien ne pourra les empêcher de reprendre le contrôle de l'un des pays les plus beaux, les plus fertiles et les plus riches en minéraux du continent africain.

Le Zimbabwe se trouve d'ores et déjà dans un tel état de déliquescence sous la férule de Robert Mugabe que j'imagine très bien une armée de mercenaires – quelle qu'en soit la couleur – marcher sur le palais du gouvernement pour soulager le peuple et lui offrir des élections équitables sans que personne ne cherche à s'y opposer. Sauf, bien sûr, le gouvernement d'Afrique du Sud, qui préfère rester assis les bras croisés à regarder un pays magnifique sombrer dans la misère.

Je pense que c'est cette possibilité d'une action concertée de plusieurs SMP blanches en Afrique australe qui donne des sueurs froides à l'ANC. C'est le spectre d'une renaissance du pouvoir blanc bien plus qu'une condamnation morale du mercenariat en tant que tel. Je ne les en blâme pas ; à leur place je m'en méfierais aussi. Mais le gouvernement s'ôterait sans doute une belle épine du pied s'il agissait pour faire tomber le régime corrompu et meurtrier du Zimbabwe. Louer les services très efficaces de ses SMP blanches pour mettre de l'ordre dans le régime de Mugabe n'est pas ce que l'ANC pourrait faire de pire.

Dix heures du matin au bureau de reconversion de Hereford. Un soldat du SAS ayant plusieurs années d'ancienneté passe la tête dans l'encadrement de la porte pour discuter de ses options de vie civile avec l'officier-conseil avant son départ du Régiment. L'officier-conseil a tout vu et tout entendu sur les nouvelles carrières de ses hommes : certains sont devenus avocats, d'autres horticulteurs, l'un d'eux est même vicaire de l'Église d'Angleterre. Cependant, en général, les soldats se contentent de continuer à faire ce qu'ils savent faire de mieux et celui-ci n'est guère différent des autres. Il remet son CV à l'officier, accompagné du formulaire d'aide à la démobilisation pour retour à la vie civile dûment complété, et lui demande : « Pourriez-vous faire circuler mon CV dans quelques sociétés de sécurité ? »

Ce n'est là que pure routine et bientôt une vingtaine ou une trentaine de SMP auront toutes les informations disponibles sur un nouvel ex-soldat du Régiment ; la base de données concernant ces anciens soldats constitue sans aucun doute leur capital le plus important. Notre soldat pourra ensuite dépenser sa prime de démobilisation dans une formation d'évolution en environnement hostile ou de familiarisation avec l'Irak – je dirige moi-même l'une de ces formations – et attendre que les offres d'emploi se présentent. Il n'aura sans doute pas à attendre longtemps car les sociétés sont en permanence à la recherche d'opérateurs et un « ancien couteau » est souvent embauché en un rien de temps. Bien entendu, tous les contrats signés aux plus hauts niveaux que j'ai évoqués précédemment ne signifient pas grand-chose pour cet homme de terrain. Il s'inquiète surtout de connaître le montant de son salaire, rien de mal à cela. Lorsqu'un homme s'apprête à risquer sa vie, il serait fou de ne pas demander combien on le paie pour le faire.

Le même processus se déroule dans le reste de l'armée britannique, où de nombreux soldats issus d'unités très variées se décident à choisir une carrière en free-lance pour maximiser la paie récompensant enfin un savoir-faire militaire durement acquis. Parmi eux se trouvent un grand nombre d'anciens parachutistes désireux de gagner un bon salaire, mais le reste provient d'unités ou de corps d'armée très divers. Et n'allez pas penser que des soldats « ordinaires » issus d'unités surnommées ironiquement les « bérets mous » par les SAS ou les paras ne sont pas demandés. Bien au contraire. Tous les soldats britanniques, même les plus ordinaires, sont hautement qualifiés et s'avèrent des combattants redoutables quels que soient les critères pris en compte. Aussi, se retrouver aux côtés d'un ancien du corps du Génie électrique et mécanique est plutôt bien perçu, car sa présence permet d'équilibrer les talents au sein d'une même équipe de *contractors*.

L'idéal consiste d'ailleurs à pouvoir jumeler quelques bons tireurs – d'anciens paras par exemple – avec un gars du Génie capable de remettre en état votre moteur si celui-ci vous lâche au milieu d'une zone dangereuse en pleine mission d'évaluation.

Les anciens des forces spéciales – notamment les SAS – sont intervenus relativement tôt dans la crise irakienne, de telle sorte qu'ils se retrouvent aujourd'hui employés à gérer les opérations depuis Bagdad plutôt qu'à escorter les convois au quotidien. Mais il leur arrive encore souvent de sauter dans leurs véhicules pour aller fournir un appui musclé à leurs équipes lorsque celles-ci se retrouvent aux prises avec l'ennemi.

JY représente une exception. Il accompagne encore ses clients en Irak et a effectué plusieurs centaines de missions qui ne lui ont valu que de rares accrochages, en raison de son habileté à se déplacer en environnement hostile. Il a eu cependant son lot de fusillades, et, même s'il gère aujourd'hui sa propre société de sécurité, il continue d'être accro au combat et insiste pour continuer à escorter les convois. « John, les gars ont besoin de quelqu'un sur le terrain qu'ils puissent respecter. » Que répondre à cela ?

Bien que les anciens couteaux comme JY ou moi-même soient aujourd'hui devenus une espèce rare en Irak, nous avons laissé un formidable héritage de nos premiers jours passés sur le terrain trois ans auparavant : une véritable expertise, une liste de « bonnes pratiques » pour ceux qui nous ont suivis, un ensemble que nous désignons sous le vocable de « procédures opérationnelles permanentes ». Elles régissent la manière de se déplacer dans le pays, la façon de répondre à une attaque, les dispositions à prendre pour se regrouper, tout un ensemble de procédures destinées à sauver des vies, véritable manuel de survie dans un monde de terreur.

J'ai déjà parlé de la manière dont la plupart des *contractor*s britanniques passent du statut de soldat au service d'une nation à celui de free-lance international, mais il y a en réalité autant d'histoires personnelles qu'il y a d'hommes en Irak, et tout autant de variations autour de ce thème qu'il y a de pays représentés. Cependant, les anciens soldats ne sont pas les seuls à se frayer un chemin jusqu'à ces avant-postes d'un conflit privatisé ; on rencontre également un grand nombre de va-t-en-guerre qui se retrouvent en Irak tout simplement parce qu'ils ont répondu à l'une des nombreuses offres d'emploi disponibles sur les sites Internet des SMP. Ceux-là gonflent leur CV pour le rendre crédible et parviennent à bluffer tout le monde jusqu'à leur embarquement dans l'avion. Les sociétés les moins scrupuleuses ne prennent même pas la peine de vérifier les références de leurs candidats qui, pour peu qu'ils aient la tête de l'emploi, décrochent le boulot. Certains se seront bornés à suivre des cours de musculation ; d'autres auront nourri leur ego de la lecture de magazines survivalistes d'extrême droite ou de la fréquentation de sites Internet glorifiant l'usage des armes blanches et des armes à feu d'une manière pour le moins malsaine. J'ai rencontré plusieurs de ces hommes en Irak et j'ai toujours pensé qu'ils auraient aimé boire un verre avec Michael Ryan, le cinglé responsable du massacre de Hungerford.

J'en ai vu plusieurs craquer et quitter le pays précipitamment au bout de quelques jours, comme si la réalité de la vie sur place leur avait donné un bon coup de pied dans les couilles. D'autres parviennent à rester plus longtemps, mais représentent alors une menace très sérieuse pour eux-mêmes et les clients qui leur sont confiés. N'importe quel professionnel peut les repérer à distance, rien qu'à leur posture désinvolte et à la manière dont ils manipulent leurs armes ou baissent la tête lorsque leurs coéquipiers retournent le feu contre l'ennemi. Ils demeurent alors figés comme des imbéciles, mais, dès que cela arrive et qu'ils sont repérés, ils sont expulsés du pays manu militari.

Ç'a été la même chose à travers le monde. Les sites Internet et les officiers-conseil d'une foultitude d'armées ont dirigé quantité d'anciens soldats vers l'Irak, de telle sorte que moins d'un an après l'invasion de 2003 le nombre de *contractors* atteignait déjà le chiffre de 20 000. À l'été 2005, on estimait que plus de 30 000 combattants salariés opéraient en Irak. Et 50 000 à l'été 2006. À eux tous, ils constituent une armée officieuse d'occupation en Irak qui rend dérisoire la présence du contingent britannique – 8 500 soldats seulement – et qui représente la deuxième force en nombre après l'armée américaine.

Il s'agit donc d'une armée disparate d'hommes et de quelques femmes extraordinaires qui gagnent plus de 800 euros par jour en moyenne pour offrir des prestations de sécurité à des hommes d'affaires, des géomètres, des architectes, des scientifiques, des humanitaires et, bien sûr, des journalistes, qui tous se sont rués en Irak pour ramasser les débris du régime de Saddam Hussein et aider à reconstruire le pays. Elle représente sans aucun doute la plus vaste armée de mercenaires que le monde ait connue depuis plus de deux cents ans ; depuis ces jours lointains où la Compagnie des Indes britanniques fit appel aux soldats de fortune pour renverser les maharadjahs immensément riches et conquérir les Indes, ou lorsque le roi George loua les services de soldats allemands du Hesse-Kassel pour combattre l'Armée continentale de George Washington avant de lui abandonner l'Amérique. Depuis l'aube des temps, de tels hommes ont été appelés mercenaires, soldats de fortune ou chiens de guerre mais, aujourd'hui, ce ne sont plus que des *contractors*, des salariés de SMP – un nouveau terme politiquement correct venu enrichir le vocabulaire de la guerre.

On trouve parmi eux des pseudo-durs à cuire d'un grand nombre de pays, videurs de boîtes de nuit ou boxeurs à mains nues qui ont eu la folie de croire que le courage pouvait pallier leurs lacunes, que ce soit dans le maniement d'armes ou dans l'approche tactique d'un champ de bataille. En revanche, la majorité des gars bien entraînés sont des habitués de ce type de circuit ; ils sont connus des grandes SMP et prennent la route dans des véhicules renforcés par des plaques blindées et remplis d'armes ; d'autres travaillent en solo sans guère plus de matériel qu'un vieux 4 x 4, une AK-47 et un bon paquet de chance mais, à l'image de tous les professionnels depuis la nuit des temps, ils viennent tous pour la même chose : une part du gâteau des 43 millions d'euros dépensés quotidiennement pour la sécurité en Irak.

Ils affluent du monde entier : il y a là d'anciens soldats des forces spéciales de Grande-Bretagne, des États-Unis, d'Australie, du Canada, de la Nouvelle-Zélande et de tous les pays européens. Il y a également des Gurkha arrivés des contreforts de l'Himalaya et des Fidjiens venus des îles du Pacifique Sud. Certains se sont entraînés aux côtés des forces anti-terroristes paramilitaires japonaises et d'autres, comme nous l'avons vu, en Afrique du Sud. Il y en a même un qui a servi dans l'Armée populaire de Chine avant de venir en Irak se frotter au danger et y gagner une fortune. Des commandos chiliens, et même des Sri-Lankais experts en contre-terrorisme pour avoir combattu les Tigres tamouls, se sont joints, eux aussi, à cette ruée vers l'or en terre irakienne.

Ils n'ont aucune idéologie ni loyauté en commun, mais ils partagent la même soif d'aventure et le même appétit d'argent ; et ce n'est qu'en Irak qu'ils trouvent la quasi-certitude de satisfaire leurs aspirations. Certains ont payé le prix fort de cette quête d'aventure et, pour ce que j'en sais, ils sont déjà plus de trois cents à avoir trouvé la mort au cours d'accrochages avec les insurgés. Il est impossible de connaître précisément le chiffre car il n'est pas dans l'intérêt des sociétés qui les ont embauchés de communiquer sur leurs pertes. Et de retour dans leur pays, ces morts ne comptent pas, puisqu'ils ne portaient pas l'uniforme de leur nation.

QUATRE

Profil bas

Personne ne prêtait la moindre attention au vieux camion-benne cabossé qui transportait ses tonnes de gravats sur la route de Badgad à Mossoul en faisant grincer sa boîte de vitesses. Son conducteur, un homme mince et musclé, était habillé à la manière des insurgés, avec une vieille djellaba grise sur un pantalon bouffant et une paire de Nike. Du côté passager, un homme athlétique, le coude posé sur le rebord de la fenêtre ouverte, portait pour sa part une vieille veste de cuir brun, un pantalon ample et un keffieh enroulé autour du cou. Ils encadraient un troisième homme, installé sur un siège provisoire calé derrière le levier de vitesses ; âgé d'une cinquantaine d'années, les joues flasques et l'air passablement nerveux, il s'agrippait à la grande sacoche de cuir posée sur ses genoux. Son visage était à moitié caché par la capuche d'une vieille parka des surplus de l'armée irakienne.

Après plus d'une heure de route dans une chaleur suffocante, le camion quitta la route principale et s'engagea en bringuebalant sur ce qui n'était guère plus qu'un sentier de chèvre. Au bout de deux ou trois kilomètres, il s'arrêta finalement au sud de Kirkouk, devant le portail d'une installation pétrolière. Le garde en faction jeta un coup d'œil à la feuille de route du conducteur, vit qu'elle était signée du responsable de l'installation et le laissa pénétrer.

Le conducteur roula lentement jusque derrière les bureaux du site, où il gara son camion dans un gémissement de freins, hors de la vue du gardien qui les avait contrôlés à leur arrivée et qui s'ennuyait de nouveau à mourir à côté du portail. Il sauta prestement à terre et tourna autour de son camion comme pour en vérifier les pneus, mais un observateur attentif aurait remarqué qu'il inspectait les environs. Un souffle chaud venu du désert fit claquer sa djellaba, la plaquant contre son corps et modelant brièvement les contours d'un fusil-mitrailleur caché sous le tissu. Pendant ce temps, le jeune homme assis du côté passager sautait à terre et balayait à son tour l'horizon du regard ; le plus âgé des trois était resté immobile sur son fauteuil dans le camion, toujours agrippé à sa sacoche, comme si sa vie en dépendait. Le conducteur lui ordonna alors de descendre, ce qu'il fit laborieusement, encombré par son lourd cartable. Une fois à terre, il observa attentivement le pipe-line qui se trouvait sur sa gauche, à une trentaine de mètres. Sa sacoche aurait très bien pu être remplie d'explosif, mais ce n'était pas le cas. Cela n'avait rien à voir avec une quelconque attaque de rebelles contre une installation vitale. Il ne s'agissait que d'une mission d'escorte conduite par une SMP britannique dont la politique consiste à se fondre dans le paysage lorsqu'elle convoie ses clients au cœur de l'Irak.

« C'est bon. Rien à signaler. » Le conducteur avait parlé en anglais, et non en arabe, et il entraîna rapidement par la porte de derrière l'ingénieur et sa sacoche, remplie de plans et de spécifications techniques, à l'intérieur des bureaux. Il était indispensable que personne ne les voie entrer, pas même le garde, dont quelques paroles de trop prononcées dans son village à la fin de son service auraient pu entraîner une embuscade lors d'une prochaine visite d'inspection. À moins qu'il ne fût tout simplement un espion au service de l'insurrection.

Cette société britannique utilise de vieilles voitures ou de vieux camions dont la plate-forme arrière est parfois chargée de cargaisons de fruits ou de légumes. Des moutons, quelques chèvres font aussi l'affaire et procurent un formidable camouflage. Le diable étant dans les détails, les opérateurs préparent chaque mission avec une méticulosité digne du responsable de la société, un « ancien couteau », allant par exemple jusqu'à changer la plaque d'immatriculation de leur camion lorsqu'ils quittent Bagdad pour Bassora afin de ne pas trahir leur provenance. Je les connais bien pour avoir entraîné plusieurs d'entre eux au cours de mes formations. Et, comme moi, ils ne portent jamais de lunettes de soleil. Pourquoi ? Tout simplement parce que la grande majorité des Irakiens n'en portent pas. Le fait d'en porter signale très clairement un « œil blanc » – surnom donné à cause des disques blancs, non bronzés, que les verres fumés laissent autour des yeux.

Alors que je me contente généralement de garder un profil bas ou de m'adapter au terrain, ces hommes-là se fondent véritablement dans le décor et je les admire pour cela. Le responsable de cette société est un ancien sous-officier de l'escadron D du SAS, l'un des nombreux sous-officiers à avoir fait le malheur de leurs anciens supérieurs en créant des SMP susceptibles de les mettre au chômage. En tout cas, cette manière de travailler reflète ma propre philosophie : on ne peut pas vous tirer dessus si vous êtes invisible.

Lorsque je demandai à l'un d'eux s'il ne se sentait pas vulnérable dans un véhicule aussi peu manœuvrable qu'un camion-benne roulant sur des autoroutes ou des routes nationales irakiennes, il me répondit en souriant :

– Pas vraiment. La carrosserie est pourrie, mais le moteur est en parfait état et, de toute manière, nous avons un plan en cas de poursuite.

– Lequel ?

– Si nous sommes en ville, nous nous engageons dans une ruelle étroite et nous déchargeons notre cargaison pour bloquer le passage derrière nous. Si nous nous trouvons sur une autoroute, nous balançons également tout par terre et l'un de nous monte ensuite sur la plate-forme arrière avec du gros calibre pour vider son chargeur pendant que nous accélérons. Quand le camion est à vide, il peut atteindre les 110 kilomètres/heure. Mais, jusqu'à présent, nous n'avons jamais eu le moindre problème.

Malheureusement, cette aisance à se fondre dans le paysage est une épée à double tranchant en raison de la menace imprévue que représentent nos amis yankees. Ces hommes qui passent aux yeux de tous pour de simples Irakiens se rendant à leur travail ont en effet bien plus de chances de se faire trucider par des Américains que par des insurgés.

Ne vous méprenez pas sur mes paroles. J'aime les Américains et je considère les États-Unis comme une seconde maison. J'ai passé beaucoup de temps dans ce pays à m'entraîner avec des soldats de la Delta Force que j'admire profondément. Les Américains sont des gens merveilleux, mais ils ont de réels problèmes de comportement qui apparaissent au grand jour en situation de conflit. L'une de leurs plus grandes lacunes réside dans leur incapacité à communiquer avec un locuteur non anglophone. Lorsqu'ils se retrouvent en dehors des États-Unis, la plupart se replient sur eux-mêmes et deviennent arrogants ou paranoïaques à moins d'être abordés dans une langue familière – surtout si celle-ci s'accompagne d'un accent britannique. Ils représentent une nouvelle puissance mondiale, mais ils ne savent pas comment le gérer. Les Britanniques, à l'inverse, forts de plusieurs siècles d'expérience dans la gestion de leur empire et de leurs colonies, ont appris que l'on ne peut conquérir une population sans un minimum de participation de sa part. Plutôt que d'aller à l'affrontement, nous, Britanniques, préférons passer à autre chose, en initiant par exemple des relations commerciales.

La philosophie des SMP britanniques en Irak pourrait se résumer en gros à la maxime « Pour vivre heureux, vivons cachés », tandis que les Américains seraient plutôt du genre à crier : « Pousse-toi de là que je m'y mette ». Et c'est ainsi qu'ils agissent lorsqu'ils escortent leurs clients dans ce pays en guerre : en faisant le vide autour de leurs énormes convois de véhicules, qui peuvent compter jusqu'à vingt gardes armés, un véhicule blindé en tête et un autre en queue, et parfois même une couverture aérienne sous la forme d'un hélicoptère équipé d'une mitrailleuse lourde. Pour eux, tous les Irakiens sont des insurgés potentiels. Ils n'hésitent pas, comme j'ai pu le constater à plusieurs reprises, à mitrailler de manière préventive un carrefour sur lequel un véhicule ayant le malheur de leur déplaire risque de s'engager en même temps qu'eux.

Certaines sociétés britanniques travaillant pour des clients américains sont parfois obligées par contrat de se déplacer de manière ostensible. Dans ce cas, à l'image de leurs homologues américains, elles se retrouvent régulièrement prises à partie par des insurgés. Adopter une attitude offensive pour une mission essentiellement défensive revient en effet à rendre service à l'ennemi. C'est une tactique idiote qui, de manière presque inévitable, conduit les Américains à rejouer la scène du convoi de chariots attaqué par les Indiens, à former le cercle et à faire feu de toutes leurs armes pour se défendre. Et l'hélicoptère en couverture aérienne, qui plane dans le ciel comme une buse, ne sert pas à grand-chose dans la mesure où il devient lui-même vulnérable s'il s'approche de trop près.

En mai 2003, un hélicoptère de la société Blackwater, un MI-8 de fabrication russe, fut ainsi abattu par un missile sol-air tiré par l'Armée islamique d'Irak. Il n'escortait personne, mais transportait des officiels américains entre Bagdad et Tikrit. Il s'écrasa dans un coin désertique du pays. Les six passagers américains, les trois pilotes d'origine bulgare et les deux agents de sécurité originaires des Fidji qui avaient été engagés par Blackwater, tous périrent. L'un des trois hommes d'équipage avait survécu au crash, mais les insurgés le retrouvèrent, en état de choc, près de l'épave de l'hélicoptère. Ils le firent se relever et s'éloigner avant de l'abattre de sang-froid d'une rafale dans le dos. Bien entendu, ils filmèrent toute la scène, depuis l'impact du missile sur l'hélicoptère jusqu'à l'exécution de l'homme d'équipage dans sa combinaison bleue.

Mais il convient de se demander comment un groupe d'insurgés armé de missiles Stinger et de caméras vidéo a pu se retrouver par le plus grand des hasards sur la route d'un hélicoptère survolant une région désertique au milieu de nulle part. Je refuse de croire à une simple coïncidence. Soit les insurgés avaient été informés du plan de vol de l'hélicoptère par une de leurs sources à la base aérienne, soit il s'agit de laisser-aller de la part de *contractors* qui auraient dû éviter de tomber dans la routine d'un trajet répétitif. Je pense en effet que ce couloir aérien avait été identifié par les insurgés et qu'ils n'eurent qu'à attendre un nouveau survol pour passer à l'action. Une attaque inopinée reste plausible, mais elle me paraît trop « belle » pour être vraie. Nous ne saurons probablement jamais la vérité.

Le meurtre très médiatisé de quatre opérateurs de Blackwater à Fallouja constitue un autre exemple de ce qui peut arriver quand tout s'enchaîne mal. Blackwater avait hérité d'un contrat initialement honoré par son concurrent britannique Control Risks, qui avait briefé ses successeurs sur les routes les plus sûres. En d'autres termes, il avait signalé très précisément quelles étaient les routes à prendre et celles à éviter. Pourtant, peu de temps après, quatre opérateurs de Blackwater – un ancien de la Delta Force et trois anciens Rangers – reçurent pour mission de se rendre sur l'une de leurs bases avancées située quelque part sur la route de Fallouja. Ils s'engagèrent sur cette route que je connais bien à bord de deux 4 x 4 non blindés, avec pour seul chargement du matériel de cuisine destiné à la base avancée. Ils n'étaient donc même pas sur une mission potentiellement dangereuse.

Pour une raison obscure, ils prirent une route qui les mena en ville, puis le long de l'Euphrate, où ils tombèrent dans une embuscade conduite par une demi-douzaine d'insurgés armés de AK-47 et de mitrailleuses. Des grenades lancées à travers leurs fenêtres brisées achevèrent le macabre travail. Leurs cadavres, démembrés et calcinés, furent alors traînés dans les rues avant d'être pendus aux arches d'un pont surplombant le fleuve. Toute la scène fut bien sûr filmée et la bande vidéo témoigne de la sinistre besogne de la foule mutilant les corps.

Certains prétendent que les quatre hommes s'égarèrent et s'orientèrent à la manière des forces spéciales pour retrouver leur chemin, mais qu'ils finirent au mauvais endroit au mauvais moment – difficile à croire pour d'anciens de la Delta Force et des Rangers. Je pense qu'ils furent tout simplement repérés et dénoncés par un indicateur qui les avait vus sur la route, puis qu'ils furent pris dans un piège et liquidés. C'est ainsi que cela se passe sur l'Autoroute. Certains considèrent que c'est cet incident qui a déclenché le vaste assaut des Marines sur Fallouja, mais il semble pour le moins improbable que le commandement américain ait souhaité prendre le risque politique de sacrifier quelques douzaines de Marines pour la simple raison que des *contractors* transportant des ustensiles de cuisine y avaient été massacrés. Il est tout aussi improbable que le corps des Marines ait pu recevoir l'ordre d'attaquer dans un délai aussi court après l'incident. Non, l'assaut sur Fallouja avait été calculé et planifié à l'avance, et il fut parfaitement exécuté. Cependant, les militaires estimèrent sans doute que la mort des quatre *contractors* constituait le meilleur signal de départ possible pour déclencher leur assaut.

Par conséquent, la façon de faire américaine n'est pas la mienne. Une bonne bagarre ne me fait pas peur, mais j'évite de provoquer l'ennemi et je ne l'incite pas à me tirer dessus, or c'est ce que font virtuellement les Américains. Je suis persuadé en outre que de nombreux Américains haïssent les Irakiens – pas seulement les insurgés, mais tous les Irakiens – et j'ai eu plusieurs conversations avec des soldats réguliers ou privés qui, chrétiens évangéliques, se comportent comme de véritables croisés venus combattre les hordes musulmanes. En cela ils ne sont pas si différents des miliciens irakiens ou des combattants étrangers qui sont eux-mêmes persuadés d'être au cœur d'une guerre sainte contre les croisés. Un vrai merdier.

Les *contractors* américains n'ont aucun scrupule à rendre les Irakiens fous furieux en établissant des barrages routiers pour faire passer leurs convois en priorité. Mais il ne s'agit pas seulement de barrages routiers ; ils ont aussi pris l'habitude de bannir tout autre véhicule de la route en le percutant par l'arrière ou en le rabattant sur le côté. C'est particulièrement vrai dans Bagdad, où ils n'hésitent pas à ouvrir le feu contre n'importe quel véhicule qui leur paraît suspect. Ce comportement est bien sûr lié à la peur des voitures kamikazes, mais il n'en a pas moins fait naître le ressentiment chez tous les Irakiens modérés qui n'ont aucun penchant pour le djihad et n'aspirent qu'à mener une vie tranquille.

Il convient cependant d'être honnête avec les militaires américains et de souligner leurs différences de comportement. Certains ont même essayé d'introduire quelques notions de « gagner les cœurs, gagner les esprits » dans leurs opérations quotidiennes, en prenant garde autant que possible à ne pas provoquer les citoyens irakiens ordinaires. Ils disposent de troupes extrêmement professionnelles qui ont dû gravir l'une des courbes d'apprentissage les plus escarpées du monde, mais qui se sont bien adaptées. Il en va tout autrement des *contractors* américains qui ont regardé trop de films à la télévision et qui demeurent persuadés que le seul moyen d'être respecté consiste à intimider les habitants. Les *contractors* américains se sont également aliéné bon nombre de leurs collègues internationaux en agissant de cette manière. Mon fils Kurt, qui comme moi travaille comme *contractor* en Irak, est souvent confronté aux colonnes américaines et à leurs convois. Je l'ai entendu murmurer plus d'une fois : « Je hais ces connards encore plus que ces ordures d'insurgés ! »

Quelle sorte d'humiliation peut donc ressentir un Irakien qui se sent méprisé dans son propre pays si même un Britannique ayant affronté à plusieurs reprises des insurgés dans des combats vicieux considère les *contractors* américains de manière aussi négative ? Les Irakiens sont des gens charmants et ouverts, mais c'est un peuple d'une fierté redoutable qui vit dans un pays où les armes sont en libre-service. Je suis persuadé qu'une bonne partie des attaques menées contre les *contractors* américains à Bagdad ont été organisées par des habitants poussés à bout. Sans être membres d'une cellule armée ou d'un réseau d'insurgés, ils n'ont pas apprécié de voir leur véhicule défoncé par un étranger et n'ont pas hésité à exprimer leur colère par les armes.

J'ai été moi-même excédé par le comportement de *contractors* américains un jour que je travaillais sous couverture et que mon véhicule s'est retrouvé éjecté de la route, balayé par un gros véhicule blindé conduit par un *contractor* ayant un problème d'ego. Un autre jour, le véhicule éclaireur d'un convoi américain a quasiment arraché l'aile avant gauche de ma voiture, ce qui m'a profondément contrarié jusqu'au moment où j'ai réalisé qu'il avait finalement accompli sur mon véhicule un très bon travail de camouflage. Une autre fois, je me retrouvai même dans le fossé à cause d'une voiture blindée conduite par un *contractor* britannique. Mais toutes ces expériences ne sont rien en comparaison de celle que vécut Bungo un jour qu'il escortait un client dans la banlieue de Bagdad. Il avait pourtant clairement affiché son identité – des drapeaux britanniques flottaient sur son véhicule – afin d'éviter tout tir ami.

– Tu ne le croiras jamais, John, me dit-il un jour. Nous avions repéré une grande colonne de véhicules conduits par des *contractors* américains lorsqu'ils se sont soudain mis à nous tirer dessus, sans aucune raison. Une douzaine de balles ont transpercé la carrosserie de ma voiture, ratant de peu le réservoir, et j'ai braqué pour sortir de la route. Une fois à l'arrêt, nous sommes tous sortis de la voiture avec notre client, un Américain terrifié de voir que ses impôts lui revenaient à la gueule sous forme de balles de mitrailleuse qui avaient failli le tuer.

» Quand ils se sont approchés, nous nous sommes avancés les bras en l'air pour montrer que nous n'étions pas armés. À ce moment-là j'ai failli me pisser dessus : les gars avaient l'air tellement cons que j'ai cru qu'ils allaient nous lâcher une deuxième rafale ! Heureusement, ils se sont enfin arrêtés et ont compris qu'on était des « yeux blancs ». Furieux, je me suis avancé vers eux en les insultant.

» J'ai gueulé : "Vous ne savez pas reconnaître un drapeau anglais quand vous en voyez un ?" Et tu sais ce que m'a répondu le connard dans la tourelle de son blindé ? Incroyable, John. Il m'a répondu : "Oups, je suis désolé. Je croyais que c'étaient des drapeaux irakiens."

» "Des drapeaux irakiens ?" J'ai essayé d'expliquer à cette marionnette qu'il était censé se battre aux côtés des Irakiens fidèles au drapeau irakien, et que c'étaient les insurgés qui n'avaient pas de drapeau. Mais j'aurais tout aussi bien pu parler à un mur. Ces tarés vivent vraiment dans un monde parallèle ! »

Bungo eut suffisamment de chance pour survivre à cette rencontre et, bien qu'il soit un vétéran du SAS, ancien chasseur de Scuds et peu enclin à perdre son sang-froid, je sais que la stupidité de cet incident le laissa pas mal secoué. Il aime les États-Unis, mais reconnaît que les Américains sont parfois plus dangereux que les insurgés.

Entre ces deux extrêmes que sont les déplacements ostensibles et les déplacements camouflés, de nombreux collègues britanniques ou originaires du Commonwealth circulent en gardant un profil bas. Le principe est de paraître aussi peu appétissant que possible pour un éventuel prédateur en faisant ressembler son véhicule à une voiture locale. L'idéal veut que la carrosserie soit très abîmée, mais que le moteur et les pièces essentielles soient en parfait état de marche, capables d'affronter une éventuelle course-poursuite. La plupart des gars apportent une petite touche personnelle : chapelet de prière accroché au rétroviseur, autocollants portant des slogans islamiques sur la vitre arrière, n'importe quoi qui fasse couleur locale. Il ne s'agit pas de devenir invisible comme ceux qui travaillent camouflés, mais d'éviter toute provocation ou confrontation. Il faut juste pouvoir se fondre dans le décor pendant quelques secondes, car même si vous êtes repéré au bout de ces quelques secondes, elles vous permettront de vous échapper et d'arriver au bout de la rue, où il faudra à nouveau échapper au danger pendant quelques secondes. Il est possible de cette manière de s'insérer dans un convoi de véhicules un peu lâche et, neuf fois sur dix, la journée s'achève sans que l'on se soit fait tirer dessus. Néanmoins, en dehors de l'aspect d'épave donné au véhicule, il convient de prévoir une stratégie de déploiement à appliquer en cas d'attaque.

En règle générale, nous avions quatre véhicules « profil bas » qui circulaient ensemble, quatre véhicules de marques différentes de façon à ne pas ressembler à un défilé de canards sur un stand de tir. Nous mélangions les types de véhicules afin de restituer un véritable « style Bagdad », avec les équipes les mieux armées en voiture de tête et de queue : mitrailleuses, RPG et tout autre gros calibre dont nous pouvions avoir besoin. Ces deux voitures encadraient la voiture centrale du convoi, où se trouvait le client. La quatrième voiture roulait un peu à l'écart, veillant sur le convoi sans jamais le quitter des yeux. Transportant des tireurs, elle se plaçait à l'avant ou à l'arrière du convoi, et sa mission consistait à détecter les ennuis, susceptibles de surgir n'importe où. Au moindre problème, cette voiture de contre-attaque fonçait sur les assaillants pour reprendre l'initiative de l'assaut, les faire fuir et permettre aux autres véhicules du convoi de se déployer afin que la voiture transportant le client puisse s'échapper. Et croyez-moi, cela marchait.

On ne peut rien contre les bombes ; seule la chance peut vous aider dans ce cas-là, mais chacun de nos véhicules était prêt à changer de fonction et à transporter le client ou des membres de l'équipe si l'une de nos voitures était détruite par une explosion. Si l'un de nos véhicules était endommagé par une bombe ou des rafales de mitrailleuse, les autres se déployaient immédiatement pour procéder au transfert et à l'extraction de l'équipe touchée et administrer les éventuels premiers soins nécessaires. Le véhicule de contre-attaque avait pour consigne d'entrer en action dès les premières secondes d'une embuscade tandis que, simultanément, nous contactions par radio les forces de la Coalition. En revanche, si le véhicule attaqué et mis hors d'usage était celui de l'équipe de contre-attaque, une décision douloureuse s'imposait : laisser les collègues se battre en espérant qu'ils s'en sortiraient seuls. Rien n'est simple sur l'Autoroute vers l'Enfer.

Pendant des millénaires, l'Irak s'appela Mésopotamie, le « pays entre les deux fleuves ». Aujourd'hui, un troisième fleuve coule en Irak, un fleuve de sang, dont le débit s'est accéléré grâce aux armes que l'on trouve partout. Certaines d'entre elles sont particulièrement appréciées des *contractors*.

Pour résumer, deux écoles coexistent. Ainsi que je l'ai souligné, les sociétés militaires privées américaines entretiennent des liens étroits avec l'armée américaine. Elles utilisent donc des armes américaines standards et emportent avec elles des fusils M4 – un canon court de calibre 5.56 très compact et très précis – et ont installé sur les tourelles de leurs véhicules des mitrailleuses légères Minimi ou des mitrailleuses lourdes de calibre .50. En revanche, les *contractors* britanniques, et j'inclus une fois encore les ressortissants du Commonwealth dans cette définition, ont dû se débrouiller pour récupérer quelques armes lorsqu'ils sont arrivés pour la première fois en Irak, à l'instar de Bungo et moi. Mais, par la suite, ils ont réussi à échanger leurs armes contre des calibres d'importation plus adaptés à la situation.

Personnellement, j'aime bien l'équipement de tir sur lequel nous avons mis la main en arrivant dans les premiers jours. D'origine soviétique pour l'essentiel, il est vraiment très solide et résistant, d'une capacité à toute épreuve. Concrètement, cela signifie que le mécanisme d'une AK-47 continue à tirer même si vous le remplissez de sable et oubliez votre chiffon à l'intérieur. La AK-47 constitue sans aucun doute le meilleur fusil d'assaut au monde ; elle est précise, ne se casse pas, ne s'enraye pas. C'est l'idéal pour se battre contre d'autres AK-47, une arme que l'on retrouve de manière universelle chez tous les groupes rebelles. Certains opérateurs utilisent des mitraillettes Heckler & Koch MP5, qui sont légères, parfaitement conçues et d'un beau design, mais qui n'offrent aucune puissance de tir à moins de se trouver dans une pièce fermée. En terrain découvert, face à un ennemi armé d'une AK-47, il est à peu près aussi efficace de lancer les balles à la main que d'utiliser un MP5.

Il faut savoir, dans le contexte irakien, que les armes des anciennes forces du Pacte de Varsovie possèdent une puissance de tir supérieure à beaucoup d'armes occidentales. L'approche que les Soviétiques développèrent au cours de leur guerre contre les nazis ne consiste pas seulement à tuer un ennemi d'une balle, mais à y faire un trou si grand que l'on peut aussi avoir celui qui se trouve derrière lui. Je reste donc fidèle à ma Kalachnikov et loyal à ma mitrailleuse PKM. J'apprécie également la mitrailleuse légère soviétique RPK-74. Équipée d'un bipied, elle ressemble à une AK-47 avec un canon plus long. Elle utilise d'ailleurs les mêmes chargeurs. J'aime bien aussi planquer un fusil de sniper Dragunov dans la voiture car il peut arriver qu'on ait à faire le coup de feu à distance. Mais, en cas de gros problème, nous nous reposions surtout sur le pistolet-mitrailleur soviétique PPSh-41, qui dispose d'une puissance de feu redoutable. Il s'utilise avec l'énorme chargeur tambour tel qu'on peut le voir dans les films consacrés à la Seconde Guerre mondiale. Cet énorme chargeur circulaire contient soixante-dix balles de gros calibre et, en cas d'attaque, vous pouvez le vider d'une seule rafale sur vos ennemis. À un moment, nous utilisions même une grosse Douchka de calibre .50 ; nous la placions en batterie sur un trépied à l'extrémité de notre couloir d'hôtel au cas où nous aurions été dérangés pendant la nuit.

Lors de mes premiers jours en Irak, je portais un Walther PPK pour ma protection personnelle, et parfois même un pistolet irakien Tarik, reconnu pour son efficacité en combat rapproché malgré une sécurité un peu trop capricieuse et une détente trop ferme à presser. Mais c'était mieux que rien jusqu'à ce que nous puissions nous procurer quelques armes de meilleure qualité comme des Beretta, des Glock ou encore des pistolets tchèques CZ. Ces derniers temps, la plupart des *contractors* britanniques faisaient en sorte d'avoir une Minimi d'origine américaine ou belge dans leur panoplie car elle offre une puissance de feu énorme qui, bien utilisée, pousse n'importe quel adversaire à y réfléchir à deux fois avant de poursuivre le combat.

En dehors de l'armement, les *contractors* ont une tenue vestimentaire adaptée aussi bien à l'environnement qu'au travail qu'ils doivent effectuer. Ils portent souvent des chemises légères comportant des fibres à ultra-violets qui protègent la peau des rayons du soleil, avec un gilet pare-balles léger et un gilet de combat enfilés par-dessus. La plupart des hommes portent des pantalons amples de type cargo dotés de quatre ou cinq poches dans lesquelles on peut ranger un petit kit de survie, les papiers d'identité ou encore des pansements. Pour ma part, je préfère les blue-jeans et je glisse mon kit de survie ou mes accessoires médicaux dans mon gilet. Les chaussures les plus appréciées sont les chaussures d'escalade en toile ou les *desert boot*s.

Nous nous restaurons souvent avec les rations de combat de l'armée américaine, apparues sur la scène de la gastronomie mondiale grâce à la première guerre du Golfe. Elles se présentent sous la forme d'emballages plastique marron et contiennent assez de nourriture pour une journée entière, avec des plats comme le ragoût de bœuf aux macaronis. Nous utilisons ces rations quand nous devons faire attention à ce que nous mangeons ; on ne peut pas se permettre d'avoir l'estomac à l'envers ou une crise de diarrhée en pleine embuscade.

L'eau est évidemment vitale sous le soleil irakien, toutefois il ne faut pas perdre de vue qu'en hiver les nuits peuvent être glaciales sur les hauteurs ou dans le désert. Mais en général le climat est plutôt chaud et humide, et des bouteilles d'eau minérale d'un litre sont mises à disposition un peu partout dans les voitures. Chacun doit boire au minimum deux litres d'eau par jour. Il faut éviter de boire l'eau du robinet, car elle n'est pas forcément potable et, là encore, on ne peut pas prendre le risque de tomber malade. La déshydratation représente un danger réel ; si vous ne buvez pas assez, vous vous apercevez rapidement que quelque chose ne va pas : l'urine vire au jaune foncé et cela brûle quand vous pissez. Croyez-moi, cela vous incite aussitôt à chercher une bouteille d'eau.

Lorsque votre vie est en jeu dans ce monde incertain qu'est l'Irak, l'eau et les armes sont bien sûr vos meilleurs amis. Mais il y en a un troisième, tout aussi important. On ne peut y avoir recours que pendant un laps de temps assez court, dans des situations extrêmement tendues et incertaines. Il peut néanmoins vous sauver la vie. Il s'agit du sixième sens.

*

Une paire de cerf-volants noirs planait et tournoyait dans le ciel au-dessus du cadavre d'un chien à moitié dévoré, quelque part près de la décharge située entre l'autoroute 6 qui quitte Bagdad par le nord et la ligne ferroviaire principale menant à Mossoul. Tandis que le convoi avançait, les premiers rayons du soleil brûlaient déjà le bitume, créant de petites bourrasques d'air chaud qui soufflaient sur les ordures et faisaient virevolter des papiers sur la route. Le convoi roulait vers la porte nord de Bagdad pour sortir de la ville, après quoi il se lancerait sur le long ruban noir.

Il se composait de trois véhicules en colonne ; trois hommes se trouvaient dans les deux premières voitures et quatre autres dans le 4 x 4 à tourelle de mitrailleuse qui fermait la marche. Il ne s'agissait que de reconnaître un trajet que le convoi allait faire avec un client dans les deux ou trois semaines à venir, et il n'y avait donc aucun passager. Chaperonner un civil désarmé représente une responsabilité importante et c'est une chose qu'on ne prend jamais à la légère ; sa vie, comme la nôtre, dépend de notre comportement. Aussi, ne pas avoir de client rend les choses plus simples. On n'est responsable que de soi-même et de ses coéquipiers.

Les 4 x 4 accélérèrent au fur et à mesure que le trafic s'éclaircissait. Les conducteurs comptaient, une fois la porte nord dépassée, mettre vraiment le pied au plancher. Les deux tours de la porte nord, reliées par une sorte d'arche en forme de tulipe, ne tardèrent pas à émerger. Les carreaux de céramique de leurs murs scintillaient dans les rayons du soleil. Ils dessinaient autrefois le portrait de Saddam Hussein, mais une partie d'entre eux ayant été arrachés du mur par des rafales de mitrailleuse, ils ne composaient plus maintenant qu'un vague motif d'archipel lointain.

Tandis que Brad, le navigateur et responsable de l'équipe du premier véhicule, était distrait par un mouvement le long de la voie ferrée, Hal, le conducteur, se concentra sur la route devant lui. Pour une raison inexpliquée, il se sentit soudain nerveux.

– On dirait que quelque chose ne va pas, souffla-t-il à Brad pour ramener l'attention de celui-ci sur la route.

Brad tourna la tête et perçut immédiatement un danger. Il n'y avait plus personne sur la route, pas âme qui vive. Plus de vendeurs ambulants, plus de mendiants, plus aucune voiture garée sur le bas-côté dans l'attente de proches ayant traversé le pays sur la plate-forme arrière d'un camion et qu'il fallait déposer au centre-ville. Plus aucun taxi et, encore plus révélateur, plus aucune voiture de police.

– Préparez-vous, ça va secouer !, hurla Brad sur sa radio lorsqu'il repéra un mouvement imperceptible sur l'un des remparts de l'arche. Faites gaffe, ne quittez pas cette putain d'arche des yeux !

Hal, qui s'apprêtait à braquer pour faire demi-tour, fut stoppé dans son élan.

Boum ! Boum ! Boum ! Une rafale de calibre .50 déchira le capot du véhicule, qui fut cloué sur place comme si une gigantesque main invisible avait asséné un monstrueux coup de poing sur la calandre. Le moteur hurla et grinça, les bielles semblèrent broyées par une mécanique devenue folle. La porte nord, d'où une mitrailleuse lourde crachait à présent son venin, était zébrée d'éclairs et noyée sous la fumée. De nouvelles rafales effrayantes déchiquetèrent le capot. Le pare-brise éclata sous l'impact des balles, qui s'enfoncèrent en sifflant dans la cabine du 4 x 4, entre Hal et Brad, trouant l'intérieur du véhicule comme si une poinçonneuse géante s'était déchaînée. Hal et Brad se dépêchèrent d'abandonner leur véhicule en flammes tandis que les deux autres équipes réagissaient.

– ALLEZ, LES GARS ! ALLEZ !

Les hommes de la deuxième voiture les encouragèrent de la voix tout en prenant position hors de leur véhicule, avec leurs armes et leurs radios intactes. Le 4 x 4 à tourelle braqua en sortant à moitié de la route pour offrir le meilleur angle de tir sur la porte nord à son opérateur de mitrailleuse installé sur la plate-forme arrière. Sa Minimi bourdonna aussitôt, comme si un essaim de frelons venait de se réveiller, et ses balles arrachèrent de nouveaux éclats de céramique au portrait de Saddam Hussein, redessinant une nouvelle carte d'archipel. Brad et Hal profitèrent de ce tir de couverture pour s'engouffrer dans la deuxième voiture.

Puis le silence s'abattit. La mitrailleuse de .50 s'était tue. Plus aucun tir ne déchiquetait les carrosseries. Les apprentis tueurs s'étaient contentés de quelques rafales avant de quitter la tour avec armes et bagages. Ils n'allaient pas courir le risque de perdre leur armement ou leur vie et ils s'étaient donc enfuis avec une voiture garée derrière l'une des tours. Toute poursuite était inutile, voire dangereuse, puisqu'ils avaient certainement placé une deuxième équipe en embuscade pour décimer les poursuivants éventuels.

C'est la chance qui avait permis à Brad et Hal de passer au travers des gouttes métalliques de cet orage infernal, mais c'est leur sixième sens qui leur avait fait sentir que quelque chose se préparait. Les quelques poils qui s'étaient dressés sur la nuque de Brad lui avaient permis d'avertir les deux autres équipes quelques secondes avant qu'il ne soit trop tard. Ce laps de temps leur avait permis de se déployer instantanément et, s'ils n'avaient pas aussitôt ouvert le feu de couverture sur la porte nord, la première équipe serait sans doute tombée sous les balles de la mitrailleuse calibre .50.

Mais la bataille s'était achevée aussi brusquement qu'elle avait commencé, sans issue évidente, et les hommes ne savaient plus trop quoi faire de toute l'adrénaline que leur corps avait pompée. Ils restèrent donc un moment à scruter l'horizon, espérant presque que les terroristes allaient revenir sur leurs pas pour tenter à nouveau leur chance. Brad et Hal se sentirent envahis par un immense sentiment de soulagement à l'idée d'avoir survécu à cette rafale qui avait failli les déchiqueter, tandis que les hommes du 4 x 4 à tourelle se sentaient presque dépossédés puisque les salopards n'avaient pas tenu leur position et s'étaient enfuis. En réalité, tous partageaient ce sentiment. Une rage impuissante, une grande frustration, que l'on ressent souvent sur l'Autoroute dans la mesure où les assaillants mènent leurs attaques brutalement avant de s'enfuir tout aussi vite pour disparaître en se fondant dans leur communauté, sans avoir osé mener l'affrontement à son terme.

Brad parla pour tous lorsque, décochant un furieux coup de pied dans le pneu en flammes de son véhicule, il s'exclama : « Mais putain, c'était quoi ce bordel ?! »

CINQ

Le cheikh des égorgeurs

Je suis allongé par terre, dans l'angle d'une pièce violemment éclairée, engoncé dans une combinaison orange qui me serre les bras et m'oppresse la poitrine. Mais cela n'a guère d'importance puisque je suis aussi ficelé comme une volaille, les pieds et les mains attachés par une corde de nylon. Je n'arrête pas de me débattre. Bon Dieu ! Je fais tout ce que je peux pour me libérer, mais je n'y arrive pas. De l'autre côté de la pièce, une petite silhouette barbue boitant sur une prothèse m'observe de son regard noir tout en manipulant un poignard recourbé comme un cimeterre. Je le connais. Il se surnomme lui-même « le cheikh des Égorgeurs ». Je veux crier de toutes mes forces, mais, à travers le bâillon enfoncé dans ma bouche, mes hurlements ne sont que gargouillis étouffés. Il rit. Quelqu'un à ses côtés, une caméra vidéo à la main, vient de lui souffler une blague à mon sujet. L'Égorgeur s'avance alors vers moi, son poignard à la main. Je sais qu'il veut m'égorger, mais je vais rester en vie. Putain, oui, je vais rester en vie ! Je me prépare et je tire de toutes mes forces sur les cordes qui me retiennent prisonnier. Soudain, je suis libre. Je me relève d'un coup. Je bondis de l'autre côté de la pièce. Je me jette sur mon bourreau et le frappe sans retenue. Il s'écroule au sol. À présent c'est lui qui émet des gargouillis tandis que je le roue de coups tout en arrachant le bâillon de ma bouche. Alors je me penche vers son visage ensanglanté et je plante mes dents dans son nez avant de le sectionner d'un violent coup de mâchoire. Et de le lui recracher à la gueule.

***

– John, John, c'est l'heure d'y aller.

J'émerge difficilement de mon sommeil agité en reconnaissant la voix qui m'appelle. C'est Ian, l'un des hommes de l'équipe d'appui qui m'accompagnera au rendez-vous ce soir.

– Tout va bien, mec ? Tu avais l'air de te débattre…

– Ouais, ouais, ça va. Merci. Ce n'était qu'un mauvais rêve.

Je ne lui dis pas de quoi j'ai rêvé. Il n'y a aucune raison de le faire. D'ailleurs, tout le monde ici fait des cauchemars au sujet d'Abou Moussab Al-Zarkaoui, le chef d'Al-Qaida en Irak, celui-là même qui s'est auto-proclamé « cheikh des Égorgeurs ». Ce n'est qu'un Jordanien psychopathe condamné à mort dans son propre pays, mais il est responsable de la plupart des attentats à la bombe en Irak. Les réseaux d'Al-Qaida recrutent de jeunes garçons dans les écoles islamiques du monde entier, les madrasas, et les lui envoient clandestinement en les faisant transiter par la Syrie. Zarkaoui n'a plus qu'à armer ces bombes humaines et à les envoyer accomplir leur mission sans retour dans les rues ou sur les marchés d'Irak. Son esprit diabolique est également à l'origine des enlèvements et des décapitations d'otages qui terrorisent tant les Occidentaux en Irak. Il habille ses victimes d'une combinaison orange, cynique clin d'œil à l'uniforme des prisonniers de Guantanamo Bay, puis les exécute en leur tranchant la gorge. Ces meurtres horribles se transforment ensuite en véritables exécutions publiques grâce à la diffusion de leur enregistrement vidéo sur des sites Internet islamiques.

Pour Al-Zarkaoui, l'un des plus fidèles lieutenants de Ben Laden, aucun acte n'est trop sauvage ou trop barbare pour peu qu'il serve leur concept tordu de grande religion mondiale. En clair, cet homme est un véritable cauchemar. Mais, dans ce pays à l'envers qu'est devenu l'Irak, il inspire d'étranges rêves aux *contractors* : ceux de l'immense fortune – une récompense de 25 millions de dollars – que les Américains ont promise pour sa tête. Nous nous sommes tous imaginé pouvoir la gagner un jour et nous offrir une villa de luxe dans les Caraïbes, avec un yacht amarré au bout de notre ponton privé.

Dès que cette promesse de récompense fut rendue publique, toute la communauté des *contractors* se passionna pour Al-Zarkaoui et de nombreuses personnes jusque-là réputées pour leur prudence consacrèrent une bonne partie de leurs ressources intellectuelles à planifier sa capture. Je crois me souvenir que la récompense n'était initialement que de 10 millions, mais cet homme représentait une telle épine dans le pied du gouvernement que le Département d'État en augmenta le montant à concurrence de ce qui était offert pour la capture de Ben Laden lui-même. Avec 25 millions de dollars à portée de la main, la plupart des *contractors* s'empressèrent de mémoriser jusqu'au moindre détail des portraits photographiques d'Al-Zarkaoui, au cas où ils auraient la chance de le croiser dans la rue. Mais, pour quelques-uns d'entre nous, la traque d'Al-Zarkaoui devint une sérieuse, mais dangereuse, obsession.

Nous pouvions par exemple nous retrouver dans un hall d'hôtel animé, plein de monde, sans que quiconque prête attention aux bulletins de CNN recensant les derniers attentats-suicide. Mais dès qu'il était question d'Al-Zarkaoui sur cette même chaîne, toute l'assistance devenait soudain silencieuse et de nombreux visages déterminés concentraient leur attention sur l'écran. Aucun de nous n'aurait partagé le fruit de ses pensées, en tout cas pas de manière publique, mais nous avions tous en tête que l'opportunité de capturer Al-Zarkaoui pourrait se présenter un jour. Sans que cela soit très gênant s'il était livré mort.

C'est ce que je m'apprêtais à faire cette nuit-là. Je partais capturer Al-Zarkaoui, mort ou vif. Mais comme les choses ne sont jamais simples, il ne s'agissait que de la première étape du circuit qui me mènerait sur sa piste. Je m'étais renseigné discrètement autour de moi et, au cours d'un déplacement que j'avais effectué à Dubaï, j'avais été présenté à un homme d'affaires kurde. Nous avions discuté de tout et de rien jusqu'à ce que je m'interroge à voix haute : « Tout le monde aimerait trouver Al-Zarkaoui. Je me demande comment cela pourrait se faire. »

Ce serait évidemment très difficile, reconnut l'homme, mais il avait une sœur mariée à un sunnite, un ancien membre du parti Baas. Le Moyen-Orient avait toujours fonctionné ainsi : il y avait toujours un proche, un beau-frère ou quelqu'un originaire du même village à qui vous pouviez accorder votre confiance. Elle était comme la sève d'un arbre généalogique dont les branches auraient poussé à l'infini.

– Alors comme ça, ton beau-frère, il sait ce qui se passe dans le Triangle ?

– Oui, bien sûr. Il connaît beaucoup de monde.

– Comment ça se fait ?

– Et bien, m'expliqua-t-il, lorsque ma sœur l'a rencontré et est tombée amoureuse de lui, il possédait une petite affaire au Kurdistan, dans la zone du blocus aérien. Mais, en réalité, je pense qu'il espionnait pour le compte de Saddam. Ça me paraît même évident qu'il était au service de Saddam.

– Alors, pourquoi était-il toléré s'il était au service du gouvernement ? (Je connaissais déjà la réponse avant même d'avoir posé la question.)

– Mais il n'est pas interdit d'espionner pour quelqu'un tout en espionnant pour quelqu'un d'autre. Ce n'est pas un problème !

– Et où se trouve-t-il maintenant ?

– Il se trouve dans le Triangle. Il aide ceux qui combattent les Américains. Il y est obligé, sinon des membres de sa famille risquent de se retrouver dans une situation délicate.

– Et ta sœur ? Elle est avec lui ?

– Non, bien sûr que non. Nous ne le permettrions pas. Elle se trouve en sécurité au Kurdistan avec ses enfants. Il leur rend visite là-bas. Ceux qui le menacent n'oseraient jamais y aller, ils seraient tout de suite tués.

– Et tu penses que ton beau-frère pourrait avoir des informations au sujet de l'homme qui m'intéresse ?

– Peut-être pas maintenant, mais il en a eu récemment. Peut-être en aura-t-il d'autres bientôt ? Vous devriez le rencontrer et vous entendre avec lui pour qu'il vous communique des informations dès qu'il en aura d'autres.

– Parfait, mais pourquoi ferait-il ça ? (Là encore, je connaissais la réponse.)

– Pour l'argent, bien sûr ! Il aura ainsi assez d'argent pour que sa famille puisse quitter l'Irak, pour emmener sa femme et ses enfants dans un pays sûr. En Suède, ou en Amérique. Il y aura assez d'argent pour tout le monde.

– Y compris pour toi ?

– Pour moi aussi, bien sûr. Je suis un homme d'affaires, je gagne ma vie en faisant du business et en touchant des commissions. Mais pour une affaire comme celle-là, nous ne pouvons pas nous débrouiller seuls et il nous faut des gens comme vous. Ils sauront bien sûr que quelqu'un les a vendus, mais vous servirez d'intermédiaire entre eux et nous et votre nom ne sera jamais dévoilé.

– Tu m'étonnes ! Bon, tu peux nous arranger un rendez-vous ?

Cela prit près d'un mois, mais mon ami kurde finit par donner de ses nouvelles. La rencontre avec son beau-frère se déroulerait un matin, mais, juste au cas où, mes amis et moi-même voulions être sur place bien avant l'heure indiquée. C'est la raison pour laquelle je m'étais offert un petit somme en début de soirée ; la nuit promettait d'être longue. Je vérifiai mon équipement – et le revérifiai une deuxième fois –, jetai un coup d'œil dans la glace et glissai ma carte de sécurité personnelle dans la poche supérieure de mon gilet de combat. Cette carte est très particulière : elle possède les dimensions d'une carte de crédit, mais elle est deux fois plus épaisse et s'ouvre en deux volets. Cela dit, il vaut mieux ne pas l'ouvrir à moins de s'être fourré dans un guêpier inextricable du genre « Bienvenue chez Al-Zarkaoui ». Une fois ouverte, elle transmet un signal GPS qui peut être capté dans un rayon d'un kilomètre. Ça ne représente pas grand-chose au milieu du désert, mais cela peut couvrir jusqu'à deux ou trois quartiers dans une ville, soit une population de plusieurs centaines de milliers de personnes. En d'autres mots, cette carte peut aider à retrouver une aiguille humaine dans une botte de foin terroriste. Il faut bien sûr espérer que votre ravisseur éprouvera un minimum de curiosité et ouvrira la carte à votre place après vous avoir fouillé si vous-même n'avez pas eu l'occasion de le faire avant. Une fois que la carte a été ouverte, le signal ne peut plus s'éteindre et continue d'émettre sans discontinuer.

Mes amis et moi quittâmes donc notre repère situé en zone kurde et montâmes à bord de deux véhicules pour nous rendre au rendez-vous, quelque part à la lisière du Triangle sunnite. Nous devions y rencontrer le beau-frère en question, que nous appellerons Zuhair.

Tout cela peut vous paraître un peu cinglé – je ne vous contredirai pas sur ce point –, d'autant que Zuhair pouvait être n'importe qui et avoir maintes raisons de vouloir tromper ma confiance. Ne serait-ce que pour m'arnaquer, bien qu'il n'eût pas la moindre chance de toucher un seul kopeck de ma part avant que notre cible ne soit dûment ficelée. Mais ce que je craignais le plus, c'est qu'il ne soit lui-même parti à la chasse avec l'intention de me prendre pour gibier et de me faire revêtir la superbe combinaison orange entrevue dans mon cauchemar. C'est pourquoi j'avais emporté ma carte de sécurité personnelle et emmené quelques copains avec moi, et c'est la raison pour laquelle nous comptions nous positionner sur le lieu de rendez-vous six bonnes heures à l'avance. Mais bon, il y avait tout de même les 25 millions de dollars. La probabilité que je puisse rencontrer un proche de l'Égorgeur de Bagdad et qu'il puisse me mettre sur sa piste valait bien que je tente ma chance, même si elle n'était que d'une sur mille. Et les copains partageaient mon avis.

Nous avions très sérieusement étudié la carte du lieu de rencontre et nous avions même eu accès à quelques photos aériennes. Nous avions effectué une première reconnaissance en voiture un peu plus tôt dans la journée, mais maintenant nous voulions fouiller la maison en ruine qui devait nous servir de lieu de réunion, après quoi nous la placerions sous surveillance rapprochée pour toute la nuit. Lorsque nous fûmes assez proches, les conducteurs éteignirent les phares de leurs voitures, s'équipèrent de leur matériel de vision nocturne et roulèrent doucement jusqu'aux postes d'observation que nous avions repérés plus tôt dans la journée. Ils garèrent les véhicules de telle sorte qu'on ne puisse pas les voir de la maison, allumèrent leurs radios ainsi que le dispositif de poursuite qui avait été calé sur le signal d'émission de ma carte, puis s'installèrent pour la nuit. De mon côté, je m'enfonçai dans l'obscurité en direction de la maison.

À une trentaine de mètres de l'objectif, je me glissai derrière un buisson pour examiner les lieux avec mon monoculaire de vision nocturne. Pendant plusieurs minutes j'inspectai les murs de la maison à moitié écroulés, qui brillaient d'une lueur verdâtre à travers la lentille, puis me déplaçai légèrement pour scruter la maison sous un autre angle. Ce n'est qu'après avoir soigneusement observé le lieu de rendez-vous sous tous les angles possibles que je m'approchai un peu plus, examinai encore la maison, avant de finalement conclure qu'elle était stérile. Je pénétrai dans les ruines et choisis de me poster à l'angle du bâtiment qui offrait la meilleure vue possible sur les alentours. Mes amis couvraient de toute manière les abords qui m'étaient invisibles.

Les premières lueurs de l'aube apparurent cinq heures plus tard, après une nuit particulièrement ennuyeuse au cours de laquelle je n'avais rien vu d'autre que quelques rongeurs pressés et une espèce de renard. Une demi-heure plus tard, un 4 x 4 assez neuf mais couvert de poussière apparut sur le sentier reliant la maison à la route principale – située quelque trois kilomètres plus loin. Un petit Irakien fluet sortit de la voiture et se hâta d'effectuer une ronde autour du bâtiment. Il avait l'air bien mis et quand je vis enfin son visage clairement, je le reconnus d'après les photos que mon ami kurde m'avait montrées. C'était Zuhair. Cet enfoiré était venu au rendez-vous avec deux heures d'avance.

Il se contenta d'une inspection sommaire de la maison et, bien qu'il se fût approché très près de ma cachette, il ne me découvrit pas. Je ne bougeai pas et il retourna rapidement à sa voiture, écoutant de la musique arabe à la radio et répondant à quelques appels sur son mobile. Il fuma quelques cigarettes pour tuer le temps et, tandis que l'heure du rendez-vous approchait, sortit de sa boîte à gants une paire de jumelles avec laquelle il se mit à scruter le sentier, s'attendant visiblement à ce que ma voiture s'y engage à partir de la route. Il faillit se pisser dessus lorsque j'arrivai d'un pas tranquille derrière lui, à l'heure précise, et que je le saluai d'un « Bonjour, Zuhair. »

Son visage blêmit et ses genoux s'entrechoquèrent quand il se retourna en sursautant. Sa main sembla vouloir plonger à l'intérieur de son veston mais, s'il était armé, il y réfléchit sans doute à deux fois et se reprit en voyant que mes mains étaient vides.

– Bonjour, Mac, me répondit-il. (Je ne lui avais pas communiqué ma véritable identité, ni à lui, ni à son beau-frère.) Vous m'avez surpris.

– Désolé, je surveillais mes arrières.

– Je pense que nous devrions nous dépêcher de conclure nos affaires, s'empressa-t-il de dire, en allant droit au but.

J'acquiesçai d'un hochement de tête et nous entrâmes dans le vif du sujet.

–Pouvez-vous m'aider, et combien voulez-vous ?

– Oui, je peux vous aider. Et je veux la moitié, me répondit-il.

– Mais, tout ce que vous avez à faire, c'est de m'indiquer dans quelle direction chercher ! Moi, en revanche, je me taperai tout le boulot qui suit. Il faudra que j'organise tout et que je paie beaucoup de gens. Allons, je vous propose 15 %.

– Non, non, fit-il en secouant la tête et en grommelant, avant d'ajouter : 25 %.

– Affaire conclue ! Bon, où puis-je le trouver ?

– Dès que je le saurai, je vous contacterai pour vous donner tous les détails.

– Ça marche, j'attends de vos nouvelles.

Nous décidâmes alors de rester en contact selon un mode de communication que je ne décrirai pas ici pour différentes raisons. Puis notre rencontre s'acheva. Il remonta dans sa voiture et s'engagea sur le sentier conduisant à la route. Lorsqu'il eut disparu, Ian et les autres vinrent me chercher.

– Alors, Johnny, qu'est-ce que tu en penses ?, me demanda Ian. Ça a l'air sérieux ?

– Je vais te dire ce que j'en pense, mec. J'en pense que mon cul pourrait lui rapporter un gros paquet de fric. Et je suis prêt à parier qu'il va vouloir organiser un autre rendez-vous d'ici quelques semaines juste pour clarifier quelques détails de notre affaire. Je te parie aussi qu'il voudra qu'on se rencontre dans un coin plutôt fréquenté par nos amis d'Al-Qaida, et je te parie même que lui et ses copains en profiteront pour m'enlever et me revendre à Al-Zarkaoui ou à un de ses collègues.

– Ouais... Bon, on se doutait bien que ça pouvait être complètement foireux. De toute manière, la liste de ceux qui savent vraiment où trouver Al-Zarkaoui doit comporter encore moins de noms que celle des gens à qui tu envoies une carte de vœux à Noël. Ç'aurait été étonnant qu'un agent double kurde soit sur l'affaire.

Je ne me trompais que sur un seul point : il ne se passa pas deux semaines, mais une semaine seulement, avant que Zuhair reprenne contact avec moi. Il avait besoin de me parler pour arranger différentes choses, pour négocier des garanties sur sa sécurité personnelle, pour discuter d'une plus grosse part du gâteau car il aurait à exfiltrer toute sa famille d'Irak, pour m'expliquer certains points... M'était-il possible de le rencontrer le...

Je le coupai au milieu de sa phrase et lui fis une réponse laconique :

– Zuhair, si je te revois ne serait-ce qu'une seule fois, je te tue.

Ce n'était pas une véritable menace, juste un message destiné à lui faire comprendre que je le soupçonnais de manigancer mon enlèvement. Il devait se douter que si j'étais amené à le croiser à nouveau, je supposerais qu'il en avait après moi. Mais tout cela n'avait pas fait avancer d'un pouce mon objectif de choper Al-Zarkaoui et tous mes rêves de richesse s'étaient encore une fois évaporés. Cependant, comme chacun sait, qui ne tente rien n'a rien. Plusieurs autres soldats de fortune, également alléchés par la récompense, ont vécu eux aussi le même type d'expérience. D'ailleurs, en novembre 2004, je reçus un coup de fil pour le moins étrange d'un vieux copain du Régiment.

Après avoir parlé du bon vieux temps, Danny me confia :

– Écoute, John, je suis en train de rassembler des gars pour un boulot un peu spécial. Des « anciens couteaux », niveau Delta Force ou équivalent. Il me faut au moins cinq ou six équipes. Je sais que c'est quasiment impossible de rassembler autant de mecs en Irak, où tout le monde a du boulot à plein temps, mais je sais aussi que tu connais pas mal de monde. Tu pourrais peut-être m'envoyer quelques gars ? J'aimerais bien aussi que tu sois des nôtres.

– C'est quoi, ce boulot, Dan ?, lui demandai-je.

Comme nous étions tous deux des anciens du SAS, nous ne perdîmes pas de temps en précautions oratoires et il me déballa directement toute l'affaire. Si un ancien collègue vous confie quelque chose, vous le gardez pour vous. C'est comme ça, et c'est intangible, à moins qu'il ne vous autorise à en parler. Danny projetait tout simplement d'enlever Al-Zarkaoui et je dois avouer que ma propre tentative faisait plutôt pâle figure en comparaison de ce qu'il avait imaginé. Son stratagème lui était venu à l'esprit après une lecture plutôt enrichissante. Danny avait toujours aimé feuilleter des magazines comme *New Scientist* ou *Nature* pour se tenir informé des dernières avancées technologiques, dans l'idée d'y découvrir un ou deux trucs susceptibles d'être utilisés dans le cadre de son travail. Un jour, il dénicha un petit article traitant d'une nouvelle puce électronique qui pouvait être implantée sous la peau d'un patient et contenir tout son dossier médical ainsi que d'autres informations personnelles destinées à être lues en cas d'accident ou de décès. Apparemment, des scientifiques américains étaient en train de travailler sur une nouvelle version de cette puce pour qu'elle puisse intégrer en plus un GPS, un peu à l'image de ma carte de sécurité personnelle. Ils avaient déjà produit quelques prototypes.

– Elle peut être implantée sous la peau au cours d'une opération chirurgicale bénigne, John, et elle est pour ainsi dire indétectable, m'affirma-t-il.

– Bon. Tu te fais implanter une puce sous la peau, et après ? Mon chien a déjà une puce sous la peau pour le cas où il s'enfuirait, lui rétorquai-je.

– Précisément, mec. Ton chien a une puce pour qu'on puisse l'identifier si quelqu'un le trouve. Nous, notre puce a un GPS intégré permettant de pister son propriétaire. D'ailleurs, j'envisage d'en implanter sous la peau de nos clients, afin d'accroître leur sécurité. Mais le problème n'est pas là. L'idée, c'est que l'un de nous s'en fasse implanter une avant de jouer le rôle de l'appât et de se faire enlever.

– Putain, tu déconnes ?

– Non, pas du tout… Un de mes gars est prêt à jouer le jeu pour 10 millions de dollars, ce qui est plutôt raisonnable. Mais il nous faut une grosse équipe en soutien et ça nécessite pas mal d'hommes. En gros, on le laisse se faire enlever et on suit le signal, on déboule chez notre égorgeur, on flingue tout le monde, on récupère notre bonhomme et on se casse.

– J'imagine que ça pourrait fonctionner dans les grandes lignes, ton truc, Danny, mais il y a tellement de variables que ça ne pourra que foirer.

– C'est sûr qu'il faudra vérifier que la puce fonctionne bien… Personne ne va jouer sa tête sur une puce dont même un chien ne voudrait pas. Mais il y a une chose dont on est sûrs et qui ne risque pas de changer, John.

– Et c'est… ?

– La récompense.

– Là, tu marques un point. C'est vrai que ça vaut le coup d'essayer.

Nous tombâmes d'accord pour qu'il reprenne contact avec moi après avoir obtenu plus d'informations sur cette puce. Il finit cependant par laisser tomber le projet en raison de difficultés techniques difficiles à résoudre – et non pas, vous l'aurez noté, parce qu'il avait été incapable de trouver quelqu'un ayant suffisamment de cran pour jouer le rôle de l'appât. Peu de temps après que Danny eut commencé à travailler sur son opération au nom de code CHEVRE EN LAISSE, Al-Zarkaoui fut arrêté par la police irakienne et détenu en cellule pendant toute une nuit. Mais, bien que tout le monde sache qu'il avait perdu une jambe à la suite d'un bombardement américain sur son camp d'entraînement en Afghanistan lors de l'offensive contre les talibans, les policiers irakiens furent incapables de l'identifier et le relâchèrent au matin. Cette information ne fut rendue publique qu'à l'été 2005, après l'arrestation d'un membre de son équipe qui se confia alors aux services de renseignement américains.

Ceux-ci voulurent vérifier ces allégations, mais la police irakienne se contenta de hausser les épaules en prétendant n'être au courant de rien. Il est généralement admis que les policiers impliqués dans l'arrestation d'Al-Zarkaoui[1] avaient toute la nuit pesé le pour et le contre entre la récompense offerte et la quasi-certitude de voir leurs familles massacrées. Raison pour laquelle, après un bon petit déjeuner, ils avaient finalement décidé de le relâcher.

Je n'oublierai jamais ce que me dit un homme d'affaires koweïtien à la fin de la guerre en Irak en 2003 : « Certes, les Irakiens ont été débarrassés de Saddam, mais maintenant ils sont libres de s'entretuer, et c'est ce qu'ils vont faire. »

Il avait entièrement raison et là réside, selon moi, le cœur du problème. Je ne suis pas historien, et je ne prétends pas non plus passer pour un analyste politique, mais je suis un soldat. En tant que tel, j'ai une approche tout à fait pragmatique de ce qui peut faire dégénérer une situation. Je vais donc essayer de vous faire un briefing de soldat, pratique et terre-à-terre, sur l'insurrection irakienne et ce qui l'a déclenchée.

Mais avant toute chose, je voudrais souligner le degré de violence et d'abomination de cette insurrection. Elle est cent fois pire qu'en Irlande du Nord. Elle me semble même bien plus terrible que tous les nettoyages ethniques qui se sont déroulés dans l'ancienne Yougoslavie. Mais ce jugement est purement subjectif puisqu'en Yougoslavie, la plupart du temps, nous ne faisions pas partie des cibles. On pense bien sûr différemment lorsqu'on se fait tirer dessus. Il faut également souligner que l'Irak était prédestiné au chaos. En vérité, cela n'aurait pas changé grand-chose que Saddam Hussein soit renversé par une révolution interne plutôt que par une coalition internationale ; tous les germes de l'anarchie gangrenaient déjà le pays, et même si les États-Unis n'en avaient pas précipité la chute, il n'aurait pas tardé à exploser pour des raisons raciales, religieuses ou tribales.

Quand un dictateur est renversé, tous les intrigants s'engouffrent dans le vide créé pour récupérer des miettes de l'ancien pouvoir. Il existe d'ailleurs des parallèles significatifs à établir entre l'ex-Yougoslavie et l'Irak. Le pouvoir exercé par le maréchal Tito fut suffisamment fort pour lui permettre de maintenir la Croatie, la Macédoine, la Slovénie, la Bosnie-Herzégovine et la Serbie unifiées, mais l'unité du pays ne survécut pas plus de quelques semaines à ses

1- Al-Zarkaoui a finalement trouvé la mort le 8 juin 2006 lors d'un raid aérien mené par les forces de la coalition

funérailles nationales, le temps pour les rivalités ethniques, tribales et religieuses de refaire surface et de déboucher sur plusieurs années de guerre civile.

En Irak, il suffit de regarder les chiffres pour comprendre. Une minorité sunnite représentant 20 % de la population et ne disposant d'aucune ressource pétrolière sur ses terres a réprimé et dirigé le reste de la population irakienne – et ses ressources pétrolières – pendant plus de quarante ans. Les chiites, 60 % de la population, vivaient principalement dans le sud du pays, tandis que les Kurdes, les 20 % restants, peuplaient les territoires du Nord. Les sunnites sont parvenus à leurs fins grâce au parti Baas, un instrument de pouvoir impitoyable et terriblement efficace dont les fondements puisaient dans un idéal de fraternité arabe – pour autant que les Arabes en question soient sunnites.

Saddam prit la tête de ce parti il y a une trentaine d'années et le dirigea d'une main de fer en faisant exécuter tous ceux qui s'opposaient à lui. Il réprima les chiites dans son pays et déclara la guerre à l'Iran, État musulman d'obédience chiite. Ce conflit fit près d'un million de morts. Parallèlement il s'occupa des Kurdes du Nord, rasant les villages et bombardant les communautés à l'aide d'armes chimiques. Enfin, persuadé de sa toute-puissance, il envahit le Koweït avant d'en être chassé par la coalition rassemblée sous l'égide du premier président Bush. Cette expulsion ne l'empêcha pas de proclamer sa victoire : n'avait-il pas réussi à garder le pouvoir dans son pays ? Encouragés par Bush, les chiites – notamment les « Arabes des Marais » – se soulevèrent contre Saddam en comptant sur le soutien plein et entier de l'armée américaine. Mais les Américains ne levèrent pas le petit doigt et les Arabes des Marais furent pour ainsi dire exterminés avant même que Saddam décide de parachever son œuvre en faisant creuser un canal de dérivation afin d'assécher leurs terres : un désastre ethnique et écologique qui, à lui seul, lui vaudrait d'être condamné par n'importe quel tribunal.

Ces événements tragiques ont servi de toile de fond à l'invasion de l'Irak par les forces de la Coalition en 2003 ; une invasion dont la légitimité a été largement et vainement discutée depuis. Tout ce que j'ai pu entendre de la part de la communauté du renseignement en Irak sur la possible existence d'armes de destruction massive suggère que Saddam Hussein disposait de telles armes, mais qu'il les fit transférer de l'autre côté de la frontière syrienne juste avant l'invasion. Les gens parlent de longs convois de missiles Scuds arrivant en Syrie ; un événement qui aurait marqué la fin de la scission entre le parti Baas irakien et son homologue syrien qui, lui aussi, est aux commandes du pays.

Justifiée ou non, l'invasion n'en eut pas moins lieu. Elle entraîna la chute de Saddam, puis l'insurrection, inéluctable ; rien n'aurait pu arrêter le mouvement de résistance qui se forma très rapidement. À Bagdad et au cœur du Triangle sunnite, les représentants de l'ancien régime activèrent un plan échafaudé depuis longtemps par lequel les laïcs du parti Baas s'unissaient dans une alliance diabolique avec les fanatiques d'Al-Qaida. Le vice-président du Conseil révolutionnaire de Saddam, unique religieux sunnite de l'ancien gouvernement, Izzat Ibrahim Al-Douri, joua très probablement un rôle crucial dans la conclusion de cette alliance. Les rumeurs prétendent même qu'il fut de ceux qui rencontrèrent Saddam lors d'un rendez-vous clandestin donné sur un parking, rendez-vous au cours duquel on décida d'activer le soulèvement. Izzat Ibrahim Al-Douri, dont la tête avait été mise à prix 10 millions de dollars par les forces américaines, mourut d'un cancer en 2005.

Le soulèvement, tout d'abord perçu comme un déchaînement de violence, se transforma en une véritable insurrection au cours de l'été 2003, après que les attentats à l'explosif d'Al-Zarkaoui eurent détruit l'ambassade de Jordanie et le quartier général des Nations unies à Bagdad. Puis, à l'été 2005, à l'issue des élections et à la veille du référendum sur la nouvelle constitution irakienne, Al-Qaida sortit de sa réserve et déclara la guerre à la majorité chiite, considérée comme hérétique. Simultanément, les chiites de la région de Bassora devinrent de plus en plus vindicatifs à l'égard des troupes britanniques présentes sur leur territoire. Appuyés par l'Iran, État chiite, ils allumèrent de nouveaux foyers de rébellion destinés à renforcer l'emprise de l'Armée du Mahdi dirigée par le militant religieux Moqtada Al-Sadr. L'arrivée au pouvoir du nouveau président iranien ultra-conservateur Mahmoud Ahmadinejad, en août 2005, contribua encore à faire monter les enchères. Ahmadinejad se fixa comme objectif de déstabiliser tout le sud de l'Irak. Ainsi, à la faveur d'une inévitable guerre civile, il pourrait prendre le contrôle de la voie navigable stratégique du Chatt al-Arab, sur le Golfe, des marais environnants et de la province de Bassora, riche en gisements pétroliers. La possession de ces mêmes terres était d'ailleurs déjà l'enjeu de la guerre frontalière Iran-Irak.

Nous avons donc d'un côté une minorité sunnite, soutenue par Al-Qaida et la Syrie, qui se bat pour récupérer tout le pays et ses champs de pétrole, et de l'autre côté une majorité chiite soutenue par l'Iran. Avec, au milieu, une Coalition qui sert de cible alors qu'elle essaie de reconstruire un pays rempli d'hommes en armes occupés à s'entre-tuer. Mais, bientôt, la situation se compliquera sans doute encore un peu plus. Je suis en effet prêt à parier un baril de pétrole que les insurgés d'Al-Qaida et les sunnites du parti Baas vont se jeter à la gorge les uns des autres bien avant que ce conflit ne soit en voie de résolution. Al-Qaida rêve en effet de convertir le monde à l'islam et d'imposer à tous son Califat universel, alors que les Baassistes se contrefichent de la religion comme d'une guigne et ne souhaitent rien d'autre que regagner le contrôle total de leurs terres. Autant dire qu'ils ne se rendent pas toujours service entre eux et qu'ils ne vont certainement pas tarder à se brouiller.

Seul le Kurdistan, au nord du pays, connaît un calme relatif. Les Kurdes, durs à la tâche et entrepreneurs, ont favorisé l'émergence d'un État semi-autonome décent après que la Turquie et l'Irak les eurent oppressés pendant plusieurs générations en bannissant leur culture, en interdisant leur langue et en massacrant leur peuple. Ce n'est qu'à la fin de la première guerre du Golfe, alors que les Kurdes fuyaient les légions vengeresses de Saddam pour se réfugier sur les plateaux enneigés, que des Royal Marines britanniques purent s'interposer entre eux et leurs poursuivants. Depuis une décennie, l'instauration d'une zone de blocus aérien leur a permis de prospérer.

La géographie insurrectionnelle de l'Irak est donc relativement simple. À l'exception du Kurdistan et du centre de Bagdad, puissamment fortifié – ce qu'on appelle la « Zone verte » –, tout le pays répond à l'appellation de « Zone rouge ». Là, les troupes de la Coalition ou les étrangers se déplacent à leurs risques et périls. Se rendre dans certaines villes situées dans cette zone, en particulier Ramadi, Fallouja, Mossoul, Tikrit et Tall Afar, près de la frontière syrienne, est considéré comme suicidaire. En réalité, sans même parler de ces poches infernales, aucune partie de la Zone rouge ne peut être sérieusement qualifiée de sûre. Ainsi, la route puissamment protégée qui mène de la Zone verte à l'Aéroport international de Bagdad agit en réalité comme un aimant pour les IED ou les voitures-suicide. Les banlieues d'Al-Dourah, Aadamiya ou Gazaliya constituent des terreaux propices à l'insurrection. Quant aux cités collectives du parti Baas à Amiriyah ou Al-Jihad, elle fonctionnent comme de véritables centres de recrutement pour les groupes armés anti-Coalition.

Il va sans dire que les bombes sont les armes les plus meurtrières de tout l'arsenal insurrectionnel. Les attentats-suicide ont fait des milliers de morts en Irak, dont, il faut bien l'avouer, une majorité d'Irakiens innocents. Les forces de la Coalition et les SMP n'en ont pas moins subi, elles aussi, des pertes importantes.

C'est cependant l'IED (engin explosif improvisé) qui cause le plus de morts chez les soldats de fortune. Comme son nom l'indique, l'IED consiste en un assemblage artisanal d'obus d'artillerie ou de mortier attachés les uns aux autres afin de faire le plus grand carnage possible. Les bombes peuvent être montées en étoile ou sur plusieurs lignes parallèles, mais je ne vais pas entrer dans les détails.

Ces bombes sont en général placées sur le bord de la route et déclenchées au passage d'un convoi. Certains insurgés ont acquis un tel savoir-faire – déclenchant la mise à feu au moment précis où le véhicule passe à côté – qu'il n'est pas étonnant que de nombreux *contractors* préfèrent se déplacer en gardant un profil bas.

Les IED sont souvent enveloppés dans des paquets très serrés auxquels un bon artificier peut donner une forme spécifique. Il peut ainsi orienter la déflagration dans une direction précise (vers la route par exemple) et causer un maximum de dégâts. Les détonateurs peuvent être de simples bases de téléphones sans fil longue portée (sur plusieurs kilomètres, voire plusieurs dizaines de kilomètres) alimentées par une batterie portable ; un simple appel permet alors d'activer leurs circuits électroniques et de déclencher l'enfer. À l'inverse des combinés radio ou des téléphones mobiles, les bases de téléphones sans fil ne peuvent pas faire l'objet de contre-mesures électroniques et les appels qu'elles reçoivent ne peuvent donc pas être brouillés. Une simple minuterie de machine à laver ou un chronomètre électronique peut également suffire à les activer.

La plupart du temps, les bombes sont camouflées sous des piles de détritus le long des routes et, croyez-moi, ce ne sont pas les détritus susceptibles de servir de cachette qui manquent. Les artificiers animés d'un véritable sens artistique ou de l'amour du détail préfèrent dissimuler leurs bombes dans des cadavres de chiens, de moutons ou de chèvres. En général, repérer celles-ci à temps relève uniquement de la chance. Ne parlons même pas de celles qui sont enterrées sous l'asphalte de la route, cela ne les empêche pas d'être suffisamment puissantes pour renverser des véhicules blindés lorsqu'elles explosent. Certains insurgés enterrent ainsi leur bombe, puis la recouvrent de goudron frais et camouflent cette portion neuve sous la poussière. Ils utilisent parfois même de l'acide pour creuser une saignée dans l'autoroute afin d'y faire passer les fils reliant le détonateur à la bombe, avant de la recouvrir à son tour de goudron.

De leur côté, les terroristes chiites de la région de Bassora préfèrent activer la charge explosive de leurs IED par un rayon infra-rouge, une méthode originellement développée par l'IRA, reprise par le Hezbollah au Liban avant d'être importée en Irak par le biais des services de renseignement iraniens. La méthode consiste à activer le détonateur par faisceau infra-rouge, ou à l'inverse à activer le détonateur lorsque le faisceau infra-rouge est rompu (par le passage d'une voiture par exemple ; à condition que la route soit peu fréquentée et que le véhicule visé se trouve en tête de convoi). Une fois encore, une parfaite synchronisation est requise. Le terroriste n'a besoin pour cela que d'un simple tuner TV, d'une télécommande et de piles pour fournir du courant.

Les IED sont des armes impossibles à combattre, vous ne pouvez vous en remettre qu'à la chance pour les éviter ou survivre à leur explosion.

Plus aucune route irakienne n'est sûre en raison de décisions hâtives – et aujourd'hui amèrement regrettées – qui furent prises par la Coalition et qui favorisèrent l'émergence rapide de l'insurrection. La première d'entre elles remonte à la première guerre du Golfe, quand les États-Unis encouragèrent la rébellion chiite avant l'abandonner aux représailles de Saddam. Qu'auriez-vous pensé de cette attitude si vous étiez chiite ? Comment auriez-vous réagi lorsque, quelques années plus tard, les mêmes interlocuteurs seraient revenus vers vous en exigeant votre respect et votre coopération la plus entière pour une campagne qu'ils avaient baptisée du nom de « feuille de route vers la démocratie » ? Rappelez-vous que votre communauté ne dispose d'aucun passé démocratique ; son histoire n'est qu'un lacis de très fortes traditions tribales et de loyautés claniques fortement teinté de sentiment religieux. Rappelez-vous aussi que je ne parle que de la majorité chiite. De toute manière, la minorité sunnite vous abhorre. C'est elle qui occupait toutes les places de choix jusqu'à l'arrivée des Américains et des Britanniques, c'est elle qui faisait régner la loi, et c'est encore elle qui avait couronné Saddam au sommet de son tas de fumier.

La seconde erreur de la Coalition provient de ce que ses services de renseignement perdirent un temps précieux dans la préparation du conflit à vouloir à tout prix trouver la trace d'armes de destruction massive (ADM) pour justifier leur invasion. Il était évident que la Coalition allait tomber sur le dos de Saddam quelles que soient les preuves avancées, et les services de renseignement auraient plutôt dû concentrer leurs efforts sur la conception d'une stratégie à long terme. S'ils avaient pris la peine de chercher autre chose que des ADM sous le matelas de Saddam, ils y auraient trouvé un plan d'insurrection n'attendant que son activation.

Il est difficile de dresser le portrait d'un insurgé type. Les choses sont beaucoup plus complexes que cela. Les rebelles présentent toutes sortes d'antécédents différents et proviennent de tous les milieux, de toutes les classes d'âge, travaillent aussi bien seuls qu'en groupe. Les meneurs sont très certainement d'anciens fidèles de Saddam, sans doute originaires de sa petite ville natale de Tikrit. Il est probable qu'ils ont suivi un entraînement avant d'être renvoyés dans la vie civile en qualité d'agents dormants, leur activation ne devant intervenir qu'en cas d'invasion ou de coup d'État contre leur maître. Quant aux hommes de main, la majorité d'entre eux sont d'anciens soldats de l'armée vaincue d'Irak qui ont été démobilisés ou tout simplement abandonnés à leur sort à l'issue de la guerre. La Coalition manqua également de clairvoyance lorsqu'elle démantela les forces de police. Nombreux furent les anciens policiers qui rejoignirent alors les rangs des insurgés, avant de finalement réintégrer les nouvelles forces de police pour les subvertir de l'intérieur sur ordre de leurs chefs terroristes.

De manière assez ironique, des milliers de criminels de droit commun que Saddam avait libérés des prisons comme Abou Ghraib rejoignirent les rangs des policiers après avoir été arrêtés parmi les insurgés. Il ne fait aucun doute qu'ils avaient été libérés de prison avec un numéro de téléphone à appeler s'ils voulaient gagner un peu d'argent en luttant contre l'envahisseur. La situation de la police irakienne est particulièrement malsaine. Tout le monde sait qu'elle est gangrenée par les insurgés et je suis persuadé que ces derniers ont utilisé de sang-froid, et avec un grand cynisme, les bureaux de recrutement de la police pour se débarrasser des honnêtes citoyens irakiens qui voulaient véritablement servir leur pays. Je ne crois pas une seule seconde que les files d'attente des bureaux de recrutement qui ont été visés par des attentats-suicide comprenaient ne serait-ce qu'un seul insurgé désireux d'infiltrer la police ; leurs maîtres leur avaient sûrement donné des indications très précises sur les bureaux de recrutement à éviter. Les autres, eux, ont explosé.

Les raisons qui ont poussé des Irakiens à rejoindre les rangs des insurgés sont variées et complexes, mais la principale est l'argent, cet argent pioché dans la montagne de dollars versée au régime corrompu de Saddam dans le cadre du scandaleux programme « Pétrole contre nourriture » mis en place par l'ONU. Ce sont les milliards de dollars initialement destinés aux enfants malades et affamés qui financent aujourd'hui l'insurrection sunnite et rétribuent Al-Qaida pour son soutien. Un bon paquet de dollars à rapporter chez soi pour sa femme et ses enfants est un motif de ralliement bien plus puissant que n'importe quelle loyauté politique ou tribale. En ce sens, les insurgés sont des mercenaires au même titre que les employés des SMP.

La différence majeure, dans le sud du pays, c'est que les insurgés sont chiites et qu'ils travaillent pour le gouvernement iranien et ses agents.

À ce stade, il me semble utile de faire le point sur les différences entre musulmans chiites et musulmans sunnites. J'ai pas mal potassé ce sujet, qui fait partie intégrante de mon travail, et cet aspect des choses est crucial dans la compréhension du chaos qui règne ici. Cependant, je ne suis en aucun cas un universitaire spécialiste de l'islam, et je compte sur votre indulgence pour les quelques approximations que je pourrais commettre.

Ainsi qu'on peut le lire dans les livres d'histoire, Ali, cousin et gendre du prophète Mahomet, était pressenti pour lui succéder. Mais il en alla autrement puisqu'à la mort de Mahomet la majorité de ses fidèles décida de suivre Abu Bakr, lequel devint ainsi le premier grand calife du monde musulman. Ali finit toutefois par lui succéder, devenant le quatrième calife, mais il fut rapidement assassiné. Hussein, deuxième fils d'Ali, entra en guerre contre le nouveau calife, mais il fut tué lors d'une bataille sanglante que ses troupes perdirent. La plupart des membres de sa famille furent aussitôt massacrés. Beaucoup restèrent cependant fidèles à la mémoire d'Ali ; son martyre et celui de son fils Hussein devinrent le symbole d'une scission entre les musulmans qui se manifesta par l'émergence d'un courant chiite – les fidèles d'Ali – et d'un courant sunnite. Ali fut enterré à Nadjaf, dans le sud de l'Irak, qui devint le centre spirituel des chiites du monde entier.

Je tiens à préciser deux autres choses au sujet des insurgés. La première est qu'ils combattent avec courage et acharnement et que, à ce titre, ils sont dignes de respect. La seconde est qu'ils tirent très mal et qu'ils sont condamnés à perdre à chaque fois qu'ils affrontent un tir adverse soutenu et précis, ce à quoi tend justement l'entraînement de tout soldat britannique. Mais, dans le monde tordu de l'Irak, où rien ne se déroule jamais comme prévu, il arrive parfois qu'une situation bouleverse tous les postulats de la guerre.

Mai 2005. Un serpent de goudron noir traverse une plaine rocailleuse anonyme grillée par le soleil. Cette fois, cela se passe au sud de Mossoul, l'un des nombreux abcès suppurant au dos de la Coalition. Les trois 4 x 4 qui transportent huit *contractors* britanniques avalent l'asphalte brûlant en direction de leur base avancée, située à la lisière de la ville. Ils roulent aussi vite que possible, mais ils sont retardés par un des véhicules, tombé en panne, qu'ils ont dû prendre en remorque. Un 4 x 4 à tourelle ferme le convoi.

Chris, un ancien parachutiste, qui se trouvait dans le véhicule de tête remorquant le 4 x 4 défaillant, m'a raconté ce qui leur arriva alors.

Ce jour-là, Chris se sentait d'humeur plutôt nerveuse. Ils l'étaient d'ailleurs tous : qui ne l'aurait pas été, dans un convoi vulnérable se traînant au cœur du territoire indien alors même que leur route allait bientôt longer une petite colline, sur la droite, que Dieu semblait avoir érigée là dans l'unique but d'offrir un point d'embuscade. Chris s'apprêtait à faire connaître ses sentiments à ses collègues lorsqu'une énorme explosion arracha une partie de la route, rendant superflu tout avertissement supplémentaire.

Le souffle de l'explosion secoua si fort la voiture qu'elle la renversa presque, mais Jim, son collègue australien, réussit à s'accrocher au volant, à stabiliser le véhicule et à le maintenir sur la route. L'individu qui avait installé l'IED n'était pas un expert : il l'avait placé un peu trop loin de la route. « Putain ! », s'exclama Chris, qui savait ce qui allait suivre. En effet, comme il l'avait anticipé, une rafale de mitrailleuse déchira la carrosserie de la voiture. Ils avaient à peine eu le temps de freiner pour se mettre à l'abri et retourner le feu qu'un deuxième IED explosa, qui les recouvrit de terre et de cailloux. Heureusement, celui-là aussi avait été mal préparé.

L'équipe de la troisième voiture avait instantanément réagi. Le conducteur avait braqué et fait une embardée afin de placer la mitrailleuse de son véhicule dans la position la plus efficace et la plus dévastatrice possible. Chris entendit dans son oreillette une voix indiquant qu'ils avaient repéré l'insurgé. Ils allaient maintenant pouvoir lui faire vivre l'enfer.

– Pile à la base du gros rocher devant nous, bien reçu ?

Le débit était rapide, mais précis.

– Bien reçu, bien reçu !

Les autres voix confirmèrent au fur et à mesure qu'elles identifiaient chacune à leur tour la position de l'insurgé dans les rochers. Lorsqu'ils délivrèrent un feu nourri et extrêmement précis sur cette position, un jeune homme d'une vingtaine d'années, vêtu des habituels pantalon bouffant et veste en cuir, bondit à découvert et courut jusqu'à une autre cachette tout en retournant le feu avec son RPK. Ses projectiles d'acier sifflèrent contre la carrosserie du 4 x 4 à tourelle.

– L'enfoiré !

La voix qui, la première, avait repéré l'insurgé exprimait maintenant sa frustration.

Huit armes déversèrent un déluge de feu sur la nouvelle position du jeune homme, avec la ferme intention de l'anéantir sur place. Mais, sans prévenir, il décampa à nouveau.

– C'est pas possible ! C'est un vrai lapin, ce type !, éructa Chris dans son micro.

Quelques secondes plus tard, l'insurgé se retourna pour cracher une nouvelle rafale dans leur direction. Il ne tirait pas avec beaucoup de précision, mais ses tirs étaient suffisamment rapprochés pour que tout le monde ait envie de garder la tête baissée. L'affrontement sembla s'éterniser, l'assaillant s'agitant d'un côté, les défenseurs répliquant de l'autre. Le jeune homme se planquait, sortait à découvert et démontrait continuellement que le flanc de la colline, qui semblait plat, possédait en réalité une troisième dimension dans laquelle l'homme disparaissait à chaque fois. Il bondissait dans toutes les directions, sautant d'un rocher à l'autre comme une chèvre sauvage, la mitrailleuse à l'épaule. Pendant un moment, il se retourna même pour les contempler du haut de sa colline, le regard empreint d'une défiance solennelle qui suscita une brève interruption des combats.

Chris, en l'observant là-haut sur son rocher, s'interrogea sur les raisons qui avaient pu le pousser à vouloir les affronter seul. Il se dit que le jeune homme avait sans doute fait le serment de tuer un infidèle, ou tout au moins de mourir en tentant de le faire, peut-être pour venger un père ou un frère tué par la Coalition. Il n'y avait qu'une chose dont Chris était sûr : le jeune homme agissait seul et ne travaillait pour personne. Il semblait défier la Mort de le suivre, si elle l'osait, sur cette colline.

C'est alors que Chris perçut le grondement de deux hélicoptères Apache. Personne ne les avait appelés, mais ils devaient patrouiller dans le secteur et venaient maintenant voir quelle était la raison des deux explosions dont ils avaient certainement été témoins de là-haut. Les deux équipages ne mirent pas longtemps à évaluer la situation et les pilotes se focalisèrent sur leur détecteur d'images thermiques qui, tels les yeux d'un robot, fouillèrent tous les rochers de la colline. En quelques secondes, *La Guerre des mondes* venait de se transposer jusque dans ce bout de désert stérile. Les pilotes trouvèrent bien sûr leur cible, qui n'était faite que de chair et de sang, mais dont le cœur était celui d'un lion. L'Apache le plus proche le visa avec le terrible canon automatique disposé sous son nez et le pulvérisa avant même que les douilles crachées par son canon, comme la sciure vomie par une lame de tronçonneuse, aient eu le temps de retomber au sol. Quand, un peu plus tard, des militaires américains vinrent examiner les lieux de l'affrontement, ils découvrirent trois IED supplémentaires disposés le long de la route. Ils avaient tous été placés là par un homme seul, un homme au cœur plein de colère, assoiffé de revanche.

Chris et ses collègues sortirent tous de leur planque pour contempler l'étendue rocheuse qui avait servi de théâtre à l'expression d'un authentique courage. Le respect qu'ils éprouvèrent alors pour la bravoure de cet homme les amena à s'interroger sur le gâchis d'une jeune vie, et Chris m'avoua :

– J'aurais aimé le saluer d'une manière ou d'une autre, mais je ne savais pas comment m'y prendre.

Cet individu remarquable résumait à lui seul toutes les qualités et toutes les insuffisances des insurgés. Pour peu que l'on m'ait demandé d'écrire son épitaphe, j'aurais suggéré : « Cet homme était d'une bravoure hors du commun, mais il tirait comme un manche. »

SIX

Des affaires peu ordinaires

La chaleur étouffante de la jungle du Congo me faisait transpirer à grosses gouttes. Mais la température n'était pas la seule responsable de mes sueurs froides : il y avait aussi les 400 mineurs de la concession de diamants, qui n'avaient pas été payés depuis six mois. La mine était détenue par mon employeur, un homme d'affaires du Qatar dont j'assurais la protection, ainsi que par le gouvernement congolais et des officiers de l'armée zimbabwéenne. Elle produisait des « diamants de sang », une richesse qui permettait au gouvernement congolais de financer la guerre et de s'assurer que le soutien de l'armée du Zimbabwe n'irait pas à la rébellion.

Nous avions décollé de la propriété luxueuse que mon employeur possédait au Zimbabwe pour participer aux négociations qui, en l'absence de syndicat – une denrée plutôt rare dans les mines de diamants locales –, avaient débuté à la manière congolaise. En l'occurrence, les mineurs avaient mis la main sur l'un des directeurs britanniques de la mine et l'avaient passé à tabac. Cet incident avait rendu mon patron nerveux et nous étions partis avec suffisamment d'argent liquide pour payer les salaires en retard. Dès notre arrivée, nous avions enfermé l'argent dans le coffre-fort des bureaux de la mine et, après avoir pris une grande inspiration, nous étions partis entamer les négociations avec des mineurs passablement échauffés. Notre discours expliquait en substance qu'aucun salaire ne serait versé tant que le directeur britannique ne serait pas relâché, et sans qu'il lui soit fait aucun mal supplémentaire.

Je m'étais préparé à affronter les mineurs tout seul, mais, pour être honnête, je dois reconnaître que le patron avait eu suffisamment de cran pour m'accompagner jusque dans la gueule du loup. Nous avions roulé depuis les bureaux de la mine jusqu'au site à ciel ouvert, un immense réservoir de boue et d'alluvions parsemé de diamants. Des machines coûtant plusieurs millions de dollars chacune digéraient toute cette terre arrachée à la rivière pour en recracher les précieuses pierres.

L'endroit bourdonnait comme une ruche que l'on aurait frappée à coups de bâton. Une immense foule d'ouvriers en colère nous attendait de pied ferme. Tous étaient armés de lances, de machettes, de bouteilles cassées ou de marteaux, bref, de toutes sortes d'armes avec lesquelles ils auraient bien volontiers massacré les salopards qui les avaient privés de putes et de bière en même temps que de salaire. Lorsque nous garâmes le pick-up Toyota, ils étaient occupés à chanter et à danser en martelant le sol de leurs pieds, sans aucun doute pour tenter de nous intimider. Je dis « tenter », mais ils faisaient en réalité un superbe boulot. La vision était terrifiante.

Prévoyant que la situation serait explosive, j'avais organisé le déploiement d'un peloton de soldats de l'armée fédérale sur la colline située derrière nous. Ces soldats congolais casernés à proximité de la mine servaient habituellement à la protéger contre d'éventuelles attaques de rebelles, mais ce jour-là, la rébellion se déroulait plutôt à l'intérieur qu'à l'extérieur de la mine. Les soldats étaient habillés de vestes kaki, de shorts et de tongs et, à ma connaissance, eux non plus n'avaient pas été payés depuis des mois. Pourtant, je ne sais pour quelle raison, ils étaient prêts à prendre part aux négociations salariales du côté de mon patron. Ils s'étaient positionnés en arc de cercle dans notre dos, sous la responsabilité de deux ex-Gurkha que j'avais embauchés, et pointaient leurs lourdes mitrailleuses sur la foule.

Un millionnaire arabe et moi-même servions donc de ligne de démarcation entre un peloton d'opérette et une foule en furie qui réclamait son argent, ou, à défaut, du sang. Sans oublier, bien sûr, un ingénieur britannique ficelé comme le dernier des poulets sur l'étagère d'un supermarché.

Le délégué syndical auto-proclamé s'avança de quelques pas et une séance de négociations très tendue débuta sans que je m'éloigne du Qatari, prêt à dégainer, les yeux braqués sur la foule, à la recherche d'un éventuel cinglé prêt à tout faire dégénérer. La peur était palpable et je n'ignorais pas qu'au moindre incident nous risquions de finir en viande hachée. Je dois avouer qu'à ce moment-là je ressentis ce qu'avait dû éprouver le général Gordon quand la ville de Khartoum était tombée aux mains de l'ennemi.

Heureusement, les négociations aboutirent et nous eûmes l'assurance que notre homme allait être libéré. Je demandai alors par radio que l'argent soit sorti du coffre-fort et apporté au patron. Tout s'annonçait très bien. Il ne resterait plus ensuite qu'à conduire notre ingénieur à l'hôpital et à regarder les mineurs se taper les dix kilomètres à pied qui les conduiraient en ville, où ils pourraient enfin s'offrir quelques bières. D'ici un jour ou deux, la situation redeviendrait normale. La routine. Enfin, presque. Une voix grésilla sur le canal radio, celle d'un membre du personnel de sécurité britannique.

– Désolé, les gars, on a un petit souci. Bob a oublié la combinaison du coffre.

– Tu peux répéter cette connerie ?

J'avais essayé de chasser toute trace d'inquiétude dans ma voix afin de ne pas perturber la foule d'ouvriers à bout qui m'observait.

– Bob n'arrive plus à se rappeler la combinaison.

Bob, l'autre directeur du site, était réputé pour ses talents d'ingénieur. Il semblait tout droit sorti d'un roman de Graham Greene et représentait comme un vestige vivant de l'époque coloniale. C'était un véritable Anglais estampillé *Land of Hope and Glory*. Je l'appréciais énormément, mais je me demandais toujours comment il arrivait à survivre en Afrique. Ce petit homme tiré à quatre épingles vivait en permanence sur le site de la mine avec sa femme et ses deux enfants, à des kilomètres de toute civilisation, au cœur d'un Congo ravagé par les conflits.

Mais, dans l'agitation du moment, Bob avait tout simplement oublié la combinaison du coffre. Cela risquait de ne pas plaire à tous ceux qui, devant nous, brandissaient leurs machettes et réclamaient leur dû. Que faire ? Je parvins à attirer l'attention de mon patron pendant quelques secondes, au cours desquelles je lui expliquai notre petit problème avec le coffre. Il me dévisagea comme si je venais de lui apprendre le décès d'un de ses proches. Soudain, j'entrevis une issue.

– J'ai une idée !, m'exclamai-je. Continuez à discuter avec vos ouvriers, je vais appeler quelqu'un.

Je lui empruntai son téléphone satellite et composai un numéro en Angleterre, en espérant entendre la voix de mon ami Jim, un ancien collègue du SAS, le plus grand expert en démolition et en ouverture de coffres de toute l'histoire des forces spéciales. Dieu merci, il décrocha. Vous pouvez sans doute imaginer notre conversation tandis que je lui expliquai dans quel pétrin je m'étais fourré.

– Bien joué, John ! Bon, dis-moi, le coffre est-il fixé au mur ?

J'avais posé mon arme sur le plateau de notre pick-up. Elle m'aurait été inutile si tout avait éclaté brutalement puisque j'avais maintenant les mains occupées avec le téléphone satellite pour parler avec Jim et avec la radio pour transmettre mes consignes au bureau. Autour de moi, la foule, à présent silencieuse, me fixait de ses multiples paires d'yeux écarquillés.

– Ouais, il est fixé au mur.

– OK, décroche-le du mur.

Je répercutai toutes ses informations au bureau par la radio, et, indice après indice, je leur expliquai comment forcer l'ouverture du coffre-fort. Les consignes de Jim furent diablement efficaces – si efficaces qu'il vaudrait mieux ne pas indisposer la police en les révélant – et, en moins de vingt minutes, l'argent fut distribué à qui de droit. L'ingénieur qui avait été passé à tabac nous fut rendu libre et vivant.

Mais vous vous demandez sans doute quel rapport il peut bien exister entre cette histoire de mines de diamants au Congo et la guerre en Irak ? Je me serais moi-même posé la question si, en novembre 2004, je n'avais pas vu Bob « le Bricoleur » se diriger vers moi pour me saluer dans le hall de l'hôtel Sheraton de Bagdad.

– John, quel plaisir de te revoir !

Il attrapa ma main.

– Bon Dieu, qu'est-ce que tu fous ici, Bob ?

Je ne pouvais en croire mes yeux.

– Tu sais ce que c'est, l'envie de voir de nouveaux horizons, tout ça… Je suis venu vendre des réfrigérateurs et des climatiseurs aux Américains. On a entendu dire qu'ils étaient en manque de matériel de ce type et le boss dispose d'une bonne source d'approvisionnement au Qatar. On peut tout envoyer ici en moins de deux. Il y a pas mal de fric à se faire.

– Ouais, c'est super, mec. Tu commences quand ?

Je secouais la tête, incrédule.

– En fait, on commence demain. J'ai rendez-vous à Camp Eagle avec un acheteur. Je crois bien que je vais signer un contrat.

– Camp Eagle ? Tu sais que la route vers Camp Eagle fourmille d'insurgés ? Tu t'es trouvé une escorte ?

– Non, mais tout ira bien, vieille branche. Les doigts dans le nez. En fait, quand les affaires auront démarré, je pense que je vais me trouver un appartement à Bagdad et m'installer ici, puis faire venir ma femme et les chiens.

Je n'en croyais pas mes oreilles. L'idée me paraissait si folle que, sur le moment, je ne sus pas quoi lui répondre.

– Mais tu es complètement dingue, Bob ? Les musulmans ne supportent pas les chiens ! Dans leur culture, les chiens sont pires que de la vermine !

– Vraiment ?, répondit-il avec une pointe de regret dans la voix. Non, je suis persuadé que tout ira bien.

– Non, Bob, ça n'ira pas bien du tout. Toute la ville grouille de putains de terroristes et ils sont prêts à s'entre-tuer pour avoir le plaisir de massacrer eux-mêmes un Occidental. Ils vont te couper les couilles pour en faire des boutons de manchette avant même que tu t'en aperçoives. Crois-moi, Bob, tu ne peux pas faire ça.

Il me gratifia du sourire de celui à qui on ne la fait pas et il me dit :

– Ne t'inquiète pas, John, tout va s'arranger. Fais-moi confiance.

« Ne t'inquiète pas, John » ? Mais ce n'était pas à moi de m'inquiéter !

– Foutaises ! Ce n'est pas près de se calmer, Bob. Tu ferais mieux de vendre tes frigidaires et de rentrer chez toi en quatrième vitesse. Je n'ai pas d'autre conseil à te donner.

Je n'ai plus jamais revu Bob en Irak ou ailleurs, mais je sais qu'il a pris mon avertissement au sérieux et qu'il a réussi à retourner indemne au Qatar. J'espère qu'il va bien à présent.

Bob n'est guère représentatif des hommes d'affaires qui viennent en Irak. La grande majorité d'entre eux ne se préoccupent guère de réussir quelques ventes à l'arraché car les sociétés internationales qu'ils représentent ont déjà signé leurs contrats. Ils courent des risques énormes, bénéficient d'avantages proportionnels, et, pour ce que j'en ai vu, seuls les plus audacieux d'entre eux se risquent à circuler en Irak pour surveiller l'exécution de leurs contrats. Ils sont pour la plupart pondérés, calmes et réfléchis. Beaucoup sont de bons pères de famille, avec des enfants dans quelque prestigieuse école et une femme à faire vivre. Plusieurs dirigent leur propre société d'ingénierie ou d'électronique et estiment qu'un contrat juteux en Irak qui permettra de développer leur entreprise vaut bien de prendre quelques risques. Enfin, quelques vice-présidents de multinationales, les centurions du monde des affaires, sont prêts à se déplacer n'importe où et à prendre tous les risques pour sauvegarder les intérêts de l'empire commercial qu'ils servent, avec l'assurance qu'ils seront très largement récompensés pour leurs services.

Les diplomates nécessitent également d'être protégés et les gouvernements américains ou britanniques préfèrent confier cette charge aux SMP plutôt qu'à leurs troupes régulières. Alors qu'il y a une vingtaine d'années une unité spéciale de la Police militaire royale entraînée par le SAS avait reçu pour mission de protéger le personnel de l'ambassade de Beyrouth, le ministère des Affaires étrangères a aujourd'hui décidé de lancer un appel d'offres auprès des sociétés privées pour assurer la protection de son personnel en Irak ; une tendance qui semble devenir la règle dans tous les points chauds du globe. Ce sont également des SMP à qui l'on a confié la sécurité des économistes et des banquiers du Fonds monétaire international et de la Banque mondiale, dont le rôle est primordial dans l'avenir économique du pays. Certains des *contractors* qui leur ont été assignés comptent parmi les plus étonnants de tous ceux que j'ai croisés en Irak. Je les décrirai dans un prochain chapitre.

Ce sont ainsi plusieurs milliers d'hommes d'affaires, d'ingénieurs, de banquiers ou de diplomates qui circulent chaque jour sur les routes irakiennes, et c'est un véritable exploit de la part de cette armée de mercenaires qui les protège de n'avoir perdu que quelques-uns de ses clients. Seule une trentaine ou une quarantaine d'entre eux seraient morts, dont seulement quelques Britanniques – parmi lesquels, bien sûr, Ken Bigley.

Kenneth Bigley était un ingénieur de 62 ans originaire de Liverpool et, de l'avis général, un homme plutôt respectable. En octobre 2004, comme deux de ses collègues américains, il connut une fin particulièrement atroce. Il fut retenu en otage pendant trois semaines, au cours desquelles on l'obligea à enregistrer plusieurs messages vidéo à l'adresse de Tony Blair et des forces de la Coalition. Il y relayait les demandes de ses ravisseurs, qui exigeaient la libération de toutes les femmes retenues prisonnières par les Américains. Il n'y en avait que deux, des scientifiques de l'industrie de l'armement, de telle sorte que cette demande était plus une diversion qu'autre chose : ils se contentaient de jouer avec la vie de leur otage. Il semblerait finalement qu'un des membres du groupe Tawhid wal Djihad qui retenait Ken ait éprouvé de la pitié pour son otage et l'ait aidé à s'échapper, mais Ken fut rattrapé après avoir passé moins d'une demi-heure en liberté dans les ruelles de Latifiya, à une trentaine de kilomètres au sud-ouest de Bagdad. Cette tentative d'évasion scella sans doute son destin – et probablement celui de la personne qui l'avait aidé – car il dut après cela enregistrer un ultime message vidéo.

En visionnant ces images monstrueuses, il apparaît que Ken, par son comportement digne, fit preuve de bien plus de courage que les lâches qui le retenaient prisonnier. Cette vidéo montre six hommes armés et cagoulés qui se tiennent debout derrière Ken, puis le forcent à s'agenouiller. Lorsqu'il a achevé son appel à l'aide et murmuré ses dernières paroles – « Il ne me reste que peu de temps à vivre » –, l'un des hommes placés dans son dos entame un discours en arabe de près d'une minute, puis sort un poignard recourbé de sa gaine avant de se jeter sur lui comme un chien. Trois autres individus se saisissent en même temps de Ken et le maintiennent immobilisé pendant que l'homme au poignard le décapite sous les clameurs du groupe, qui hurle « *Allahou Akbar !* » jusqu'à perdre haleine. Une protection rapprochée efficace est comme une bouée de sauvetage et seule la présence de *contractors* hautement entraînés permet à tous les hommes courageux qui veulent participer à la reconstruction de l'Irak d'avoir suffisamment confiance pour continuer à y travailler.

Je donne souvent l'exemple de ce qui arriva à deux hommes d'affaires finlandais, membres d'une délégation commerciale, qui furent assassinés sur l'autoroute menant à l'Aéroport international de Bagdad en mars 2004. Seppo Haapanen et Jorma Toronen représentaient des sociétés de technologie de pointe et espéraient réactiver d'anciens contacts commerciaux, mais leur protection, elle, n'était pas du dernier cri lorsqu'ils s'engagèrent sur l'autoroute conduisant aux bureaux du ministère de l'Électricité, situés près de l'aéroport. Une grosse voiture noire, probablement une BMW, marque particulièrement appréciée des insurgés, accéléra à la hauteur du véhicule des Finlandais, sur lequel les passagers ouvrirent le feu avec leurs armes automatiques. Les Finlandais furent taillés en pièces.

Les deux hommes ne disposaient d'aucune protection rapprochée et leur chauffeur irakien n'était équipé que d'un simple pistolet. Pas génial. Même si le chauffeur avait eu le temps de dégainer son arme – en imaginant qu'il ait eu envie d'échanger quelques balles avec des adversaires équipés de mitraillettes –, il n'aurait pas eu la possibilité de conduire et de viser en même temps avec beaucoup d'efficacité. À l'inverse, une équipe de *contractors* sur le qui-vive, entraînés à réagir à ce type d'attaque, aurait très certainement permis aux Finlandais de s'en sortir vivants. Je ne sais pas qui conseilla leur délégation commerciale en matière de sécurité, mais ils n'auraient jamais dû se trouver dans ce véhicule sans la protection de quelques hommes armés. Quand j'entends parler d'un tel gâchis en vies humaines, cela me met en colère. Bien sûr, la mort de Ken et la mort des autres otages tués dans des circonstances identiques ont quelque peu réfréné l'ardeur des hommes et des femmes qui viennent en Irak pour aider à reconstruire le pays, mais elles ne les empêchent pas de continuer à venir.

C'était à Bagdad, en mars 2004, un jour comme un autre. Je venais de rentrer au Sheraton après avoir escorté un client sur le terrain toute la journée lorsque le réceptionniste me tendit mes clés accompagnées d'un message. Ahmed avait cherché à me joindre. Cela faisait une bonne dizaine d'années que je le connaissais. C'était un Palestinien en qui j'avais de bonnes raisons de placer toute ma confiance. Je regagnai ma chambre, pris une douche, puis l'appelai.

– Mon vieux, comment ça va ?, lui demandai-je.

– Très bien, Johnny, très bien, et toute ma famille va bien aussi, mais je voulais te parler boulot, me répondit-il.

– OK, pas de problème. En quoi puis-je t'aider ?

– Eh bien, j'ai un ami qui travaille ici depuis le Koweït. Il possède quelques concessions pétrolières en Irak qu'il voudrait mieux protéger. Elles ne sont pas opérationnelles pour l'instant, mais elles représentent un paquet d'argent et il ne voudrait pas qu'elles soient endommagées avant qu'il puisse les remettre en exploitation. Je lui ai parlé de toi et il aimerait te rencontrer.

– Où ?

– À Bagdad, Johnny.

– OK, il pourrait venir ici et me rencontrer à l'hôtel.

– J'ai bien peur que non, mon ami. Les hôtels sont infestés de mouchards qui rapportent tout au parti Baas ou à Al-Qaida. Crois-moi, Bagdad est un véritable nid d'espions et il ne voudra certainement pas te rencontrer dans un hôtel plein d'Occidentaux. Ce n'est pas une bonne idée.

– Certes, mais ce n'est pas une bonne idée pour un Occidental de traîner ses guêtres à Bagdad.

– Je sais, je sais, mais tu me ferais une immense faveur si tu acceptais de le rencontrer, insista Ahmed.

Pour faire court, j'étais particulièrement redevable à Ahmed et j'acceptai finalement de me plier à ses conditions ; de toute façon j'avais confiance en lui et il m'avait assuré du sérieux de l'homme que je devais voir. Nous convînmes des détails et je rencontrai Monsieur X deux jours plus tard. Mais, à cette occasion, j'enfreignis la seule et unique règle du guide de l'auto-stoppeur en Irak : j'acceptai de monter à bord de sa voiture.

C'était en début de soirée et l'obscurité envahissait déjà la ville lorsque nous nous éloignâmes du centre de Bagdad et traversâmes le fleuve. J'étais assis sur la banquette arrière à côté de Monsieur X, pas très à l'aise, je dois l'avouer, et le fait de rouler en direction des bidonvilles insurrectionnels de Sadr City ne contribuait pas à me détendre. Pas plus que le fait que Monsieur X ne soit absolument pas koweïtien, mais irakien. Seul le pistolet que j'avais enfoncé dans le holster caché sous mon blouson me rassurait. Et encore, pas beaucoup.

Nous bifurquâmes avant d'atteindre Sadr City et je ne mis guère plus de cinq minutes à perdre tous mes repères lorsque la voiture s'engagea dans des ruelles obscures. Plusieurs fois de suite, je palpai machinalement la poche de mon blouson pour vérifier que ma carte de sécurité personnelle s'y trouvait toujours. Puis la voiture s'arrêta et je fus invité à entrer dans un bâtiment semblable à un immeuble de bureaux. Monsieur X, extrêmement courtois et parfaitement bilingue, me conduisit jusqu'à une salle de réunion où il me présenta à cinq de ses collègues qui s'y trouvaient déjà. J'eus l'impression de pénétrer dans une pièce remplie de sosies de Saddam et, quand je m'assis à la grande table face à lui, je ne cachai pas mon malaise : glissant la main à l'intérieur de mon blouson, je la laissai sur mon pistolet. Juste au cas où.

La conversation traînait un peu, mais, pour être honnête, j'accordais de moins en moins d'attention à ce qui se disait et je me concentrais de plus en plus sur la possibilité que j'avais de quitter cette pièce et de rentrer à l'hôtel en un seul morceau. On parla un peu tarifs, mais Monsieur X m'interrogea surtout sur mes références clients – un sujet que je ne voulais justement pas aborder. Finalement, je demandai sèchement que l'on me ramène à l'hôtel, où j'attendrais de ses nouvelles. Je n'entendis plus jamais parler de lui, mais j'avais compris qu'il valait mieux que je ne me mêle pas de ses affaires.

Je m'étais conduit de manière totalement irraisonnable, même si un vieil ami m'avait donné toutes ses garanties. Je me jurai de ne plus jamais faire d'auto-stop en Irak.

Les deux hommes d'affaires les plus excentriques, mais aussi les plus charmeurs, que je rencontrai au cours de mes dix-huit mois passés dans l'univers de la protection rapprochée en Irak furent sans aucun doute deux anciens sous-officiers de l'armée britannique à la recherche de contrats pétroliers à Bassora. Si Bob « le Bricoleur » semblait s'être échappé d'un roman de Graham Greene, ces deux-là avaient le profil idéal pour remplacer au pied levé Sean Connery et Michael Caine dans le film *L'homme qui voulut être roi*. Je les appellerai Doug et Mick. Lorsqu'ils arrivèrent en Irak, ils firent appel à une équipe de gardes du corps d'Afrique du Sud et se rendirent avec eux dans la région de Bassora. Ils voulaient y établir quelques contacts dans l'industrie pétrolière pour le compte d'une société basée au Qatar. Quelques semaines plus tard, les *contractors* annoncèrent aux deux vieux sergents qu'ils résiliaient leur contrat avant terme et les laissèrent en plan à l'aéroport de Bassora. Ne pouvant plus compter que sur eux-mêmes, les deux hommes se résolurent à prendre un taxi pour retourner à Bassora, où ils arrivèrent sains et saufs. Ils se rendirent à l'hôtel Murbad, où j'éprouvai un véritable choc en les croisant dans le hall : ils étaient vêtus de leurs vestes de camouflage militaire datant des années 1980 et de pantalons vert olive ; tous deux portaient fièrement leurs vieux bérets – un béret de la Garde pour le premier, de parachutiste pour le second – mais aucun n'arborait de grade ou de décoration sur son uniforme.

À l'écoute de leur histoire, je fus littéralement fasciné. Comme tous ceux qui les approchèrent, je trouvai ces hommes extraordinaires. Doug et Mick étaient deux grands coquins dans la plus pure tradition britannique. Ils étaient aussi braves que des lions et avaient certainement appris par cœur tout le règlement militaire de l'armée de Sa Majesté – ainsi que toutes les astuces pour le contourner. Doug avait vécu au Texas et y avait travaillé dans l'industrie pétrolière pendant quelques années, mais, lorsque la guerre en Irak avait officiellement pris fin, il avait eu envie de tenter sa chance et de participer à la grande ruée vers l'or. Il s'était tout d'abord envolé pour l'Angleterre, où il avait retrouvé un vieil ami avec lequel il avait partagé quelques pintes de bière au British Legion Club d'une ville renommée pour sa cathédrale.

– Ça a été un coup de chance, John !, s'exclama Doug lors de notre première rencontre. Mick était dans une impasse, prêt à tout. Tu connais la valeur d'un partenaire de confiance ? Eh bien, je n'hésiterais pas à confier ma vie à Mick.

– Il y a de fortes chances pour que tu aies à le faire ici, lui répondis-je, avant d'ajouter : Qu' allez-vous devenir maintenant ? Vous ne pouvez pas rester ici sans qu'un gorille s'occupe de vous, sinon vous allez vous faire bouffer.

– Oh non, nous n'allons pas partir si tôt, me répondit Mick. Il y a de l'argent à se faire ici, et nous allons en profiter.

– Pour l'amour de Dieu, Mick, réveille-toi ! Je vais m'occuper de vous afin que vous puissiez retourner au Koweït sans problème, après quoi vous n'aurez plus qu'à prendre votre billet d'avion et à rentrer chez vous. Dans quelques jours, vous serez de retour au Legion Club et vous pourrez y soulager vos vessies.

– Pas question, John, me coupa Doug. La fortune sourit aux audacieux et, d'une manière ou d'une autre, nous allons faire couler le pétrole !

Je ne les vis plus pendant quelques semaines, jusqu'à ce qu'ils se garent dans la cour de l'hôtel au volant d'une vieille Range Rover toute cabossée qu'ils avaient obtenue je ne sais trop comment.

– Vous logez où ?, les questionnai-je.

– Nous avons planté notre tente près de la jetée pétrolière Mitsubishi, sur les quais, répondit Doug. C'est très joli là-bas, avec une petite brise de mer et une magnifique vue sur tout le port. On ne pourrait pas être mieux installés.

Mick acquiesça d'un signe de tête tandis que je désignai d'un geste leur vieux tas de ferraille :

– Vous avez roulé là-dedans avec vos bérets sur la tête ?

– Ouaip, répondit Doug.

– Et vous n'avez pas eu de problème ?

– Non, non, pas le moindre. Mais cela dit, nous ne serions pas contre l'idée de récupérer un ou deux pétards.

Je secouai la tête, incapable de croire que quelqu'un puisse être aussi inconscient. Puis je décidai de contribuer à leur survie de la seule manière qu'il m'était possible : en leur fournissant des armes.

– Je devrais pouvoir vous dégotter une ou deux AK et je vous brieferai rapidement sur leur fonctionnement, proposai-je. Je pense qu'il vaudrait mieux que je m'en occupe au plus vite.

– Merci, John. Nous t'en sommes très reconnaissants. Pourquoi ne viendrais-tu pas nous rendre visite à cette occasion ? Nous pourrions les essayer en tirant quelques rafales au-dessus de la mer ?

– Ça marche. À plus tard.

Lorsque j'arrivai sur la jetée, je fus estomaqué. Leur campement ressemblait à un avant-poste de l'Empire britannique, avec une vieille tente kaki et un mât métallique au sommet duquel flottait fièrement l'Union Jack. Force était de reconnaître qu'ils avaient tout fait dans les règles de l'art militaire : un miroir pour se raser, des bidons d'eau à l'ombre et, au final, deux gaillards visiblement satisfaits de leur installation. Ils étaient encore parvenus à leurs fins et avaient réussi à convaincre les dirigeants de Maersk Oil de les laisser s'installer sur ce bout de jetée du Chatt al-Arab qui, avant la guerre, était un lieu stratégique pour l'exportation du pétrole. Ils les laissaient même utiliser un préfabriqué comme bureau provisoire.

Je savais que Doug et Mick parvenaient à se rendre sympathiques aux yeux de tous avec leur théâtralité militaire de pacotille, mais l'attention et l'admiration dont ils faisaient l'objet en raison précisément de cette posture surannée étaient proprement incroyables. L'après-midi même, je fus d'ailleurs aux premières loges pour une démonstration de cet étonnant charisme. Une unité du Génie royal se trouvait à environ 500 mètres de leur tente et, avant même que j'aie eu le temps de sortir les AK et de commencer mon initiation, le commandant en second de cette unité s'approcha de nous à grandes enjambées. Il venait tout juste d'arriver et avait visiblement traversé son unité comme une tornade pour y remettre de l'ordre, jusqu'à ce qu'il se rende compte qu'un campement satellite de nationalité britannique avait établi ses quartiers près des murs de son château.

– Mais que diable faites-vous ici ?, interrogea-t-il.

Nos deux gaillards se mirent au garde-à-vous, menton redressé, moustache pointée en avant :

– À vos z'ordres !

Doug avança d'un pas en tapant du pied, puis martela encore un peu le sol tout en restant au garde-à-vous, le menton relevé. Mick, derrière lui, l'imitait à la perfection.

– Nos excuses pour le désagrément, Sir ! Nous nous apprêtions à nous faire connaître !

Et ils expliquèrent leur situation. Pas d'argent. Pas de nourriture. La Garde. Le régiment de parachutistes. Tels furent quelques-uns des mots clés ou des bouts de phrases que j'entendis, si bien qu'après dix minutes l'officier du Génie était conquis.

– Vous ne pouvez pas rester exposés de la sorte et sans nourriture !, s'exclama-t-il.

Il se retourna vers le sergent qui était resté collé à son épaule droite et lui ordonna :

– Accompagnez ces hommes jusqu'à notre campement. Ils pourront occuper la baraque Nissen, qui se trouve en bordure est de notre périmètre. Et pendant que vous y êtes, faites-les inscrire à l'ordinaire, et procurez-leur une carte de notre coopérative militaire. Je présume également qu'ils auront besoin d'essence.

Pendant qu'il parlait, Doug et Mick protestaient faiblement : « Nous ne voudrions pas vous causer d'embarras, Sir !... » Ils avaient beau répéter qu'ils ne voulaient causer aucun tracas, l'officier ne les écoutait plus. Il ne cherchait qu'à s'assurer de leur prise en charge et repoussa toutes leurs objections. « Allons, allons... Vous veillerez à tout cela, sergent. »

– Ce jeune officier me semble être quelqu'un de fort sympathique, s'exclama Mick après que l'homme en question fût retourné à son campement d'un pas alerte.

– Le sel de la terre, confirma Doug, le sel de la terre...

Je leur passa ensuite les mitraillettes et les laissai se familiariser avec elles, ce qu'ils firent bien sûr avec une facilité déconcertante.

Je les croisai de nouveau à l'hôtel quelques jours plus tard. Ils semblaient particulièrement en forme et passèrent cinq bonnes minutes à me dire le plus grand bien du Génie. Puis Doug lâcha soudain :

– En fait, Johnny, nous te cherchions.

– Et pourquoi donc ?

– Une superbe opportunité s'est présentée à nous et on a pensé que tu pourrais vouloir en profiter.

Ils m'expliquèrent que le bonhomme pour lequel ils travaillaient aurait dû se trouver avec eux dans le pays, mais qu'il s'était en réalité contenté de les diriger à distance tout en restant confortablement installé dans sa maison en Belgique. La société ne s'en était pas laissé conter – Doug et Mick y avaient sans doute été pour quelque chose – et elle avait mis la pression sur le Belge. Du coup, ils avaient récupéré un superbe budget et s'apprêtaient à partir signer quelques contrats à Dubaï.

– Nous serons de retour dans quelques semaines, Johnny, mais on t'aime bien et on voudrait que tu puisses t'occuper de notre sécurité lorsqu'on sera de retour. Qu'en dis-tu ?, me proposa Doug.

– Bien sûr, toujours partant pour bosser. J'ai quelques amis que je pourrais mettre sur le coup, on pourra former une bonne équipe.

Je les quittai sur ces paroles, les laissant partir à Dubaï où, selon des informations dont j'eus connaissance ultérieurement, ils vécurent comme des princes et explosèrent leur budget. Doug et Mick m'étaient complètement sortis de l'esprit lorsque je les croisai à nouveau dans l'hôtel. Je m'étais absenté pendant un bon bout de temps, mais, cette fois encore, je ne pus m'empêcher de sourire en les voyant arriver dans leur treillis vert olive, leurs bérets vissés sur la tête.

– Alors, ça y est, vous deux ? Vous avez signé votre contrat ?, demandai-je.

– On y est presque, Johnny, on y est presque, me répondit Doug d'un air enthousiaste et plein d'innocence.

– Cependant, John, on a quand même rencontré un petit problème, poursuivit Mick.

– Je vous écoute.

– Oh, les trucs habituels, Johnny. Des problèmes de trésorerie, tu sais ce que c'est...

– Qu'est-ce qui vous est arrivé ?

– Disons pour résumer que la société n'a pas voulu aller jusqu'au bout avec nous. On sait qu'on peut signer l'affaire sans eux, mais ils ont la priorité sur nous, expliqua Mick. Cela dit, Johnny, ils ne sont pas sur place. Nous, on est là, et on voit le potentiel du truc. Des droits exclusifs d'amarrage, c'est comme une pompe à fric ! Et on peut les avoir !

– On aimerait bosser en free-lance sur ce coup-là, Johnny, poursuivit Doug. Mais notre contrat stipule que nous devons rembourser l'avance que nous a faite la société si on veut récupérer notre indépendance. Et honnêtement, Johnny, on patauge un peu à ce niveau-là.

Je devinais ce qui allait suivre, mais je leur posai tout de même la question :

– Combien il vous faut ?

– Les notes d'hôtel, les frais de déplacement... Qu'en penses-tu, Mick ? Ça s'élève à combien ?

– Environ vingt mille, Doug, mais ce ne sont que des dollars, précisa Mick en affichant une superbe mine de comptable.

– Et si je vous les avance, je suppose qu'on fait cinquante-cinquante sur le contrat ?

– Bien sûr ! À qui d'autre oserions-nous le proposer ? À qui d'autre ?

J'avais pas mal de fric, je les aimais bien et il existait tout de même une infime probabilité pour qu'il puisse vraiment y avoir du travail à la clé pour moi, alors je leur avançai l'argent. Je les croisai encore à gauche et à droite pendant quelques jours, puis ils disparurent.

Je n'entendis plus jamais parler d'eux, mais peut-être qu'un de ces jours je me rendrai dans cette ville célèbre pour sa magnifique cathédrale et que j'irai faire un tour au British Legion Club pour voir s'ils ne pourraient pas me payer une pinte ou deux. Ce fut la seule tentative que je fis pour me lancer dans les affaires en Irak. Après cela, je me concentrai sur mon véritable travail.

Guide de survie en Irak

La climatisation était en panne dans le 4 x 4 GMC déclassé des forces de police. Du coup, mon ami Joe, les trois membres de l'équipe de télévision placés sous sa protection et leur chauffeur jordanien avaient vraiment l'impression de dévaler la rocade de Fallouja dans un sauna fonçant à plus de 120 kilomètres/heure.

Le coup classique ne tarda pas à arriver. Les pressentiments que Joe avait eus à propos de ce convoyage se confirmèrent, et son estomac se noua lorsqu'il vit soudain un pick-up Toyota soulever un nuage de gravillons et de sable en déboulant d'une piste désertique pour foncer vers eux. À l'avant, deux Insurgés de grand chemin, et sur le plateau arrière, deux autres, l'un des deux pointant un lance-roquettes sur leur véhicule. Ils avaient sans doute patrouillé les routes du coin à la recherche d'« yeux blancs » avant de toucher le gros lot avec eux car, devinez quoi, nos amis n'avaient pas le moindre petit revolver à leur disposition, tandis que les insurgés, eux, étaient armés jusqu'aux dents.

Le correspondant de guerre responsable de l'équipe, un type particulièrement borné, avait lourdement insisté sur la nécessité de respecter à la lettre la politique de sa chaîne : n'emporter aucune arme. Joe n'aimait pas cela du tout, mais il avait foi en ses capacités, et l'une d'elles consistait justement à savoir négocier un tarif trois fois plus élevé que la normale pour ce genre de travail. Pas d'arme, beaucoup d'argent : c'est un principe de base dans le code du travail des *contractors*.

Quoi qu'il en soit, Joe m'avoua que la seule satisfaction – aussi brève fût-elle – qu'il retira de cette situation fut de voir le visage du journaliste prendre une teinte crayeuse lorsque leur 4 x 4 dut se garer sur le bas-côté et qu'il fut confronté de plein fouet à la réalité du terrain. Il put alors constater – en plan rapproché – que les insurgés n'étaient pas hommes à se laisser impressionner par le logo d'une chaîne de télévision ou par une carte de presse internationale. En revanche, leurs mitraillettes, elles, étaient tout à fait impressionnantes et ils détenaient le monopole des armes. Le journaliste faisait dans son froc.

Les passagers furent expulsés de leur véhicule manu militari et, avec une habitude consommée, le chef du commando inspecta rapidement ses prisonniers afin de déterminer qui était qui parmi ceux qu'il avait capturés.

Joe supposa que le chef était plutôt content de sa prise en l'entendant aboyer un ordre à l'un de ses hommes, mais il ne pouvait se méprendre sur ce qui allait arriver, même si les instructions avaient été hurlées un peu trop rapidement au regard de sa maîtrise élémentaire de l'arabe. C'était assez simple. Son apparence et son attitude l'identifiaient clairement comme un garde du corps et il allait être exécuté. Les insurgés disposaient de trois otages de choix et ils n'allaient garder le chauffeur en vie que le temps qu'il conduise le GMC et les otages jusqu'à leur lieu de détention. Cela fait, ils l'exécuteraient. Mais, d'ores et déjà, pourquoi s'embarrasser de l'homme qui risquait de leur causer le plus de problèmes ?

En effet, comme il s'y attendait, Joe fut attrapé par l'épaule sans ménagement et poussé en direction d'une haute dune qui bordait la route et derrière laquelle le désert s'étendait sans fin. Un coup de canon de AK-47 dans les côtes confirma l'ordre donné et Joe se mit en route pour ce qui ressemblait fort à sa dernière promenade.

Ils gravirent la dune et, parvenu au sommet, Joe décida de passer à l'action. Ancien du SAS, il savait pertinemment que les règles de survie et d'évasion en cas de capture sont relativement simples : il faut reprendre l'initiative dès que possible.

Le jeune terroriste sunnite se rapprocha de lui. Cela suffit. Joe pivota sur lui-même, l'empoigna et le renversa comme un fétu de paille. L'homme réussit cependant à lui tirer dessus, lui éraflant salement la main, avant que Joe ne parvienne à l'assommer de deux coups de poing qui le laissèrent pour mort. Joe s'apprêtait à ramasser son arme et à lui régler son compte une bonne fois pour toutes, mais les autres insurgés couraient déjà vers lui en mitraillant comme des fous furieux. D'un coup de pied, il envoya l'arme dans les broussailles et détala.

L'un des IGC regagna le Toyota, sauta sur le siège conducteur et s'enfonça dans le désert à sa poursuite. Joe continua de courir parallèlement à la route pendant que les insurgés lui filaient le train en lui tirant dessus.

C'est à ce moment précis que le chauffeur jordanien décida de revenir dans la partie. Il estima héroïquement qu'il ne pouvait pas abandonner Joe, même s'il risquait d'y laisser la peau. Il aurait tout à fait pu choisir d'embarquer l'équipe de télévision et de s'enfuir dans la direction opposée, mais il ne le fit pas. Bien au contraire, il chargea son petit monde dans le GMC, fonça sur l'autoroute, coupa en direction du désert et récupéra Joe, qui bondit avec gratitude dans le véhicule. Les balles n'en continuèrent pas moins de siffler à leurs oreilles pendant que Joe maudissait le jour où il avait accepté de s'engager sur l'Autoroute sans arme.

Ils roulèrent en cahotant au milieu des dunes et des broussailles, mais le conducteur du Toyota, qui avait récupéré ses collègues, s'était lancé dans une course-poursuite infernale. Dans quelques minutes, les poursuivants allaient pouvoir faire un tir au but avec leur lance-roquettes ou transpercer le 4 x 4 avec les balles de leurs AK.

C'est alors que le miracle se produisit. Ce fut l'un de ces dénouements inattendus tels que les grands-pères aiment les raconter à leurs petits-enfants, une de ces histoires impossibles à imaginer tant elles sont incroyables. Vous vous rappelez sans doute avoir lu que le GMC avait appartenu aux forces de police ? Eh bien, parmi l'équipement témoignant de ce glorieux passé, un micro pendait encore au tableau de bord. Il était branché sur deux mégaphones installés sur le toit qui étaient autrefois utilisés pour apostropher les motocyclistes ou les automobilistes – « Garez votre véhicule sur le bas-côté », « Coupez votre moteur », ce genre de chose. Joe et le chauffeur jordanien s'étaient amusés à le faire fonctionner un peu plus tôt.

Pour je ne sais quelle raison, le chauffeur décida de prier et de partager ses prières via le système d'amplification. Il se saisit du micro et se mit à psalmodier des passages du Coran. Privilégiant des versets sur la paix et la justice, il fit résonner sa voix aux sonorités métalliques dans le désert.

Et le miracle eut lieu. Soudain, et sans aucune autre raison possible que ces appels à la paix et à l'harmonie prônés par le Coran, le Toyota s'arrêta, laissant Joe et ses clients disparaître à l'horizon.

Inutile de préciser qu'à partir de ce jour Joe n'accepta plus aucun travail d'escorte sans arme. Cet incident lui avait servi de leçon. Mais si je vous ai raconté cette histoire, c'est parce que j'estime qu'elle peut servir de parabole à notre Babylone moderne et rappeler quelques notions fondamentales à tous ceux qui veulent survivre en Irak.

Tout d'abord, elle illustre une vérité essentielle, qui sous-tend chaque conflit ; pas seulement le conflit irakien, mais tous les conflits. Certains appellent cela le « brouillard de la guerre », mais je préfère parler de la « probabilité du pire ». L'idée générale consiste à ne jamais se laisser surprendre par ce que la guerre ou la confusion vous réservent. Chaque conflit prend une forme particulière. Il entraîne parfois des cycles de violence si intenses que seul le destin peut permettre de les traverser sain et sauf. De temps à autre, de drôles de choses se produisent, comme toutes ces histoires de bible ou d'étui à cigarettes glissés au fond d'une poche de veste et qui auraient arrêté des balles au cours de la Première Guerre mondiale. En l'occurrence, ce sont des prières diffusées par le système de sonorisation d'un véhicule de police recyclé qui permirent de sauver la vie de nos héros. Mais l'important dans tout cela, c'est qu'ils ne perdirent pas une seconde à s'étonner de ce qui leur arrivait ; ils saisirent l'opportunité qui leur était offerte et s'enfuirent.

Qui sait ce qui arrivera lorsque vous pénétrerez dans le casino de la guerre, où la seule activité proposée aux tables de jeu est la roulette russe. Si vous n'aimez pas ce jeu, ne mettez pas les pieds dans le casino, car nul ne peut vous garantir que vous en sortirez vivant, à moins de vous mentir.

Joe n'eut pas besoin de lire dans un manuel la deuxième leçon à tirer de cette aventure. Elle est très simple : plus vite vous reprenez l'initiative, plus vous avez de chances de survivre. Avec leur sens très particulier de l'euphémisme, les militaires britanniques désignent cette règle de vie ou de mort par l'expression « Conduite à tenir en cas de capture ». Joe savait que la marge de manœuvre dont il disposait par rapport à ses assaillants se réduirait rapidement. Dans son cas particulier, il n'avait que quelques minutes pour faire la différence, jusqu'à ce qu'il soit exécuté sur le flanc d'une dune de sable. Il le savait. Il savait aussi qu'il fallait absolument agir, et c'est ce qu'il fit. Vous pouvez mettre plus ou moins de temps à perdre toute capacité d'initiative, mais sachez que le compte à rebours commence dès l'instant où vous êtes capturé.

À mesure que votre détention se prolonge, vous êtes dépossédé de tout votre équipement, jusqu'à vos lacets de chaussures, que vous pourriez utiliser pour étrangler un garde. Mais, de manière encore plus cruciale, vous perdez aussi toute volonté de faire un geste. Joe passa à l'action alors que l'adrénaline irriguait encore ses veines et ce fut sa détermination seule, aidée par quelques prières diffusées par haut-parleurs, qui lui sauva la vie. Dès que vous le pouvez, reprenez l'initiative.

La troisième leçon est importante. La situation dans laquelle se retrouva Joe montre à quel point il est essentiel de connaître la culture dans laquelle on va plonger en décidant de partir pour un pays ravagé par la guerre et l'insurrection. Je possédais déjà quelques notions d'arabe lorsque j'étais dans le SAS, mais j'ai mis un point d'honneur à approfondir mes connaissances de la culture musulmane et de ses variantes locales ou régionales en Irak. On ne peut jamais savoir ce dont on aura besoin. De telles notions peuvent vous permettre de construire des liens fragiles, mais utiles, avec les gens du coin auxquels vous aurez affaire. En d'autres circonstances, elles peuvent vous aider à forger des liens essentiels avec vos ravisseurs ; des liens susceptibles de vous sauver la vie. Il suffit que l'un d'eux éprouve une once de sympathie face à votre détresse pour que s'érige autour de vous un bouclier invisible.

Cela n'a rien de magique. Les psys l'ont appelé le « syndrome de Stockholm », en référence à un hold-up qui se déroula dans cette ville et qui se termina par une prise d'otages. Les otages – le personnel de la banque et des clients – avaient commencé à sympathiser avec leurs ravisseurs à tel point qu'ils défendirent leur cause après avoir été relâchés. Une telle situation se produisit également lors de la prise d'otages de l'ambassade d'Iran à Londres, où le SAS donna un assaut qui reste gravé dans toutes les mémoires. Lorsque le Régiment investit le bâtiment, les hommes du SAS tuèrent tous les terroristes, sauf un. Il avait été caché par des secrétaires qui avaient sympathisé avec lui en raison de la « gentillesse » dont il avait fait preuve à leur égard.

Instinctivement, les personnes à la merci de voleurs ou de terroristes pensent qu'elles pourront sauver leur peau en se faisant apprécier d'eux. Mais le syndrome de Stockholm marche dans les deux sens : des ravisseurs sont parfois prêts à courir de grands risques pour sauver leurs captifs après que des liens puissants se sont forgés entre eux.

Cela fonctionna presque pour Ken Bigley, qui s'était incontestablement lié avec le ravisseur qui l'aida à s'enfuir. Il réussit à s'échapper, mais fut finalement rattrapé par les autres hommes de cette bande d'Al-Qaida, qui l'égorgèrent ensuite de manière monstrueuse en filmant son exécution. Personne ne sait ce qu'il advint de l'homme qui avait fait preuve de mansuétude, mais il est probable qu'il paya de sa vie ce geste d'humanité.

Un otage américain du nom de Thomas Hamill réussit à battre les cartes en sa faveur. J'aimerais beaucoup rencontrer cet homme parce que, d'après tout ce que j'ai entendu dire sur lui, il me semble que c'est un sacré personnage. Tom travaillait comme conducteur de camion pour la multinationale Halliburton lorsqu'il fut fait prisonnier par des insurgés lors de l'attaque de son convoi. C'était en avril 2004, une période où les insurgés étaient véritablement sur le sentier de la guerre en raison de l'assaut donné sur Fallouja par les forces américaines au lendemain de l'exécution et de la mutilation de quatre *contractors* de Blackwater.

Quatre autres personnes faites prisonnières en même temps que Tom furent retrouvées assassinées un peu plus tard, mais Tom, qui constituait une prise de choix, fut rapidement emmené dans une ferme éloignée de plus de 60 kilomètres du lieu où avait eu lieu l'embuscade, du côté de Tikrit.

Il resta là pendant un mois, au cours duquel sa personnalité impressionna ses ravisseurs. Comme c'était un grand bricoleur, il leur montra différents moyens de filtrer et de purifier leur système d'approvisionnement en eau potable, ce qu'ils furent bientôt capables de reproduire dans leurs propres foyers. Ils lui en furent reconnaissants.

Tom profita de cette considération pour négocier un régime carcéral plus souple et, finalement, réussit à les convaincre qu'il ne chercherait pas à s'évader. Où pourrait-il bien aller ? Il se trouvait au beau milieu du désert et, même s'il tentait quelque chose, il n'irait pas bien loin et serait immédiatement ramené à ses ravisseurs.

Ces derniers décidèrent donc de s'épargner la corvée de le garder toute la journée – après tout, c'était un homme raisonnable – et ils acceptèrent sa promesse de ne pas chercher à s'enfuir. Ils le laissèrent plusieurs jours de suite seul, enfermé à double tour dans la ferme, avec des provisions d'eau et de nourriture. Tom avait transformé la situation à son avantage en devenant son propre geôlier. Il trouva bien vite le moyen de sortir de la ferme et tenta de signaler sa présence à plusieurs hélicoptères de la Coalition, mais aucun ne le repéra et il dut bientôt retourner s'enfermer dans l'attente de la prochaine visite de ses gardes. Lors de ses sorties suivantes, il trouva le plus important pipe-line de la région. Il estima que celui-ci devait être sous stricte surveillance et tomba en effet assez vite sur une patrouille américaine qui lui permit finalement de rentrer chez lui, à Macon, dans le Missouri.

Ce fut une issue formidable pour Tom, qui n'avait que des armes bien modestes à sa disposition : sa personnalité et son humanité. Des qualités essentielles pour survivre.

Je souhaiterais ajouter quelques précisions qui me semblent vitales. La première, c'est que toute personne qui se rendrait en Irak ou en Afghanistan pour y travailler sans suivre au préalable une formation aux environnements hostiles commettrait une grossière erreur. Cette formation, qui simule par exemple un accrochage aussi réaliste que possible, à balles réelles, permet de préparer n'importe qui à la réalité du terrain, bien mieux que d'innombrables nuits blanches passées à s'interroger sur ce qui pourrait arriver sur place. En outre, une telle formation apprend à réagir, à aider ses collègues, et fournit des clés qui multiplient les chances de survie.

Les leçons de conduite – conduite évasive ou conduite tout-terrain – constituent une autre particularité de ces cours et, si un membre de l'équipe est blessé, ces compétences peuvent permettre de jouer un rôle essentiel pendant que les autres continuent à se battre. Il ne faut pas hésiter non plus à assumer le rôle d'infirmier. Il vaut mieux être perçu comme un membre utile au sein d'une équipe plutôt que comme un vulgaire paquet que les *contractors* transportent d'un point à un autre.

J'aimerais aussi revenir sur la question du port d'armes. Je ne pense pas que ce soit forcément une bonne chose, cela dépend surtout de la personne concernée : il est inutile d'emporter une arme avec soi si on ne compte pas l'utiliser. Les ingénieurs et les cadres sont bien plus à l'aise avec leurs transparents et leurs calculatrices, et c'est ainsi que les choses devraient rester. Mais imaginons que vous vous trouviez en Irak et que vous tombiez dans une embuscade sur la rocade de Fallouja. L'un de vos gardes du corps se fait tuer, le deuxième est blessé, et vous vous retrouvez seul avec le chauffeur, séparé de votre deuxième véhicule d'escorte. À ce moment-là, vous pourriez tout à fait décider de tenter votre chance avec une arme à feu plutôt qu'être abattu ou vous retrouver en combinaison orange. C'est là que le cours d'initiation aux armes à feu suivi dans le cadre de la formation aux environnements hostiles pourrait vous sauver la vie. Alors, suivez ce cours !

À l'heure où j'écris ces lignes, la plupart des trajets que les étrangers effectuent en Irak se font entre la Zone verte et l'aéroport. Les journalistes ne s'aventurent plus en dehors de cette zone de sécurité, à moins d'être incorporés au sein des troupes de la Coalition ou de passer des accords avec des miliciens qui les escorteront dans des zones comme Sadr City, en banlieue de Bagdad, ou jusqu'à des villes comme Bassora, dans le sud du pays. Il s'agit bien sûr d'accords passés avec les milices chiites puisque de tels arrangements sont impossibles avec cet axe du mal formé par les anciens baassistes de Saddam et leurs acolytes d'Al-Qaida pour diriger l'insurrection sunnite.

Des hommes d'affaires et des ingénieurs circulent encore en province, mais ils se déplacent généralement soit au sein de convois, comme les convois de diligences – qui sont attaqués dès qu'ils s'aventurent en rase campagne – ou, à la manière britannique, en toute discrétion et en se fondant dans le décor. Et cela m'amène à ce qui constitue ma règle numéro un de survie en Irak. Je me suis inspiré pour cela des règles d'or des agents immobiliers, qui estiment que la vente d'une maison tient à trois choses : l'emplacement, l'emplacement et l'emplacement.

La survie en Irak tient également à trois choses : profil bas, profil bas et profil bas.

SEPT

La cité des Morts

En ce mois d'août 2003, il faisait plus chaud à Nadjaf qu'en enfer. C'est pourtant vers cette ville, située sur la rive ouest de l'Euphrate, à environ 160 kilomètres au sud de Bagdad, que notre voiture fonçait, avec à son bord une équipe de la télévision britannique et leur chauffeur irakien, un type drôle et chaleureux que nous appellerons Hamdany. J'adorais Hamdany.

Il me prenait souvent dans ses bras en s'exclamant : « Tu es comme un fils pour moi. » Parfois, ses étreintes étaient suivies de véritables serments : « Quand tu es avec moi, tu es irakien. » Il ne mentait pas. Comme beaucoup d'Irakiens, il avait un grand cœur, plein de bonté et d'humanité. Lorsque nous traversions des scènes de carnage, la douleur se lisait sur son visage. Il secouait la tête et murmurait avec tristesse : « Alors c'est ça, ma nouvelle démocratie ? Hein, c'est ça, ma nouvelle démocratie ? »

Mais ce jour-là, il faisait vraiment trop chaud, même pour Hamdany. Les démonstrations d'affection et les serments d'amitié avaient été reportés à une saison plus fraîche, de même que le deuil de sa nouvelle démocratie mort-née. L'équipe de télévision que j'escortais réalisait une enquête sur le pouvoir grandissant du Conseil suprême de la révolution islamique en Irak, une organisation chiite centrée autour de la mosquée de l'Imam Ali, qui abrite le tombeau du saint homme. C'était le fief du grand ayatollah chiite Mohamed Bakir Al-Hakim et de sa milice Badr. La ville était aussi la base de l'Armée du Mahdi. Quand je précisais tout à l'heure qu'il faisait plus chaud à Nadjaf qu'en enfer, je ne parlais pas seulement de la météo.

En traversant les faubourgs de la ville, nous passâmes près d'un gigantesque terrain hérissé de tombes, un cimetière qui s'étendait sur plusieurs hectares. Hamdany prononça quelques mots en arabe.

– C'est quoi, cet endroit ?, lui demandai-je.

– C'est la Cité des Morts. Tous les chiites veulent être enterrés ici, à proximité de la tombe d'Ali. Ils veulent tous reposer à ses côtés. Il paraît que c'est le plus grand cimetière du monde.

– La Cité des Morts ? Sympathique.

Et soudain je le vis, s'élevant vers le ciel dans une explosion de lumière dorée, scintillant et resplendissant, les millions de rayons du soleil renvoyés par sa surface embrasant les toits de la ville. Le dôme de la mosquée de l'Imam Ali, mélange de démesure et d'humilité, flamboyait de ses milliers de tuiles d'or. D'or véritable. Subjugué par ce spectacle, je me rappelle toutefois avoir pensé que l'or attire généralement les ennuis.

Après avoir garé la voiture à environ un kilomètre de la mosquée, nous nous engageâmes dans un labyrinthe de petites ruelles aux façades ornées de balcons, mais dont les nombreuses boutiques avaient toutes baissé leur vieux rideau de fer. Avant de partir, nous avions appris que plusieurs incidents avaient éclaté le matin même devant la mosquée. Un pauvre homme, qui avait été dénoncé comme un espion sunnite, avait été battu à mort et démembré au pied des murs d'enceinte de la mosquée. Il s'agissait peut-être réellement d'un espion sunnite, mais personne n'en saurait jamais rien. Cette triste histoire appartenait déjà au passé et le pauvre homme aussi.

La tension n'en restait pas moins palpable. Tout le monde savait que le couvercle du chaudron ne tarderait pas à sauter, même si personne n'aurait su dire pourquoi. Les gens avaient peur. J'avais cependant pris la décision de venir jusqu'à la mosquée sans armes. Il avait fallu que je fasse un choix et, à ce moment-là, les forces de Badr ou du Mahdi n'étaient pas encore considérées comme insurrectionnelles ; elles étaient de simples milices qui faisaient régner l'ordre dans leurs communautés pour le bien de tous, malgré une conduite parfois imprévisible. J'avais planqué mon AK dans la voiture et j'avais décidé de ne pas leur faire l'affront d'emporter mon pistolet Tarik, un de ces gros pistolets irakiens qui ressemblent à une matraque mais avec des balles à l'intérieur. Pourquoi ? Tout simplement parce qu'après avoir négocié plusieurs jours avec le producteur, l'ayatollah nous avait autorisés à filmer autour de la mosquée. Nous étions, en quelque sorte, ses hôtes.

Nous continuâmes à avancer. Le cameraman avait été parfaitement briefé : je lui avais demandé de porter des vêtements très colorés pour coller à l'image que les locaux se font d'un réalisateur. Je l'avais même convaincu d'opter pour un couvre-chef très voyant, illustration parfaite du vieux proverbe : « Si tu ne peux pas te battre, mets un chapeau ridicule. » Je portais le trépied de la caméra pour donner l'illusion de faire partie de son équipe technique. En vue de la mosquée, nous fûmes plongés dans la foule rassemblée sur le parvis, une foule exclusivement masculine car nous étions un samedi. C'était intimidant en soi, mais bien moins que les centaines de paires d'yeux qui se rivèrent aussitôt sur nous. Si beaucoup étaient hostiles, un certain nombre semblait sincèrement surpris de voir un groupe d'Occidentaux en ce lieu et à cette heure, et ces regards ne pouvaient masquer une pointe de respect pour l'audace dont nous faisions preuve.

Nous parvînmes jusqu'à l'enceinte de la mosquée, où les représentants de l'ayatollah vinrent à notre rencontre. Ils nous remirent un sauf-conduit manuscrit autorisant notre présence dans ce lieu sacré. Nous avions le droit d'entrer et de filmer dans la cour située à l'intérieur de l'enceinte, face aux magnifiques portes derrière lesquelles se trouvaient le sanctuaire et la tombe de l'imam Ali. L'endroit grouillait de fidèles, car nous étions arrivés à l'heure de la prière.

Nous ne tardâmes pas à percevoir des signes inquiétants émanant de l'assistance. La tension fut à son paroxysme lorsqu'un groupe d'hommes se mit à nous suivre en chuchotant et en nous observant pendant que nous filmions. Il y avait une réelle hostilité dans l'air, mais le mot était passé que l'ayatollah lui-même nous avait accordé son autorisation, si bien que les plus virulents à l'égard des Occidentaux étaient obligés de tempérer leur haine. À la moindre question, nous agitions notre papier magique.

Nous fîmes quelques dernières prises dans la cour et nous nous apprêtions à rejoindre la voiture lorsque le cameraman nous dit qu'il souhaitait faire un plan d'ensemble, en montant dans l'un des bâtiments qui jouxtaient le parvis et en filmant en plongée les fidèles en train de prier. « Nous avons vraiment besoin de ce plan », affirma-t-il au journaliste avant de demander à leur intermédiaire, le fils de Hamdany, de s'adresser à l'un des commerçants du rez-de-chaussée pour pouvoir grimper à l'étage de sa boutique.

Je ne pensais qu'à foutre le camp de cet endroit, mais je savais bien que les cameramen ne voient le monde qu'à travers leur objectif, comme s'ils étaient étrangers à notre planète. Rien ne leur importe plus que leur prise de vue. Il en allait différemment pour moi. Leur responsabilité m'incombait et rien ne m'importait plus que leur vie.

Notre sauf-conduit magique nous ouvrit encore une fois les portes et le cameraman s'empressa de grimper les deux étages pour ce putain de dernier plan sur des chiites en pleine prière. Formidable. La prise terminée, j'étais fort soulagé de pouvoir retourner à la voiture. Mais nous nous retrouvâmes ballottés dans une mer d'hommes dont l'esprit avait été chauffé à blanc par les mollahs et dont les pupilles brûlaient d'une fièvre religieuse et patriotique. Nous étions bien sûr des infidèles et, à leurs yeux, des représentants de la force d'oppression. Mais bon, nous n'avions que 800 mètres à faire en leur compagnie.

Vous avez sans doute vu des images de ces pénitents musulmans qui se flagellent avec des chaînes en signe d'expiation ? Ils commémorent ainsi la mort de l'imam Hussein le jour de Achura. Ce sont ces pénitents qui nous entouraient, des hommes plutôt extrémistes qui ne tardèrent pas à nous bousculer et à nous insulter. Certains d'entre eux, qui parlaient anglais, nous invectivèrent : « Vous ne devriez pas être ici. Retournez chez vous. » D'autres nous posèrent la question à laquelle une mauvaise réponse aurait été une invitation au lynchage : « Vous êtes américains ? »

– Non, pas américains. Anglais. Britanniques, répétions-nous sans cesse.

– Ah, nous aimons les Britanniques, répondit quelqu'un dans la foule.

Mais sans doute pas tant que ça.

Comme je commençais vraiment à m'inquiéter de la tournure que prenaient les événements, je demandai au fils de Hamdany de partir en avant pour demander à son père de faire demi-tour avec la voiture et de la tenir prête. Les cinquante derniers mètres furent véritablement tendus et nous les parcourûmes alors que des chants anti-Coalition commençaient à s'élever. Mes notions d'arabe sont limitées, mais je saisissais assez bien le message en raison des noms de Blair et de Bush qui revenaient régulièrement. Je n'aime pas ce type de chants ; ils engourdissent l'esprit et transforment des personnalités individuelles en une foule homogène capable de tout.

Je pressai l'équipe de reportage d'accélérer le pas tout en maudissant intérieurement ce foutu cameraman et son indispensable plan d'ensemble des fidèles. Lorsque nous arrivâmes enfin à la voiture, les journalistes s'engouffrèrent dedans. Je m'apprêtais à y grimper aussi et à claquer la portière derrière moi quand quatre détonations éclatèrent l'une après l'autre, soulevant la poussière et faisant voler des éclats de pierres sur la route à côté de nous. Je remarquai alors que la foule qui nous suivait était restée en retrait. Savait-elle que quelque chose se préparait ? Je le pense.

Je claquai la portière sur moi tout en évaluant la situation en une fraction de seconde. Retourner les tirs n'aurait servi qu'à attiser la colère de la foule et à se faire tailler en pièces.

Je gardai donc ma AK en réserve et hurlai : « Écrase l'accélérateur, Hammy ! »

– Je ne peux pas, je ne peux pas !, me répondit une voix terrorisée.

Merde ! Regardant la route devant moi, je vis qu'elle était bouchée par deux énormes 4 x 4 sombres qui nous fonçaient dessus, des barbus en djellaba noire puissamment armés juchés sur les marchepieds, se tenant aux portières. Putain ! L'Armée du Mahdi ! Empoignant mon AK, je me mis à transpirer comme un pédophile égaré dans une crèche. Trop d'alcool la nuit précédente.

– March…

Je n'avais même pas fini d'ordonner à Hamdany de faire marche arrière dans la ruelle adjacente que les deux 4 x 4 remplis de combattants nous dépassaient déjà. Ils n'en avaient pas après nous : ils cherchaient le tireur isolé qui avait rompu le serment de l'ayatollah. Quel qu'il soit, il serait tranché vif et rôti à petit feu avant la tombée de la nuit. Hamdany n'eut pas besoin d'encouragement supplémentaire ; il s'engouffra dans la ruelle comme une fusée dès que le passage fut libre.

L'un des techniciens de l'équipe TV m'interrogea :

– Ces tirs nous étaient-ils destinés ?

– Nooon, répondis-je en mentant. C'étaient juste quelques coups de feu tirés en l'air par un abruti.

Mon regard croisa celui de Hamdany. Nous n'étions pas dupes. La foule non plus ne l'avait pas été ; elle s'était comportée comme un essaim de guêpes bourdonnantes dont l'envol aurait été stoppé par l'appréhension d'un danger certain. Deux jours plus tard, une voiture piégée explosait devant les portes de la tombe d'Ali. Elle avait été garée juste sous le balcon d'où notre cameraman avait filmé la prière. Le souffle de son explosion expédia l'ayatollah et 142 de ses fidèles à la Cité des Morts. Cette provocation incita les chiites à passer à l'offensive.

Pour notre part, nous repartions vivants et Hamdany, tout en conduisant, se remit à marmonner sa complainte habituelle : « Ah, alors c'est ça, ma nouvelle démocratie ? »

Trois semaines plus tard, je m'occupais d'une autre équipe de télévision, irlandaise cette fois, dans l'ancienne cité de Nasiriya. Nous nous trouvions dans le centre-ville, où l'équipe filmait l'interview d'un Irakien qui gagnait sa croûte grâce à un appareil photo fabriqué à partir de plaques de contreplaqué. Il lui servait à prendre des photos pour des cartes d'identité ou des passeports.

Pour une fois, le sujet s'annonçait plutôt positif. Il devait mettre en valeur l'incroyable capacité des Irakiens à rebondir. Mais, tout à coup, l'enfer se déchaîna. Une gigantesque explosion environ 150 mètres plus bas dans la même rue, devant un commissariat de police, venait d'illustrer une autre facette beaucoup plus sombre de l'ingéniosité et de la ressource des Irakiens. La bombe avait explosé dans une rue commerçante, à une heure d'affluence.

Il est difficile de dire ce que nous perçûmes en premier, du bruit assourdissant de la déflagration ou de la vision d'une carcasse de métal rouillé projetée jusque dans l'écheveau de fils électriques et téléphoniques qui couraient d'un poteau à l'autre au-dessus de la rue. Nous fûmes aussitôt pris sous une pluie de flammèches et de débris, puis une tempête de poussière nous engloutit tous. Je parvins à garder mon équilibre, mais le cameraman fut renversé par le souffle et projeté à terre, son matériel se brisant dans sa chute. Le reste de l'équipe s'en sortit sans dégâts. Ils s'étaient trouvés abrités par l'angle d'un bâtiment et avaient été préservés de l'effet de souffle généré par l'explosion.

Reprendre ses esprits. Se concentrer. Il faut reprendre ses esprits dans les toutes premières minutes qui suivent une telle explosion. Des minutes terribles, irréelles, comme dans un rêve brumeux, qui conduisirent mon regard de l'autre côté de la rue, où un jeune garçon étendu sur le sol saignait abondamment d'une blessure à la cuisse. Reprendre ses esprits. Se concentrer. Je me retrouvai à ses côtés moins d'une seconde plus tard, à déchirer l'emballage d'une compresse de l'armée américaine – les compresses britanniques étant d'une inefficacité redoutable, aussi absorbantes qu'une serviette hygiénique des années 1950. Le gamin me regarda de ses yeux bruns totalement inexpressifs, comme si les tentacules de l'onde de choc avaient aspiré son cerveau. Je ne pouvais rien lire dans ses yeux. Ni reproche, ni émotion. Rien. Comment était-il possible de miser la vie d'un gamin dans la grande loterie d'un attentat à la bombe ? Je sentis une immense colère m'envahir, mais je savais qu'il ne mourrait pas de sa blessure. Il fallait que je retourne m'occuper de mon équipe de télévision.

Des dizaines de personnes fuyaient maintenant les lieux de l'explosion et se regroupaient, animées d'une rage terrible, sur la petite place où nous nous trouvions. Je pense que le fait que l'on m'ait vu en train de soigner l'enfant joua en notre faveur. Ces gens étaient à la recherche de boucs émissaires et un bon Samaritain n'était pas propre à étancher leur soif de vengeance. Du moins, pas tout de suite. Un échange de coups de feu éclata alors entre les insurgés et les troupes de la Coalition casernées dans le commissariat de police, mais cela ne pouvait pas justifier notre présence puisque nous n'avions plus de caméra en état de marche. Même l'appareil photo en contreplaqué avait été renversé dans la débandade.

Nous étions isolés de toutes troupes amies. Je jetai un coup d'œil à la foule, puis à mon équipe, avec la caméra endommagée. J'étais maître du jeu. « Allez, on s'en va. » Je leur ordonnai de plier bagages et de retourner rapidement à la voiture, garée une quarantaine de mètres plus loin.

Je n'avais pas de mal à imaginer ce qui était arrivé. Tout le monde savait que les habitants du voisinage s'entendaient bien avec les troupes de la Coalition stationnées dans leur ville. Ils appréciaient particulièrement leur capitaine – un Italien, me semble-t-il. C'était apparemment un homme charismatique doué d'un véritable sens politique et avec lequel ils pouvaient gérer leurs affaires en toute confiance, mais c'était aussi un homme dont l'attitude bienveillante était intolérable pour d'autres ; notamment pour les insurgés, qui ne pouvaient pas laisser une relation amicale se développer sans leur aval. Ils avaient tout simplement décidé d'y mettre fin avec une bombe.

Je restai au coin de l'immeuble à regarder le paysage dévasté. J'aperçus, de l'autre côté de la rue, le photographe qui essayait de sauver ce qui pouvait l'être de son équipement. Un peu plus loin, je vis le corps avachi d'un homme étendu dans le caniveau. Il portait une chemise à rayures rouges et vertes très reconnaissable et je me rappelai l'avoir vu seulement quelques minutes plus tôt lorsqu'il avait quitté le photographe en tenant dans sa main sa nouvelle photo d'identité. Il avait paru très satisfait du résultat, mais il n'en aurait désormais plus besoin. Tout à coup, j'eus envie de boire un verre.

Je n'avais pas arrêté de bouger. Nous étions maintenant en août 2003 et je travaillais de nouveau pour une équipe de reporters britanniques, encore une fois au sud de Bagdad, à Bassora cette fois, où la chaleur rendait les gens fous. De nombreux habitants de la ville avaient perdu l'esprit et plusieurs cortèges de manifestants s'étaient formés qui saccageaient tout sur leur passage, comme un exutoire aux pénuries d'essence dont ils étaient victimes. Ces habitants avaient besoin de carburant pour alimenter leurs générateurs électriques et bénéficier ainsi d'un air conditionné seul capable de calmer les esprits, mais, avec la logique d'un cerveau transformé en panse de brebis farcie par la canicule, ils avaient décidé de s'attaquer aux trois seules stations-service de la ville encore ouvertes. Ils contribuaient ainsi à aggraver la pénurie en carburant, dont ils avaient pourtant cruellement besoin. Pour compliquer encore les choses, quelques tribus avaient attaqué et détourné plusieurs camions-citernes, ce qui avait non seulement provoqué une pénurie d'essence encore plus soudaine, mais aussi la fureur des clans qui n'avaient pas été associés à ces initiatives. Enfin, plusieurs gangs traquaient les propriétaires de garages de la ville et leurs familles pour leur extorquer d'éventuelles réserves de carburant.

Les habitants s'étaient placés dans une situation inextricable, et ils s'y étaient fourrés tout seuls, de manière très violente.

En l'absence de toute force de maintien de l'ordre, ce fut aux pauvres lascars de l'infanterie britannique que revint la tâche de calmer les esprits. Et, pour s'assurer qu'ils ne tireraient aucun coup de feu, leurs officiers ne leur firent distribuer que l'équipement de contrôle des foules. Les hommes du Régiment de la Princesse de Galles se retrouvèrent ainsi emmitouflés dans leurs lourdes tenues d'intervention, protégés derrière des boucliers en plastique, à faire des moulins avec leurs matraques et à charger des émeutiers dans un air à 41° C sortant tout droit du gigantesque four qu'était le désert arabe. Cet affrontement évoquait un combat de catch dans un sauna. La résistance des soldats à maintenir leurs rangs serrés témoigne de leur entraînement. À aucun moment ils ne flanchèrent, même lorsque certains d'entre eux commencèrent à s'évanouir, frappés d'hyperthermie. Ils durent être évacués à l'arrière pour y être réhydratés en urgence.

À un moment, nous observions une ligne de soldats matraquant un groupe d'émeutiers pour les éloigner d'une station-service qu'ils avaient attaquée lorsque soudain un jeune garçon – il ne devait pas avoir plus de 17 ans – surgit de nulle part en serrant contre lui une AK avec laquelle il ne semblait pas très à l'aise. Un caporal posté sur l'un des flancs de la ligne d'infanterie le repéra aussitôt. Il courut jusqu'au gamin, lui arracha la AK des mains et la retourna aussitôt pour lui asséner un coup de crosse sur la tête. Il traîna ensuite le gamin par le cou sur une vingtaine de mètres, jusqu'à une Land Rover. Puis il jeta la AK dans le coffre et passa des menottes en plastique au gamin. Tout cela en un clin d'œil.

Ce fut une superbe illustration du travail exemplaire réalisé par l'armée britannique. Ce caporal s'était comporté en véritable héros en empêchant une catastrophe dans les rues de Bassora. Nous vîmes le même courage et la même rigueur en septembre 2005 à Bassora, lorsqu'un véhicule blindé de transport de troupes de type Warrior fut incendié au cours d'une opération de sauvetage de deux hommes du SAS retenus par de faux policiers. Nos hommes tinrent leurs rangs et se gardèrent de toute réaction démesurée. Dans des circonstances semblables, les Américains auraient déployé des moyens extrêmes pour mater les manifestants et leur en faire voir de toutes les couleurs.

Mon équipe de reporters continuait à filmer, mais je remarquais que nous allions bientôt nous retrouver isolés au milieu des émeutiers. J'en fis part au journaliste :

– Je pense qu'il va falloir y aller, sinon on va se retrouver perdus au milieu des casseurs. Vous avez ce qu'il faut sur la bande ?

Il regarda autour de lui et échangea quelques paroles avec son cameraman :

– OK, on a ce qu'il faut.

Cela se passait généralement ainsi. Il fallait trouver le juste équilibre entre leur sécurité et leur besoin de ramener de bonnes images. Mon travail consistait à attirer leur attention sur les dangers potentiels qu'une situation pouvait présenter. Je ne pensais pas à ce que serait mon comportement si je n'avais eu que ma peau à sauver ; je pensais et j'agissais en fonction de notre groupe, pour que chacun de ses membres puisse survivre.

Alors que nous roulions vers notre hôtel, une énorme pierre s'écrasa sur le toit de notre voiture dans un fracas épouvantable. Ce fut comme le signal de départ d'un caillassage en règle. Quantité de pierres et de bouteilles s'écrasèrent sur notre véhicule, dont l'habitacle résonna de coups sourds, de grincements métalliques. Un peu plus loin sur la route devant nous, un 4 x 4 de l'ONU subissait le même sort. Nous parvînmes heureusement à échapper à la nasse humaine qui se refermait sur nous et nous arrivâmes à l'hôtel par une autre route, sans que j'aie eu besoin de tirer un seul coup de feu. C'est à ce moment-là que la clameur qui nous parvenait des rues s'éteignit. Le mercure avait atteint de tels sommets qu'il était devenu physiquement impossible de manifester.

Nous logions à l'hôtel Murbad, en centre-ville. C'était un petit hôtel familial dirigé par un homme dont le seul souci était de monnayer un refuge sûr aux voyageurs, quels qu'ils soient. Son point de vue sur les insurgés était assez simple – il trouvait que c'était mauvais pour les affaires – et il se tenait en permanence prêt à répondre par la manière forte aux éventuelles incursions qui auraient menacé la paix et la prospérité de son établissement.

Mais l'hôtel resta calme et les journalistes en profitèrent pour regagner leurs chambres et s'offrir une petite sieste, ce que je ne parvins pas à faire. J'étais peut-être sur la brèche depuis plusieurs mois, mais l'alcool et la fatigue ne m'avaient pas totalement abruti. Je sentais que quelque chose se préparait. Normalement, je n'éprouvais aucune difficulté à dormir lorsqu'une bataille faisait rage quelques rues plus loin, car je pouvais me réveiller frais et dispos dès que mes positions étaient menacées, comme si mon cerveau avait sonné l'alarme au clairon. Mais cet après-midi-là, bien que toute la ville fût plongée dans le calme, je restai allongé sur mon matelas sans pouvoir dormir. Finalement, je me relevai. Autant en profiter pour jeter un coup d'œil aux alentours.

Cinq minutes plus tard, je me retrouvais sur le toit de l'hôtel, au milieu des tuyauteries et des générateurs d'air conditionné. Je perçus aussitôt, par ma vision périphérique, un mouvement sur l'un des côtés du toit. Je me figeai, puis je le reconnus. C'était Bill, un vieux copain du Régiment, un ancien opérateur au palmarès exceptionnel qui faisait exactement le même genre de boulot que moi. Son équipe – ils étaient quatre hommes au total – se trouvait encore sur le terrain avec une équipe de journalistes, mais lui avait dû revenir un jour avant eux pour des questions de paperasserie administrative ou quelque chose comme ça. Je connaissais bien Bill ; nous avions bourlingué ensemble en Irlande du Nord et dans quelques endroits plus exotiques.

– Toi aussi, tu as un étrange pressentiment ?, lui demandai-je.

– Ouais, John, moi aussi.

– C'est calme. Trop calme, non ?

– Ouais, c'est au moins deux fois trop calme.

– Tu as vu quelque chose ?

– Ouais, regarde par là. En cas d'incendie, il y a une passerelle d'évacuation qui relie ce bâtiment à celui-là. Elle fait environ 3 mètres, et elle est en acier.

– Bien vu. Si on a de la visite, on pourra évacuer par là, confirmai-je.

– Il y a quelques équipes avec leurs clients dans l'autre bâtiment. C'est peut-être eux qui voudront venir chez nous s'il se retrouvent dans la merde, indiqua Bill.

– Viens, on va voir de quoi il retourne.

L'hôtel voisin était occupé par deux autres équipes puissamment armées, des anciens couteaux et pas mal de paras, que nous n'eûmes guère de mal à trouver. Un petit conciliabule de dix minutes suffit à nous mettre d'accord. Nous nous réfugierions chez eux si jamais l'hôtel Murbad était sérieusement menacé, et inversement. Bill et moi repartîmes satisfaits. Notre bande compterait huit anciens militaires et deux anciens couteaux de plus si jamais la ville entrait en éruption pendant la nuit.

Je rentrai à temps pour la réunion quotidienne de 18 heures avec les journalistes dans la salle de montage, réunion durant laquelle ils faisaient le point sur leur journée de travail, discutaient du planning des jours à venir et prenaient connaissance des éventuelles instructions envoyées par Londres. Ensuite, assez régulièrement, le cameraman montait sur le toit pour filmer quelques images du coucher de soleil sur la ville. Avant que la réunion ne s'achève, on me demanda cependant si j'avais quelque chose à ajouter.

« John ? » Tous les regards se tournèrent vers moi lorsque le producteur m'adressa la parole.

« OK, voici ce que j'ai à vous dire. Je ne voudrais pas vous inquiéter, mais la ville est trop calme, trop silencieuse depuis cet après-midi. C'est donc le bon moment pour évoquer notre chemin de repli au cas où l'hôtel serait attaqué. J'ai inspecté les alentours et j'ai discuté avec les autres équipes de sécurité qui logent ici ou dans l'autre hôtel, celui qui est juste derrière le nôtre.

» Si jamais une force hostile arrivait à pénétrer dans le hall de l'hôtel, n'allez surtout pas vous précipiter vers vos voitures. Je veux que vous montiez sur le toit, où je vous retrouverai. Bill, que vous avez déjà dû croiser dans l'hôtel, y sera également. Courez sur le toit, planquez-vous, baissez la tête, puis attendez nos instructions. »

Tous acquiescèrent. Ils avaient déjà été briefés à maintes reprises et savaient que ce ne sont pas des choses à prendre à la légère en Irak, mais là je sentais que j'étais parvenu à leur faire partager ma conviction que quelque chose de grave se préparait.

Nous redescendîmes dans la salle à manger pour dîner, mais nous n'avions même pas fini notre soupe que les événements se précipitèrent. Je me levai d'un bond et courus jusqu'au hall de l'hôtel, d'où je vis une foule d'émeutiers se ruer par le portail de la cour. J'aperçus un vieil homme, sans doute le vigile qui avait été posté à l'entrée, traverser la cour à toute vitesse pour rejoindre l'hôtel. Mais ce n'était pas n'importe quel vigile ; tous les dix pas il tournait le canon de son AK dans son dos et lâchait une courte rafale sur les hommes armés qui le poursuivaient.

L'hôtel se métamorphosa en quelques secondes. Les serveurs abandonnèrent aussitôt le service de la soupe et, comme par magie, des AK apparurent dans leurs mains. Ils allèrent ensuite se poster aux fenêtres pour effectuer un véritable tir de barrage sur les assaillants entrés en force dans la cour de l'hôtel. Ce furent tout d'abord des pistolets qui nous tirèrent dessus, reconnaissables aux petits impacts dont ils constellèrent les voitures de l'ONU garées dans la cour. Les serveurs ne se laissèrent pas intimider et firent surgir de nulle part des volets de métal qu'ils placèrent devant les vitres, sous le feu ennemi. Des serveurs qui risquent leur vie pour protéger une putain de vitre, vous y croyez, vous ?

Les cuisiniers et les plongeurs, tout de blanc vêtus, évacuèrent les cuisines. Eux aussi avaient troqué leur louche ou leur fouet contre des AK, mais ils avaient gardé des couteaux de cuisine en réserve dans la poche de leurs tabliers. Ils se déployèrent en différents points clés de l'hôtel et servirent le nouveau plat du jour : une salade de plombs. Je sais que les grandes toques appellent « brigade » leur équipe de cuisiniers, mais même le chef Gordon Ramsay n'en a jamais vu une semblable. Du reste, ils étaient bien plus cinglés que Gordon.

Notre cameraman avait hâte de se mettre au travail.

– Il faut que je filme ça, John !

– Où sont tes affaires ?

– Dans ma chambre.

– Et merde ! Tu les récupéreras en montant sur le toit.

Je me trouvais maintenant avec l'équipe de journalistes à la porte du restaurant. Le hall de l'hôtel se situait sur notre droite, de même que la ligne de feu. Les escaliers se trouvaient sur notre gauche. Des rafales déchiraient la façade de l'hôtel et quelques balles allèrent même s'écraser dans le mur de la réception, telles des abeilles de plomb impatientes de réserver une chambre. J'attendais que la brigade du chef prenne ses repères et réussisse à établir un tir de barrage suffisant pour faire taire les assaillants pendant quelques minutes.

L'occasion se présenta bientôt.

– Allez, c'est parti ! Tous dans ces putains d'escaliers, et vite ! Ne vous arrêtez de courir que lorsque vous pourrez voir les étoiles dans le ciel !

J'entraînai toute l'équipe dans les escaliers. Le cameraman fit un détour par sa chambre pour récupérer son équipement puis nous rejoignit sur le toit, où l'air chaud saturé de cordite était aussi lourd que du lait tiède. Bill, qui n'avait personne à chaperonner, se trouvait bien sûr en position, allongé dans un angle, derrière le parapet, d'où il choisissait avec soin les cibles à offrir à son AK. Quelques serveurs, toujours vêtus de leurs tabliers, s'étaient postés de part et d'autre de Bill et tiraient rageusement en contrebas, le long des murs ou dans les angles où certains assaillants devaient se cacher. Bill me sourit comme si toute cette fusillade n'était qu'une grosse partie de rigolade, puis se concentra à nouveau sur son tir. J'aurais aimé me joindre à lui, mais moi j'avais ma marmaille à surveiller.

– John, nous allons tourner quelques plans, m'annonça alors le journaliste.

– C'est trop dangereux. Gardez vos putains de têtes baissées !

– Mais ça ne prendra même pas une minute !

Je le fixai, lui, puis le cameraman. Ils tenaient vraiment à leurs images.

– Putain, d'accord, mais gardez la tête baissée.

Je conduisis le cameraman à l'écart de Bill et des deux serveurs, qui attiraient les tirs ennemis. Nous passâmes derrière le panneau où s'étalait le nom de l'hôtel, qui dépassait le parapet d'un bon mètre, puis nous nous collâmes dans un coin où il pouvait tourner ses images, l'objectif de la caméra et ses yeux dépassant seuls du parapet. Les ruelles alentour étaient traversées d'ombres qui couraient d'un endroit à l'autre. Comme d'énormes chauves-souris armées volant en rase-mottes, mais trahissant leur position à chaque coup de feu tiré. Et l'adresse meurtrière de Bill leur compliquait fort la tâche. Je vis un homme blessé se faire traîner à l'abri et mon expérience des combats me fit comprendre que les assaillants perdaient peu à peu l'initiative. Ils étaient repoussés hors du périmètre de l'hôtel.

Je n'ai jamais eu l'occasion de visionner les images que le cameraman a tournées et je n'ai aucune idée de ce qu'elles ont pu enregistrer, mais j'imagine qu'elles n'ont fait que capter une succession de détonations, d'éclairs et de crépitations. Lorsqu'il eut fini de tourner, je ramenai le cameraman près des autres et les escortai tous à l'extrémité opposée de l'angle où Bill et les serveurs étaient au travail. « Gardez la tête baissée, ne jouez pas au héros. » Je ne voulais surtout pas qu'ils soient blessés par le ricochet d'une balle mais ç'aurait été une malchance incroyable si c'était arrivé là où ils se trouvaient désormais, dans la mesure toutefois où ils gardaient la tête baissée.

L'un des serveurs était un baraqué moustachu qui avait tout l'air d'un dur, avec un visage bouffi à la Saddam et un regard cruel. Il semblait prendre beaucoup de plaisir à faire ce qu'il faisait. Le sang affluait à ses joues et, sous les éclairs des détonations, ses yeux luisaient, sauvages. Il lâchait ses rafales avec un bonheur sans cesse renouvelé quand, soudain, son arme s'enraya. Il entra alors dans une fureur noire et frappa son AK contre le sol, à coups répétés, dans une tentative désespérée pour la débloquer. Il s'éloigna ensuite du rebord du toit, s'assit au beau milieu et s'acharna à nouveau sur son arme, la secouant dans tous les sens en maudissant la terre entière.

Bill me regarda et je vis qu'il goûtait beaucoup le comique de la situation. Il m'expliqua plus tard qu'il avait trouvé hilarant que le serveur n'arrive même pas à servir « une salade de plombs ».

– Allez, Johnny, donne donc un coup de main à cet imbécile !, me cria-t-il.

– OK, OK !

Je traversai le toit en courant, tête baissée, et lui arrachai la mitraillette des mains avant qu'il ne la détruise complètement. J'ôtai le chargeur, inspectai la culasse et pus voir tout de suite qu'elle s'était simplement enrayée – la douille d'une balle s'était bloquée dans le mécanisme et n'avait pu être éjectée, ce qui avait complètement bloqué l'AK-47. Tout le mécanisme avait d'ailleurs bien besoin d'être nettoyé et je me rappelle avoir espéré qu'il entretenait mieux ses ustensiles de cuisine que son arme. Des balles claquèrent sur la maçonnerie au-dessus de ma tête lorsque je m'adossai contre le parapet à la recherche d'un point d'appui et que je poussai de toutes mes forces sur le levier d'armement avec mon pied. La douille fut aussitôt éjectée en l'air avant de rebondir sur le toit en tintant comme une clochette. Le serveur se précipita pour récupérer son arme, mais, le repoussant d'une main, je courus à l'autre bout du toit, vers un climatisateur sur lequel trônait une vieille burette d'huile. J'attrapai le récipient au long bec, versai de l'huile dans le mécanisme de l'AK, puis retraversai le toit pour rendre son arme au serveur.

De voir son arme ainsi débloquée et nettoyée au cœur de la bataille, son visage irradia de bonheur. Il regagna son poste avec enthousiasme et se remit à canarder de plus belle.

Notre producteur avait contacté la Force de réaction rapide dès le début des hostilités, mais celle-ci mit plus de quarante minutes à réagir. Lorsque ses hommes arrivèrent, ils se contentèrent d'effectuer un rapide tour du pâté de maisons avant de rendre compte par radio qu'il n'y avait plus rien à voir. Tout était terminé et les assaillants s'étaient déjà évanouis dans la nuit.

Ce fut la première et la dernière fois que je fis l'armurier pour un serveur au cours d'une bataille sur le toit d'un hôtel.

– Qu'est-ce qui se passe à la réception, John ?, me demanda Tony.

– Je n'en sais rien, je vais aller y jeter un coup d'œil.

Je me trouvais au bar de l'hôtel Sheraton de Bagdad lorsque le bourdonnement habituel des petits groupes de journalistes, d'hommes d'affaires ou de gros bras de la sécurité avait été submergé par un énorme barouf en provenance de la réception. En sortant du bar pour rejoindre la réception, je me retrouvai soudain face à un groupe d'une quarantaine de Japonais de tous âges et de toutes tailles qui n'arrêtaient pas de jacasser. Des petites femmes joufflues y côtoyaient des adolescents énigmatiques, mais tous habillés à la dernière mode. Je mis quelques secondes à comprendre. Aussi incroyable que cela puisse paraître, il s'agissait tout bonnement de touristes. J'eus l'impression d'avoir été téléporté dans le hall du British Museum. Cependant, quelque chose clochait. D'abord, il n'y avait pas un seul appareil photo en vue. Et puis, ils n'arrêtaient pas de s'agiter autour des bagages que les porteurs déposaient à leurs pieds

– des valises qui semblaient toutes avoir été éventrées et vidées de leur contenu.

Deux Européens bien habillés mais à la tignasse ébouriffée s'extirpèrent alors du groupe assourdissant de Japonais et se dirigèrent vers le bar, visiblement à la recherche d'une bonne bière fraîche. Ils affichèrent vite une mine consternée et jetèrent des coups d'œil angoissés autour d'eux. Sans doute parce qu'il n'y avait pas de bar. Il fallait en réalité acheter ses boissons aux deux ou trois vendeurs ambulants qui tenaient leurs échoppes à l'entrée de l'hôtel, où ils faisaient des affaires en or. Une fois que vous aviez acheté à boire, une bouteille de whisky ou un pack de canettes de bière, vous n'aviez plus qu'à vous rendre dans une immense salle à manger remplie de tables et de chaises où un buffet en libre-service – le même chaque soir –, disposé sur des tréteaux, vous attendait. Il suffisait de se servir à manger puis d'aller s'asseoir.

Je les interceptai.

– Je vous offre un verre, les gars ? , leur demandai-je.

Je leur procurai à chacun une bonne bière et nous nous installâmes pour faire connaissance. Il s'agissait de deux étudiants danois, originaires d'une ville située près de Copenhague, qui étaient venus faire du tourisme en Irak. Ils avaient visité les sites archéologiques de Babylone dans une voiture louée en Jordanie et avaient croisé la route des Japonais près des célèbres Jardins suspendus. Étonnant, non ? Faire du tourisme au beau milieu d'une insurrection !

Ils s'étaient alors dit que ce serait une bonne idée de coller au convoi de Japonais : ils risquaient moins de se perdre s'ils suivaient quelqu'un qui connaissait les routes. Mais ils se laissèrent quelque peu distancer et, lorsqu'ils rattrapèrent le convoi, celui-ci était immobilisé au bord de la route, tous les Japonais tenus en joue par un groupe d'IGC – des insurgés de grand chemin ; moitié insurgés, moitié bandits de grand chemin. Les IGC étaient en train de les dépouiller de suffisamment de caméscopes et de téléphones mobiles dernière génération pour ouvrir une succursale de Darty à Bagdad. Les Danois choisirent prudemment de ne pas s'arrêter et continuèrent à rouler. Les Japonais firent cependant un tel esclandre que les IGC, incapables de surmonter le problème de la langue, furent rapidement excédés et refoulèrent tous les Japonais dans leurs véhicules avant de leur ordonner de déguerpir. Ils avaient tellement hâte de les voir partir qu'ils ne prirent même pas le temps d'exécuter leurs chauffeurs – normalement ils leur logeaient une balle dans le crâne avant de laisser leurs corps pourrir dans un fossé. En revanche, deux otages danois parlant anglais auraient fait de bien meilleurs otages. Ces deux-là avaient eu raison de ne pas s'arrêter. Finalement, tout ce petit monde s'était retrouvé à l'hôtel.

Les Danois, dont le nom m'échappe à présent, burent encore quelques verres avec Tony et moi, ce qui nous donna l'occasion de continuer à discuter. Quand ils apprirent ce que je faisais pour gagner ma croûte et que j'allais escorter un cameraman et un preneur de son le lendemain matin jusqu'à Amman pour un changement d'équipe, ils m'implorèrent de les laisser se joindre à nous. Ces garçons sympathiques et visiblement terrorisés venaient d'avoir la révélation : venir se promener en Irak était une grossière erreur. Pourquoi ne pas les prendre avec nous ?, pensai-je.

– OK, on part à 6 heures précises. Si vous vous arrêtez pour n'importe quelle raison, vous ne pourrez compter que sur vous-mêmes. Je ne pourrai pas me permettre de vous dépanner.

– Non, non… Rien ne pourra nous faire nous arrêter.

Je les crus. Ce soir-là, ils ne me quittèrent pas d'un pouce et eurent l'air plutôt ennuyés que je les envoie se coucher tôt. Mais je crois qu'ils ne voulaient pas courir le risque de rater notre convoi.

Tony était un ingénieur des travaux publics – en eau ou en électricité, je ne sais plus très bien – et il avait déjà pas mal traîné dans le coin. Il connaissait le journaliste pour lequel je travaillais, mais nous n'avions nous-même fait connaissance que ce jour-là. Tony était quelqu'un de sympathique ; calme et sûr de lui, c'était un gars qui avait de la bouteille. Il avait achevé son boulot, une mission d'évaluation pour une boîte qui répondait à un appel d'offres, et était plutôt content de rentrer chez lui. Il devait être pris en charge le lendemain matin par une société de protection sélectionnée par sa boîte et, d'ici là, il n'avait rien d'autre à faire que tuer le temps en buvant quelques verres en ma compagnie dans l'ambiance plus ou moins relaxante du bar du Sheraton.

L'hôtel Sheraton était un endroit cher, mais minable. Ce n'était guère surprenant, compte tenu de l'emplacement de l'hôtel mais, à sa décharge, son personnel faisait de son mieux pour vous servir et vous être agréable. Les tapis étaient poussiéreux, les meubles éraflés et vétustes, et l'hôtel tout entier aurait eu besoin d'un bon coup de peinture, mais cela ne me préoccupait pas outre mesure. C'était plutôt l'issue de secours, fermée à double tour par une chaîne et un cadenas, qui m'inquiétait. Je suppose que la direction s'imaginait ainsi pouvoir contenir les insurgés au-dehors, mais un peu de bon sens de sa part lui aurait permis de comprendre que des terroristes préféreraient très certainement placer une bombe dans l'hôtel plutôt que d'y entrer en force. C'est d'ailleurs ce qui est arrivé en octobre

2005, quand une énorme bombe a explosé à proximité de l'hôtel, tuant plusieurs Irakiens.

Ces portes fermées par une chaîne m'ennuyaient surtout parce que j'avais mon équipe de journalistes à chaperonner. La solution que j'avais imaginée consistait à placer une grosse paire de pinces coupantes à côté de la porte de la chambre que nous utilisions comme salle de montage et bureau. J'insistais régulièrement pour que nous pratiquions des exercices d'évacuation et, à mon signal, nous nous dirigions tous vers la sortie de secours, moi en tête. J'étais censé pointer ma Kalachnikov devant moi en cas d'évacuation d'urgence, mais, dans cet hôtel, je devais la porter en bandoulière et courir vers la sortie de secours, mon énorme paire de pinces coupantes dans les mains. Nous descendions alors l'escalier en courant. Je faisais semblant de couper la chaîne puis j'empoignais mon AK, prêt à faire feu au moment de jaillir à l'air libre.

Mais nous n'eûmes jamais à jaillir par ces portes, ce qui est fort dommage parce que je devais vérifier quotidiennement, au cas où il y aurait eu une véritable urgence, que le passage derrière les portes n'était pas obstrué. C'était l'une des nombreuses absurdités de ce catalogue d'aberrations qu'il me fallait feuilleter chaque jour. Mais le Sheraton m'avait régulièrement servi de foyer pendant des mois et constituait toujours une meilleure alternative que le camp de pionniers. Cette nuit d'octobre 2003, nous nous reposions après une longue journée de travail au cours de laquelle l'équipe avait filmé dans Bagdad. Les images avaient été transmises au studio de Londres.

J'avais adopté une routine immuable pour clôturer chaque journée de travail : je prenais une douche, je descendais au bar vers 18 heures, je dînais, puis j'allais claquer mon fric avec l'équipe de journalistes. Je commençais au gin tonic et, vers 23 heures, je passais au Jack Daniel's. Je buvais aussi longtemps que quelqu'un m'accompagnait. Et même si cela devait faire six ou sept semaines que je suivais ce régime, j'arrivais chaque matin à me lever pour repartir au boulot, les yeux cernés mais la tête haute.

Tony me versa un autre whisky et nous nous installâmes confortablement pour une nuit qui s'annonçait longue. Puis, vers minuit, deux hommes arrivèrent au bar, visiblement à la recherche de quelqu'un. Ils étaient en fait à ma recherche. Ils échangèrent quelques mots avec un serveur, qui leur indiqua où j'étais d'un signe de tête, et ils vinrent à ma rencontre. Même moi, je fus surpris de voir qui ils étaient. Faire du tourisme en Irak, c'était déjà de l'inconscience, mais ces deux-là frisaient la folie furieuse. Il s'agissait de deux juifs israéliens qui avaient bourlingué à droite et à gauche dans l'espoir de signer quelques contrats pétroliers. Être juif en Irak constituait déjà un facteur de risque considérable, mais ceux-là se promenaient avec leur passeport israélien sur eux. Ils auraient tout aussi bien pu se promener directement dans la combinaison orange offerte aux otages. En outre, ils avaient l'air juif. Je ne suis pas raciste et je ne voudrais offenser personne, mais ils avaient tout simplement l'air juif.

– Enchanté de faire votre connaissance, les gars, déclarai-je en évitant de les regarder comme s'ils étaient déjà morts.

– Nous de même, répondit le plus costaud des deux, le sourire aux lèvres. On nous a dit que vous étiez garde du corps. Et même que vous étiez le meilleur.

– C'est tout à fait exact. En quoi puis-je vous aider ?

Je n'allais pas perdre de temps à faire le modeste, sans compter qu'un compliment fait toujours plaisir quand on est à moitié soûl. Mais, avec le recul, je réalise qu'il me débitait là une vraie réplique de western.

– Ça fait environ deux semaines qu'on est ici et on a fait tout le business qu'il était raisonnable de faire, alors on a décidé de partir demain matin. La sécurité dans le coin devient de plus en plus problématique.

– Super. Eh bien, bonne chance pour le retour.

– Oui, merci, mais on pense qu'il nous faudrait un minimum de protection pour ce voyage retour.

– Quoi ? Vous voulez dire que vous vous êtes baladés tout seuls pendant ces deux semaines ?

– Oui, bien sûr. La protection, ça coûte les yeux de la tête. Nous avons pensé que nous nous en sortirions très bien en faisant profil bas.

– On peut dire que vous avez eu de la chance. Ça a marché. Jusque-là.

– Jusque-là, oui. Mais on aimerait bénéficier d'une protection pour notre voyage de retour. Il paraît que la route est très dangereuse.

Je hochai la tête.

– Ça coûterait combien de s'offrir vos services pour une journée ?

– Que dites-vous de 600 livres la journée ?

– Six cent livres, dites-vous ? Pas 600 dollars ? C'est trop cher.

– Vraiment ? Alors dis-moi, mon ami, à combien estimes-tu ton assurance vie ?

– Que voulez-vous dire ? Vous plaisantez ?, sourit-il.

– Non, je ne plaisante pas. Je suis sérieux. Je parie que ta femme touchera un gros paquet de fric si tu es tué ici.

– Peut-être.

– Alors, peut-être que ça vaut le coup de payer 600 livres pour qu'elle ne dépense pas l'argent de ton assurance vie avec quelqu'un d'autre ?

Il ne souriait plus, et je regrettais déjà mes paroles. Je n'avais pas besoin de lui dire cela. Je me calmai, gêné d'avoir blagué sur son mariage.

– Écoutez, les gars, je pars demain matin à 6 heures. Vous pouvez être là pile à l'heure et nous suivre. Mais si vous vous arrêtez, tant pis pour vous. Pour ma part, je ne m'arrêterai qu'à la frontière.

– Et nous n'aurons rien à payer ?

– Non, vous n'aurez pas un putain de centime à débourser, mais rappelez-vous : si vous vous arrêtez, vous ne pourrez compter que sur vous-mêmes.

– Nous ne nous arrêterons pas.

Je le crus. Ils burent quelques-unes de mes bières puis allèrent se coucher.

Il ne resta bientôt plus que Tony et moi, ainsi que quelques autres couche-tard, dont mon journaliste, son cameraman et son preneur de son, qui devaient partir avec moi le lendemain matin. L'intensité des lumières baissa bientôt, non pas pour annoncer un spectacle, mais en raison d'une nouvelle coupure de courant. Le bourdonnement d'un générateur électrique nous parvint des tréfonds de l'hôtel. Ivres, silencieux, nous observions quelques mouches qui jouaient à saute-mouton avec les pales presque immobiles du ventilateur suspendu au plafond.

Tony fut le premier à rompre le silence.

– Dis-moi, John, quelles sont les chances que je puisse me joindre à vous pour aller à Amman demain matin ?

– Et pourquoi voudrais-tu faire ça ? Tu as toute une équipe à ton service pour te chaperonner sur l'autoroute.

– Je sais, je sais, mais je ne m'entends pas très bien avec ces mecs. Je suppose qu'ils savent ce qu'ils font, mais je n'ai pas vraiment eu d'atomes crochus avec eux au cours de ces trois dernières semaines.

– Je les connais, ils forment une bonne équipe. Tu peux me croire.

– Je suis sûr que tu as raison, mais je me sentirais mieux avec toi. J'ai une plus grande confiance dans tes capacités.

Je savais qu'il me bourrait le mou comme l'avaient fait les Israéliens un peu plus tôt et j'étais flatté qu'il veuille me confier sa vie, mais j'essayai tout de même de l'en dissuader.

– Tu te rappelles ce que j'ai dit à l'Israélien ?

– À propos de quoi ?

– À propos de l'assurance.

Il fronça un sourcil et je lui expliquai rapidement :

– Rien à voir avec ta femme, mon vieux. Non, ce que je veux dire, c'est que si tu voyages avec moi et que tout part en couille, tu ne bénéficieras d'aucune assurance car tu aurais dû être avec l'équipe qui t'avait été assignée.

– Rien à foutre. Tu me prends avec toi ? Je te paierai, bien sûr.

– Bon. Demande à mon patron, là-bas. S'il est d'accord, je le serai aussi. Et oublie l'argent.

Quelques minutes plus tard, le journaliste me fit signe du pouce que tout était OK et Tony retraversa la salle pour me rejoindre. Nous bûmes encore un verre. Alors, c'était comme ça. Un héros, un vrai. Le dernier rempart de tout le monde. J'étais bourré et dans moins de quatre heures j'allais m'engager sur la route la plus dangereuse du monde. Tel l'éclaireur d'un convoi de diligences, j'allais avoir entre les mains le destin d'un groupe d'hommes réunis par le hasard.

À cette époque-là, j'assurais mes convoyages en solo et je gagnais énormément d'argent car il n'y avait pas d'intermédiaire pour prendre une commission au passage. Je facturais au tarif le plus élevé et je faisais pour ainsi dire 100 % de bénéfice. Mais je payais de ma personne. J'avais notamment commencé à boire en compagnie de mes équipes de télévision. Je suppose que je cherchais ainsi à évacuer le stress, mais je ne contrôlais plus du tout ma consommation. Résultat, je me retrouvais pris dans un cercle vicieux d'épuisement, de stress et de boisson.

Depuis mon retour en Irak, après les six semaines que j'y avais passées juste après la guerre avec Bungo, j'avais frôlé la mort plusieurs fois, mais là j'étais devenu l'accompagnateur le plus dangereux sur la route la plus dangereuse du monde, tout simplement parce que j'aurais dû rester sobre et professionnel. J'aurais dû continuer de travailler à la manière des SAS plutôt qu'à la manière des journalistes, et je sentais au plus profond de ma chair que les choses allaient mal tourner si je n'arrêtais pas ça tout de suite. Certes, je n'avais pas perdu toutes mes capacités, puisque c'est au cours de cette période que j'avais repéré les gars dans la BMW noire, mais je savais aussi que mes sens étaient émoussés par la vie que je menais. Si la boisson jouait un rôle dans tout cela, c'était surtout le stress de ce travail en solo et la responsabilité que j'avais de garder mes équipes de journalistes en vie qui m'avaient usé jusqu'à la corde. Et le pire de tout, c'est que je commençais à ruminer sur le passé. Je pensais sans cesse aux amis que j'avais perdus au combat.

Pourtant, alors même que j'étais ivre, au bar du Sheraton, je promettais à chacun de l'escorter sur ces terrifiantes montagnes russes qui ondulaient de Bagdad à Amman. Je me comportais comme

John Wayne entrant fièrement dans un saloon. Je pensais peut-être même être le Duke en personne ; en tout cas, je me conduisais comme un cow-boy. Le lendemain matin, j'allais prendre la tête d'un convoi de diligences, mais j'aurais de la chance si je la gardais sur les épaules. J'allais escorter le plus invraisemblable des convois que l'on eût pu imaginer sur la route qui traverse Fallouja et Ramadi : un cameraman et un preneur de son, deux étudiants en archéologie danois, une paire d'Israéliens roublards et, pour finir, un ingénieur britannique qui, après une nuit passée à boire, avait finalement décidé de suivre un ancien du SAS plutôt que quatre ex-soldats parfaitement compétents. Cinq d'entre eux ne me paieraient pas le moindre centime, et je pensais que c'étaient eux, les cinglés ! Je savais que tout cela devait s'arrêter, mais je me disais : Fait chier ! Encore une fois, une fois seulement, en espérant que ce ne sera pas la dernière.

Comment diable en étais-je arrivé à me retrouver dans un état pareil ?

John Geddes, Mike & Kurt

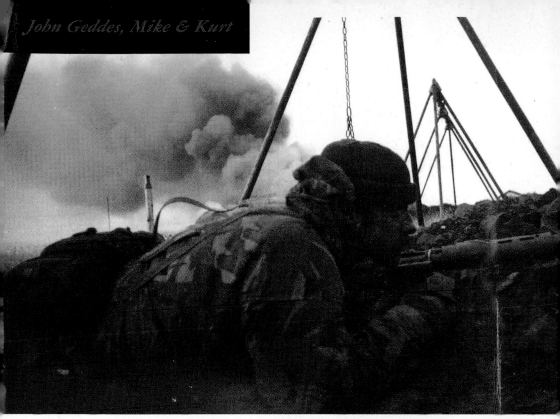

John Geddes dans la cour de récréation d'une école occupée par les forces argentines lors de la bataille de Goose Green, la première bataille terrestre du conflit des Malouines (1982).

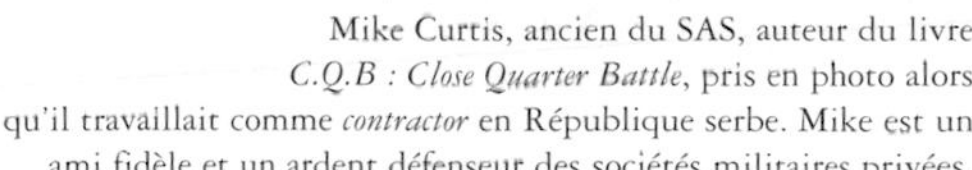

Mike Curtis, ancien du SAS, auteur du livre *C.Q.B : Close Quarter Battle*, pris en photo alors qu'il travaillait comme *contractor* en République serbe. Mike est un ami fidèle et un ardent défenseur des sociétés militaires privées.

Mon fils Kurt a combattu en Irak au sein d'un régiment de parachutistes britanniques. Il y est revenu en qualité de *contractor*.

Une section typique de mercenaires. Ces hommes, qui viennent du monde entier, ont pour la plupart une expérience de soldat dans les forces spéciales, y compris dans le Special Air Service (SAS).

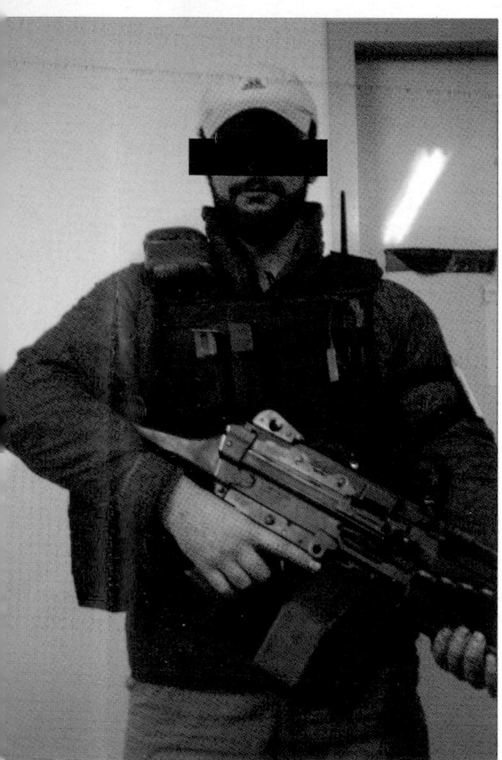

Andy est l'un des quatre *contractors* surnommés les « Cavaliers de l'Apocalypse ». Son aisance à manier la Minimi lui a permis de survivre à de nombreuses embuscades d'insurgés.

Des *contractors* – en l'occurrence des Irakiens qui risquent tout pour protéger les intérêts de leur pays – se déploient près d'une installation pétrolière.

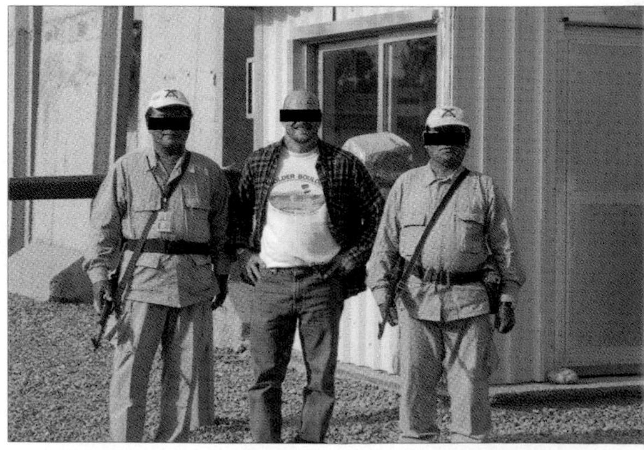

Un Américain – ingénieur en télécommunications – participe à la reconstruction des infrastructures irakiennes accompagné de ses deux gardes du corps d'origine népalaise.

Plus de 300 *contractors* de toutes nationalités ont été tués : Américains, Britanniques, Népalais, Fidjiens, Croates, Turcs, Danois, Macédoniens, Canadiens, Égyptiens, Coréens, Philippins, Portugais, Bulgares, Sud-Africains, Allemands, Colombiens et Français ...

08 July 2004

Letter of Appreciation

Dear Mr. T[illegible]

This letter serves to officially recognize you for your outstanding efforts serving as a door gunner for Blackwater Air assets while re-supplying Al Najaf, Iraq during Operation Iraqi Freedom with critically needed equipment and supplies. Your outstanding performance of duty was inspiring and you are to be commended. Your individual sacrifice has made an indelible impact on the Coalition Provisional Authority's efforts to create and maintain a stable region in Iraq. We are grateful for your endurance and support of the Blackwater Security Team during a critical time. Your strength, fortitude, and choice to overcome serve as a role model for all who presently serve their country in Iraq. In appreciation for your accomplishment, we would like to reward you with a M-4 rifle etched with the Blackwater emblem. On behalf of Blackwater Security Consulting, we offer our sincere gratitude for your bravery and service to country.

Very Respectfully,

Mike Rush
Mike Rush
Director
Blackwater Security Consulting

Gary Jackson
Gary Jackson
President
Blackwater

En 2004, ce sont les employés de Blackwater qui aident les forces américaines à repousser l'assaut des insurgés sur les bâtiments officiels de Nadjaf. Ce sont également les hélicoptères de Blackwater qui les approvisionnent en munitions au cours de la bataille. L'un de ces *contractors* a reçu les félicitations de Blackwater ainsi qu'un fusil-mitrailleur M4 à la crosse gravée de l'emblème de la société en remerciement de ses services.

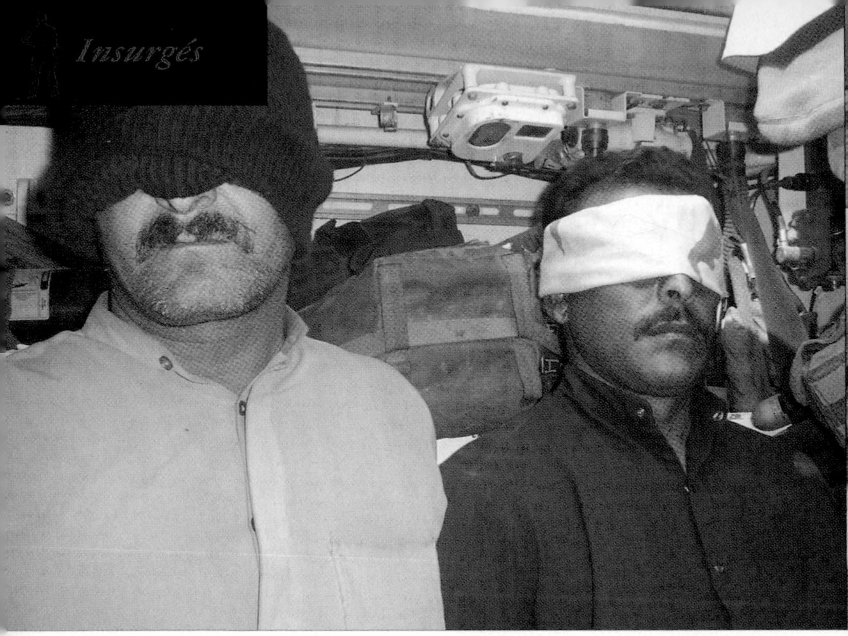

Les trois vignettes de droite montrent l'image que véhiculent les insurgés dans les médias. En réalité, ils apparaissent sous de nombreux visages différents et sous des déguisements extrêmement variés : civils, policiers, militaires... Ci-dessus, deux hommes qui plaçaient des IED le long d'une route ont été capturés par les forces américaines.

Les stocks d'armes irakiens n'étaient pas un objectif prioritaire de l'armée américaine en 2003, ce qui a permis aux insurgés – et aux premiers *contractors* arrivés sur place - de se servir largement. Chaque semaine, l'armée américaine découvre de nouvelles caches d'armes.

Les Américains sont arrivés en faisant la démonstration de leur puisance. Mais il ne suffit pas de survoler les champs de parade de Bagdad en hélicoptère. Il faut aussi affronter la réalité d'une guerre d'usure sur les autoroutes irakiennes, contre un ennemi déterminé.

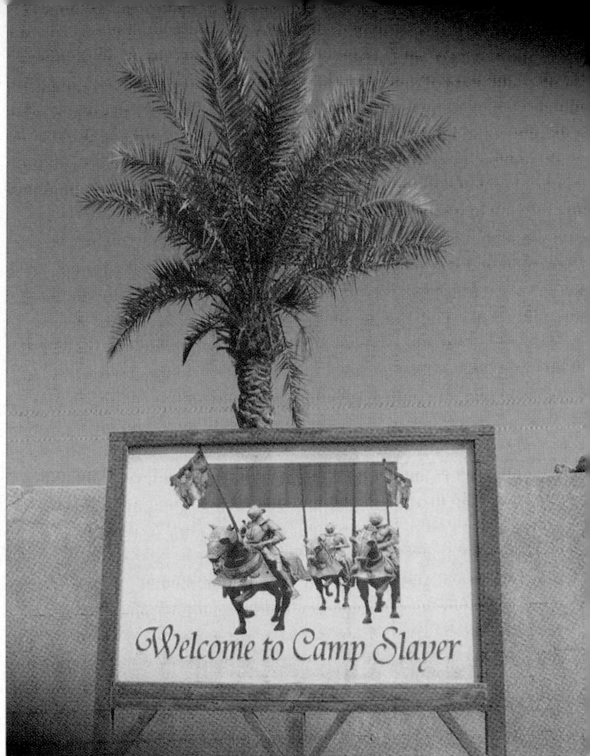

Les Américains ont encore des progrès à faire pour être considérés comme des libérateurs plutôt que comme des envahisseurs. En témoigne cette enseigne disposée à l'entrée de Camp Slayer, à quelques kilomètres de Bagdad. Comment s'étonner que ce campement militaire soit la cible d'attaques au mortier ou de tirs de snipers lorsque les officiers américains tolèrent un panneau de bienvenue montrant des chevaliers chrétiens venant combattre en terre musulmane... Provocation ?

Le 915e Régiment de transport ne craint personne, mais ses hommes préfèrent tout de même voyager en combinaison de Kevlar.

« Ouais, bien que nous cheminions à travers la vallée des ténèbres et de la mort, nous ne craignons aucune de leurs malédictions car nous sommes les pires fils de pute de toute cette vallée... »

Vous quittez le Koweït pour pénétrer en Irak. « *Bon voyage* »... Façon de parler.

Certains choisissent de coller à des convois sous protection de l'armée.

Ici, un convoi britannique.

Briefing d'un convoi militaire américain avant le départ.

Une unité de la 915ᵉ, spécialisée dans la protection des convois.

Rien ne protège des IED (engins explosifs improvisés).

La statue l'Ange du Moyen-Orient se trouve à l'entrée de l'Aéroport international de Bagdad. Si vous la voyez, c'est que vous avez survécu à votre trajet sur la Route irlandaise – la route qui relie le Centre international de Bagdad à l'aéroport et qui est devenue l'une des routes les plus dangereuses d'Irak depuis que l'aéroport a retrouvé sa pleine capacité.

Les bas-côtés des routes ou des autoroutes irakiennes sont jonchés de carcasses de véhicules, de cadavres de chiens, de débris ou de détritus qui constituent d'excellentes cachettes pour les IED.

Récupérer ses clients directement sur le tarmac, de manière discrète.

Éviter de voyager seul... Les pannes et les accidents sont fréquents dans le désert.

Surveiller les voitures qui vous précédent ou vous suivent...

Établir un périmètre de sécurité à la moindre alerte. Ici, des *contractors* sécurisent une zone après l'explosion d'un IED.

Certains véhicules affichent clairement la méfiance de leurs conducteurs et passagers.

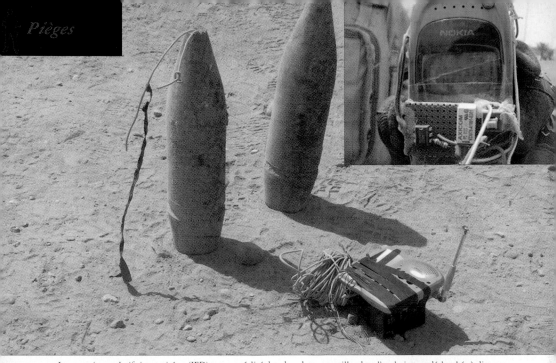

Les « engins explosifs improvisés » (IED) sont en réalité des obus de toutes tailles dont l'explosion est déclenchée à distance.

Le pare-brise de ce camion militaire a résisté aux rafales des insurgés. Notez la plaque de blindage supplémentaire – sous le pare-brise – qui s'est détachée sous la violence des impacts.

Les *contractors* de ce 4 x 4 n'ont pas survécu à l'explosion d'un IED. L'homme sur la gauche surveille leurs arrières tandis que ses collègues prennent en charge les victimes.

Un IED a criblé de billes d'acier ce Humvee de l'armée américaine. C'est l'une des raisons pour lesquelles les soldats enfilent des tenues complètes en Kevlar.

Le « Buffalo » a été spécialement conçu pour rechercher les IED dissimulés sur le bord des routes avec son bras articulé de 9 mètres de long.
Ce véhicule de 24 tonnes, avec un équipage de 4 hommes, est équipé de caméras de vision nocturne et de systèmes de brouillage radio.

Le 4 x 4 de Tak après qu'il a eu maille à partir avec des insurgés sur l'autoroute reliant le Koweït à l'Irak.
Les impacts de balles sur le pare-brise proviennent des rafales tirées par Tak. Il a préféré prendre l'initiative de l'attaque.

Rob l'a échappé belle. L'IED a explosé quelques dixièmes de seconde trop tôt, n'occasionnant que des dégâts mineurs sur son véhicule.

Les « Cavaliers de l'Apocalypse » l'ont également échappé belle. Une fois de plus !

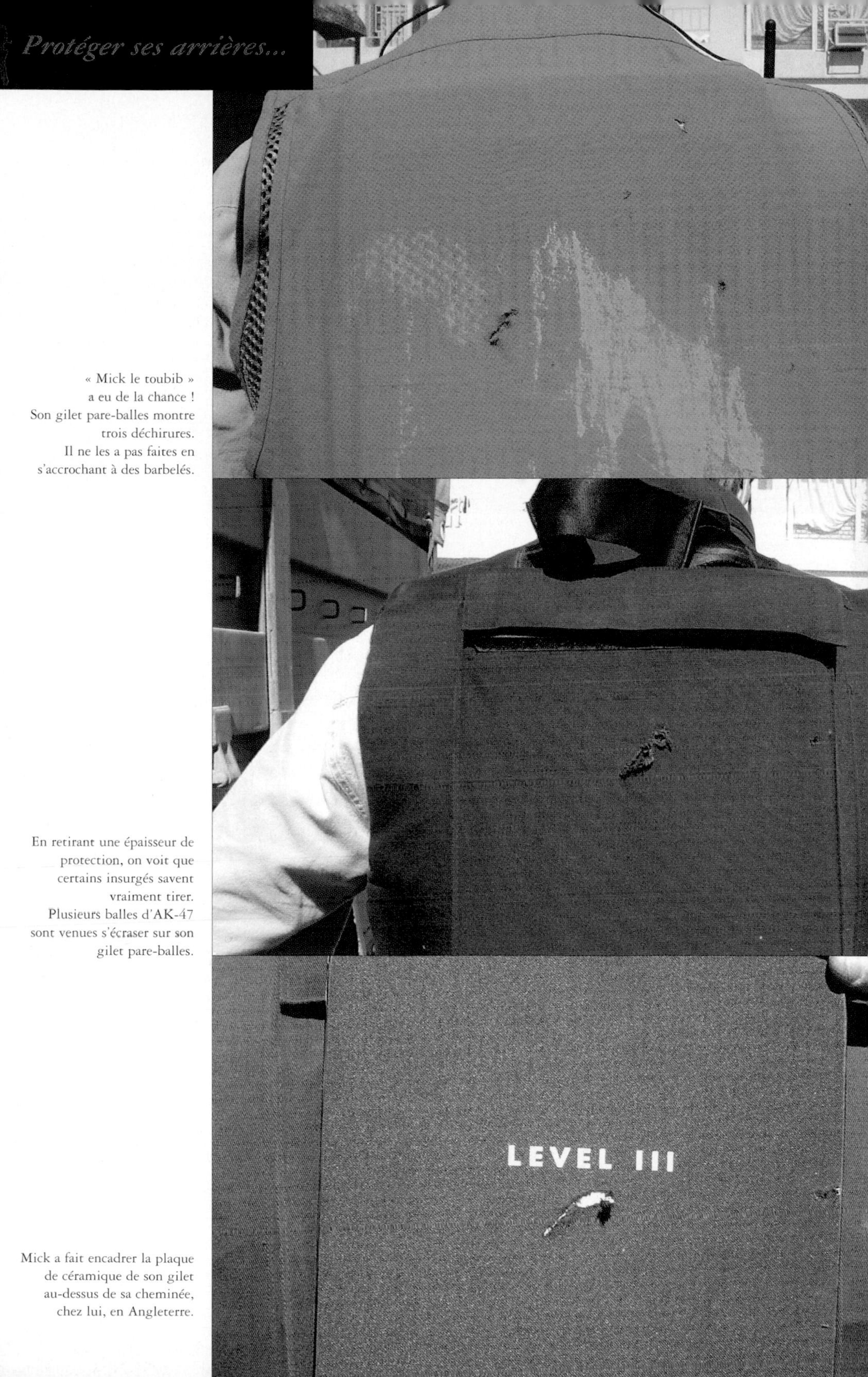

« Mick le toubib » a eu de la chance ! Son gilet pare-balles montre trois déchirures. Il ne les a pas faites en s'accrochant à des barbelés.

En retirant une épaisseur de protection, on voit que certains insurgés savent vraiment tirer. Plusieurs balles d'AK-47 sont venues s'écraser sur son gilet pare-balles.

Mick a fait encadrer la plaque de céramique de son gilet au-dessus de sa cheminée, chez lui, en Angleterre.

Le ministère de l'Intérieur de Bagdad est l'un des bâtiments les mieux protégés de la Zone verte, l'enclave fortifiée située au centre de Bagdad : barbelés, checkpoints, no man's land, tours de guet, murs de béton... De nombreux *contractors* déposent chaque jour leurs clients dans cette zone.

Un Humvee de l'armée américaine s'approche d'un checkpoint tenu par des soldats irakiens. Les soldats ouvrent la barrière, le laissent passer, contrôlent les deux véhicules blancs qui suivent (4 x 4 blanc à gauche, camionnette blanche à droite), puis contrôlent les deux véhicules bleus.

Un soldat laisse passer le véhicule bleu de la file de droite, mais un autre soldat s'attarde sur le véhicule bleu de la file de gauche. Le soldat semble repérer quelque chose de suspect, esquisse un mouvement de recul pour saisir son arme, mais il est trop tard. Le véhicule explose. Ce véhicule-suicide cherchait indiscutablement à pénétrer dans une zone sécurisée pour se faire exploser devant un hôtel ou un bâtiment officiel.

Une voiture suicide vient d'exploser devant l'hôtel Al-Hamra de Badgad. Pour une fois, les dégâts ne sont que matériels.

Une voiture de police (la dernière de la file) escorte la voiture d'un général irakien, mais se laisse doubler par un véhicule noir. Le véhicule noir s'insère entre la voiture d'escorte et la voiture du général, colle à la voiture du général, puis explose. L'onde de choc fait alors trembler la caméra de surveillance, pourtant située à plus de 200 mètres de la scène.

Les voitures-suicide et les IED sont la hantise des *contractors* en Irak, ce qui explique leur appréhension à l'idée qu'une voiture – n'importe laquelle – puisse approcher d'un peu trop près leur convoi.

Des « Ford Super Duty » aux pare-chocs renforcés et équipés de tourelles de mitrailleuse

Ford Super Duty

Ford Super Duty

Ford 350

Ford Super Duty

Chevy Avalanche

Mamba

Un « Mamba », le véhicule de choix des *contractors* de Blackwater.

Certains *contractors* ont moins de moyens que d'autres...

A gauche, un GMC. A droite, un Mamba.

Version six roues motrices du Cougar, un véhicule blindé de 12 tonnes servant de véhicule d'appui aux démineurs ou forces de maintien de l'ordre en Irak. L'équipage de ce Cougar a survécu à l'explosion d'un IED et a pu quitter la zone de danger en roulant encore sur 6 kilomètres.

Ce camion de 7 tonnes de transport de troupes a été complètement « rhabillé » pour servir sur l'Autoroute : plaques de blindage rajoutées sur les côtés et sur les portes avant, calandre renforcée, tourelle de mitrailleuse installée sur le toit, etc.

Voiture de police irakienne

Voiture de police irakienne

Aucun de ces véhicules n'a survécu à l'Autoroute vers l'Enfer...

HUIT

Al Amarah

Je pourrais sans doute recourir au vieux cliché et tout mettre sur le dos des médias. Après tout, c'était en travaillant avec des journalistes que j'avais attrapé cette fâcheuse habitude de boire. J'avais toujours apprécié un bon verre par-ci par-là, mais ces gens-là taquinaient la bouteille entière, et avec constance. Cependant, très honnêtement, je ne peux pas leur faire porter le chapeau de ma conduite erratique.

J'aimerais cependant préciser certaines choses. Tout d'abord, cette période où je fus porté sur la boisson ne s'éternisa pas. Elle dura au maximum trois mois sur les dix-huit que je passai en Irak. Par ailleurs, le volume d'alcool que j'ingurgitais n'avait rien de comparable avec celui que peut absorber un véritable alcoolique, d'autant que je ne buvais pas une goutte dans la journée. En revanche, et c'est ce qui rendait le problème si critique, je me levais presque chaque matin avec la gueule de bois alors que je travaillais dans l'un des environnements les plus hostiles et les plus mortels de toute la planète. C'était totalement inconscient et dangereux de ma part. Je n'en suis pas fier.

En même temps que je m'égarais sur cette voie, je commençais à ressasser le passé. Je pensais plus particulièrement à tous les amis que j'avais perdus au combat. Steve Prior ne quittait pas mes pensées et j'entendais, comme une ritournelle, les paroles qu'il avait lancées à ce jeune parachutiste terrorisé de 18 ans alors nous voguions vers les Malouines : « Ne t'en fais pas. S'il faut en arriver là, je mourrai pour que tu puisses vivre. » Je me rappelais comment il était mort en sauvant des vies plutôt qu'en les fauchant, ou encore comment il avait traîné à couvert ces soldats blessés lors de l'assaut sanglant donné par la Compagnie A sur Darwin Hill. Je me repassais en boucle ces moments vécus sur Goose Green. Il y avait aussi ces autres amis du SAS, morts en opération, dont les visages ne cessaient de revenir me hanter. On parle du « sentiment de culpabilité du survivant », et c'est exactement cela. Je me sentais coupable.

Il y avait un autre camarade mort dont le visage me revenait en mémoire à cette période-là, un des hommes les plus audacieux que j'aie jamais rencontrés, un vieil ami SAS du nom de Nish Bruce. Il avait été l'un des parachutistes en chute libre les plus habiles et les plus courageux du monde et avait joué un rôle crucial dans le développement de nouvelles tactiques d'insertion des forces spéciales par sauts HALO – *High Altitude Low Opening* (saut à haute altitude, ouverture à basse altitude). Nish avait été parachuté au-dessus de l'Atlantique Sud au sein d'une patrouille SAS qui avait ensuite gagné les Malouines à la nage. Elle avait ainsi été l'une des premières forces britanniques à prendre pied sur l'île, plusieurs semaines avant que le Corps expéditionnaire ne la reconquière en 1982. Nish était grand, avec un regard d'aigle et un sens de l'humour corrosif. Il était très apprécié de tous et je suis fier d'affirmer que nous étions d'excellents amis.

Mais des années de stress l'avaient laissé terrassé par la dépression. Nish lui-même était persuadé que ses problèmes psychologiques étaient la conséquence de l'entraînement qu'il avait subi en 1993 en chambre de décompression, alors qu'il se préparait à établir un nouveau record du monde de saut en chute libre. Je ne peux l'affirmer avec certitude, mais je pense aussi, comme beaucoup d'autres gars du Régiment, qu'il avait été poussé à l'extrême bout de ses limites par nos cycles opérationnels qui s'enchaînaient sans répit.

Je lui rendis visite plusieurs fois au cours de son hospitalisation dans l'unité psychiatrique de Stonebow, à Hereford. Je passais des heures auprès de lui, à parler de tout et de rien, puis je revenais le lendemain pour lui raconter à nouveau les mêmes conneries car les doses de lithium qu'il absorbait en guise de traitement ne lui permettaient guère d'avoir plus de mémoire qu'un poisson rouge.

En 1998, Nish consacra un livre terriblement honnête à sa carrière militaire et à sa plongée dans la dépression, auquel il donna le titre ironique de *Chute libre*. Puis, en janvier 2002, alors qu'il survolait l'Oxfordshire à bord d'un monomoteur piloté par son amie Gail, ses troubles mentaux eurent raison de lui. Il ouvrit tout simplement la porte du petit avion de tourisme et effectua son ultime saut en chute libre, mais cette fois sans parachute. Fidèle à sa personnalité, il avait choisi une mort aussi spectaculaire que tragique. Sa disparition eut un écho considérable.

La chaleur de son amitié ne m'avait jamais quitté mais, en ces moments difficiles que je traversais en Irak, je me focalisais surtout sur sa maladie. Je me demandais si je n'en étais pas arrivé à devoir lutter contre les démons qui avaient tourmenté Nish. De telles pensées n'étaient guère réconfortantes. Étrangement, ce n'est qu'en écrivant ce livre que j'ai été amené à réfléchir à tous ces événements – à la manière dont j'avais pu me noyer dans le Jack Daniel's et dans l'anxiété – et j'en suis venu à comprendre l'origine de ma conduite négligente de ces quelques mois. Tout avait commencé dans un trou perdu, noyé dans la poussière, du nom d'Al Majarr al Kabir.

C'était un lieu de trahison et de mort où six policiers de l'armée britannique équipés d'armes légères avaient été massacrés par la foule après que leurs collègues de la police irakienne les avaient abandonnés à leur sort. Dieu seul sait combien les dernières minutes qu'ils vécurent durent être terrifiantes. Je partage de tout cœur la peine éprouvée par leurs familles. Car, voyez-vous, pendant trois jours je crus que mon fils Kurt, qui servait alors au sein du Régiment de parachutistes, avait trouvé la mort dans ce trou pourri à 30 kilomètres au sud d'Al Amarah. À cette époque, j'avais tout juste commencé à travailler en solo en Irak, mais il m'arrivait encore de traîner avec Bungo.

Les paras avaient été déployés dans la région d'Al Amarah, à environ 130 kilomètres au sud-est de Bagdad. C'est une position stratégique, située non loin de la frontière iranienne, sur un bras du Tigre navigable, largement utilisé pour le transport de marchandises. Au nord des territoires chiites, elle était toutefois assez proche de Bagdad pour avoir été infiltrée par un large réseau d'espions du parti Baas. C'est également le berceau d'Ali Hassan Al-Majid, l'infâme acolyte de Saddam Hussein plus connu sous le nom d'« Ali le Chimiste », l'homme qui a gazé les Kurdes. Elle était aussi fertile en agents iraniens en raison de sa proximité avec l'Iran. En d'autres termes, cette région était infestée d'insurgés virulents qui haïssaient tout et tout le monde, y compris leur ombre.

Je devrais vous en dire un peu plus sur mon fils, Kurt. C'est un grand costaud joufflu né avec le mot « armée » imprimé sur son front qui, dès son plus jeune âge, a voulu prendre sa vie en main. Je ne fus pas peu fier quand il rejoignit le Régiment de parachutistes après avoir passé avec succès les difficiles épreuves de sélection de la Compagnie P. J'eus même les yeux humides lorsque je le vis coiffé de son béret rouge, ce qui ne m'empêcha pas de lui faire remarquer, avec une pointe de rivalité digne du vétéran que j'étais, que les épreuves étaient bien plus difficiles de mon temps.

Lorsque Kurt et son unité furent déployés en Irak, ils n'arrivèrent pas comme des charognards ; loin s'en faut. Ils étaient alors considérés comme de véritables héros par tout un peuple – et je ne parle pas de la Grande-Bretagne, où trop de personnes encore ne réalisent pas tout ce qu'elles doivent à nos forces armées. Non, ils étaient adulés par la population de Sierra Leone, qu'ils avaient arrachée à une effroyable guerre civile et sauvée des tortures meurtrières infligées par de nombreuses bandes rebelles, dont celle des West Side Boys. La situation avait atteint son paroxysme lorsque les West Side Boys avaient capturé onze soldats britanniques du Royal Irish Regiment. Ils les avaient gardés en otages avec quelques Sierra-Léonais dans l'espoir de les échanger contre des armes, des munitions et de la drogue, et d'obtenir la libération de leur leader emprisonné, un psychopathe surnommé Général Papa.

Un négociateur avait amorcé une dangereuse conciliation en se rendant à plusieurs reprises dans leur campement installé dans le hameau de Magbeni, mais il n'en était revenu qu'avec des témoignages de cannibalisme et le sentiment d'une situation explosive en raison de la drogue et de l'alcool qui y circulaient à foison. Cinq premiers otages furent finalement libérés, mais l'homme responsable des pourparlers pour les rebelles, un clown sadique qui s'était donné pour nom de guerre « Colonel Cambodge », perdait chaque jour un peu plus les pédales. Des hommes du SAS, qui avaient pris position dans les marais d'une crique en bordure du hameau, avaient eu tout le loisir d'observer les allées et venues au sein du village et d'assister à plusieurs simulacres d'exécution des otages. Une intervention fut donc décidée pour récupérer les otages par la force.

Aux premières lueurs de l'aube, le 10 septembre 2000, une centaine d'hommes du Para 1 se lancèrent à l'assaut du village sous le couvert d'hélicoptères Chinook qui avaient utilisé le souffle de leurs rotors pour arracher les toits légers des huttes et ainsi créer un maximum de confusion chez l'ennemi. Des SAS intervinrent également, bien sûr, et la seule perte du côté britannique au cours de cette « opération Barras », comme elle avait été baptisée, fut celle de Brad Tinion, un formidable soldat du Régiment, qui mourut des blessures reçues tandis qu'il escortait les otages jusqu'aux hélicoptères afin qu'ils soient évacués.

Une cinquantaine d'hommes des West Side Boys, dont le Colonel Cambodge, trouvèrent la mort. Tous les autres, y compris leur chef, Foday Kallay, furent faits prisonniers et le pays tout entier poussa un soupir de soulagement avant de laisser spontanément éclater sa joie en apprenant que cette bande armée qui avait semé la désolation avait été mise hors d'état de nuire. Les parachutistes conservent aujourd'hui encore une image de demi-dieux auprès de la population de Sierra Leone.

Kurt s'était parfaitement acquitté de sa tâche lors de cet assaut exemplaire des forces spéciales et il va sans dire qu'il était suffisamment grand pour prendre soin de lui lorsqu'il fut envoyé à Al Amarah, le trou du cul de l'Irak.

Bref, il était environ 21 heures un dimanche soir lorsque j'appris que six paras avaient été tués dans une attaque près de la ville et que plusieurs autres avaient été blessés. Je ne sais plus très bien comment j'en entendis parler, mais il me semble que ce fut par un coup de fil donné par un autre *contractor*. Je ne pense pas avoir jamais éprouvé des sensations comme celles qui me consumèrent dans les deux ou trois jours qui suivirent, mélange d'angoisse et de colère. Je passais des coups de fil désespérés à tous ceux dont je pensais qu'ils pourraient m'apporter quelques précisions sur cette attaque, en vain. Aucune information disponible. Black-out complet. C'est alors que je réalisai ce que ma famille et tous ceux que j'aimais devaient ressentir depuis des années, à chaque fois que j'avais accompagné le Régiment en différents points chauds du globe ou à chacune de mes pérégrinations autour du monde en qualité de *contractor*. Je m'étais toujours contenté de leur dire au revoir en souriant, sans penser à la période d'inquétude qu'ils seraient amenés à traverser. Je ne m'étais jamais sérieusement interrogé sur ce que l'on pouvait éprouver en restant confortablement assis chez soi, sans pouvoir rien faire d'autre que se tourmenter à propos d'un être que l'on aime mais qui reste injoignable, et sans jamais pouvoir obtenir la moindre information de la part de l'un de ses supérieurs sur l'endroit où il se trouve et l'état dans lequel il se trouve.

Tout cela me revint en force dans la figure lorsque je me retrouvai dans l'incapacité de savoir si mon fiston avait été blessé ou non. C'était à mon tour de m'inquiéter pour lui et de me sentir impuissant devant son destin. Kurt était au secret et je n'étais plus que le parent laissé pour compte, celui qui ne peut rien faire d'autre que se tourmenter. Je compris alors que les mots « Aucun homme n'est une île » comptent sans doute parmi les plus justes jamais écrits. Aucun homme du SAS non plus n'est une île. Mais je savais aussi autre chose. Je savais que les premiers chiffres de tués et de blessés que nous avions entendus signifiaient que Kurt avait de fortes chances de figurer parmi eux. Il fallait absolument que je sache.

Nous étions à Bagdad et Bungo me suggéra de nous rendre à l'ambassade de Grande-Bretagne, dans la Zone verte. Il s'était rappelé qu'un de ses amis y travaillait, un officier qu'il avait connu en Irlande du Nord au sein d'une unité de surveillance et qui commandait maintenant le détachement de paras chargé de la protection de l'ambassade. Il se pouvait qu'il sache quelque chose.

Nous nous infiltrâmes jusqu'à son poste de commandement et Bungo se chargea de faire les présentations.

– John a un petit problème. Son fiston se trouve du côté d'Al Amarah avec le 1er Para et il s'inquiète de ce qui aurait pu lui arriver lorsque ça a pété. Il s'appelle Kurt Geddes.

L'officier fut conciliant.

– Très honnêtement, je ne connais pas les noms, mais je peux vous assurer qu'aucun parachutiste n'a été tué. Les six soldats morts sont tous des policiers militaires. Ils ont été acculés dans le poste de police local où ils ont été tués. Les paras, eux, se sont retrouvés pris dans des combats avec des insurgés à environ 5 kilomètres de là. Il y a eu sept blessés parmi eux, mais ils ont mis environ 80 insurgés hors de combat. Comme les deux événements se sont déroulés de façon plus ou moins simultanée, ou à quelques heures d'écart, il y a eu une petite confusion sur le corps d'origine de ceux qui ont été tués. Bien entendu, je ne vous ai rien dit.

Une immense vague de soulagement me submergea à l'idée que Kurt n'avait pas été tué – même s'il restait encore la possibilité qu'il ait été blessé au cours des combats. Je regardai l'officier avec gratitude et le remerciai par quelques paroles qui ne suffirent certainement pas à lui exprimer toute ma reconnaissance.

Bungo résuma tout à sa manière, une pointe de soulagement évidente dans la voix :

– Putain, merci, John. Quelqu'un serait certainement mort ce soir si ce gamin avait été tué.

Je le regardai.

Bungo avait raison. Si Kurt avait été tué, je me serais équipé et je serais parti au-devant des ennuis. Mais, finalement, je n'avais nul besoin d'agir de la sorte. Mon gamin était vivant et toute ma rage s'était dissipée.

Il s'écoula encore deux jours avant que j'apprenne que Kurt était indemne et encore une semaine avant que je puisse le voir. Il se trouvait au mess installé dans l'ancien palais de Saddam et attendait avec les siens de prendre la relève du détachement de paras de l'ambassade de Grande-Bretagne. Je l'aperçus à l'autre bout de la pièce, en train de remplir sa gamelle d'une nourriture infâme, et je me dirigeai droit sur lui pour le serrer dans mes bras devant tous ses copains. S'il fut embarrassé devant ce témoignage d'affection et de soulagement de la part d'un père, il n'en montra rien. Aucun d'eux n'aurait aimé que ça lui arrive, ce qui était plutôt compréhensible pour des paras. Mais je m'en foutais ; voir mon fils vivant suffisait à mon bonheur.

Kurt ne me parla pas des combats et je ne le pressai pas de le faire. Je savais ce qu'il pouvait éprouver. Ce n'était pas le moment de se vanter. Lui et moi étions simplement heureux qu'il s'en soit sorti en un seul morceau.

Quelque temps plus tard, via des sources officielles, je fus en mesure d'en savoir plus sur les actions menées par les paras à Al Majarr en ce 24 juillet 2003. Deux unités du 1er Para étaient tombées dans une embuscade préparée par un important contingent d'insurgés et avaient appelé la Force de réaction rapide. Alors que l'hélicoptère Chinook apportant des renforts s'apprêtait à atterrir, il fut à son tour pris sous le feu ennemi. Sept hommes à son bord furent blessés, dont un médecin de la RAF, qui reçut une balle dans le pied. Ils furent évacués jusqu'à l'hôpital de campagne 202. Des chars légers Scimitar escortèrent alors par la route une seconde Force de réaction rapide. Kurt faisait partie de ce détachement. Ils se déployèrent rapidement et la précision de leurs tirs fit d'importants dégâts.

J'entendis dire une nouvelle fois que Kurt s'était bien battu, dans la grande tradition des troupes aéroportées, en prenant part à une bataille conséquente et en mettant hors de combat plusieurs ennemis. Bien plus tard, il me révéla une chose sur cette bataille, une seule chose : « C'était un truc incroyable, papa. Au moment où les combats atteignaient leur paroxysme, tous les chiens de la ville sont devenus complètement fous. Ils se sont mis à grogner et à mordre tout le monde. Il a fallu les abattre tous. »

Mon fils était vivant, certes, mais six policiers de l'armée étaient restés sur le carreau, assassinés par traîtrise dans la pièce miteuse d'un baraquement au toit plat brûlé par le soleil. Ils s'y étaient rendus dans le cadre d'un programme de formation de la police locale, mais je suis persuadé qu'ils ont été piégés par des insurgés vêtus d'uniformes de police. On raconta plus tard que des habitants, excédés par les fouilles menées dans leurs maisons, avaient voulu imposer leur propre loi en tuant les policiers militaires britanniques lors d'une manifestation spontanée, une manifestation totalement indépendante de l'attaque menée contre les paras. Je n'en crois pas un mot. C'était une action à double détente soigneusement préparée et qui puait à plein nez le savoir-faire des agents iraniens.

Les policiers militaires qui ont trouvé la mort là-bas sont le sergent Simon Hamilton-Jewell, le caporal Russell Aston, le caporal Paul Long, le caporal Simon Miller, le 1re classe Benjamin Hyde et le 1re classe Thomas Keys. Ils servaient au sein de la 156e Compagnie de prévôts de la Police militaire royale. Je ne les ai jamais rencontrés. Je le regrette.

La route d'Amman se déroulait devant nous tandis que notre convoi laissait Bagdad et le soleil levant : un preneur de son et un monteur, une paire d'étudiants en archéologie danois, un duo d'Israéliens roublards et un ingénieur britannique qui, après une nuit de beuverie, avait décidé de me confier sa vie plutôt qu'à une équipe compétente armée jusqu'aux dents. Nous avions regardé le groupe de touristes japonais monter à bord d'un bus et partir sous escorte militaire, puis nous avions démarré à notre tour, les voitures de location des Danois et des Israéliens si proches de la nôtre que l'on aurait pu croire que nous étions tous liés par des barres de remorquage.

L'autoroute surplombe les habitations en traversant la ville. En sortant de Bagdad, elle file à travers une zone de raffineries crachant des nuages de vapeur et de fumée et dont les torchères laissent jaillir sporadiquement des langues de feu destinées à brûler les gaz inutiles. C'est une route très fréquentée dont tous les passagers ne voient malheureusement pas le bout.

Je préférais voyager tôt car je m'imaginais que la plupart des insurgés devaient encore être planqués dans leurs trous ou occupés à leurs prières matinales et, le temps qu'ils se remettent les idées en place ou qu'ils se décident à partir à la chasse, j'avais bon espoir d'avoir laissé Fallouja et Ramadi loin derrière moi. Cette stratégie fonctionnait généralement plutôt bien, mais elle n'en présentait pas moins quelques sérieux inconvénients lorsqu'elle était appliquée au lendemain d'une nuit de libations. J'avais non seulement l'impression que ma langue se prenait pour la semelle d'une des tongs de Saddam Hussein, mais il me fallait aussi fournir d'incroyables efforts de concentration ne serait-ce que pour arriver à garder les yeux ouverts.

Tony, l'ingénieur, coincé sur la banquette arrière entre les deux techniciens de l'équipe de télévision, fut le premier à briser le silence tendu que notre engagement sur la rocade de Ramadi avait installé.

– John ?, m'interrogea-t-il doucement.

– Ouais ?

– Comment t'arrives à faire tout ça ?

Je réfléchis quelques instants, conscient de la fatigue qui pesait sur mes paupières, et je répondis :

– J'en sais rien, mec. Je suppose que c'est l'entraînement.

– En tout cas, merci pour le bout de conduite, me répondit-il en fermant les yeux pour faire ce que j'aurais adoré faire. Et il s'endormit.

Il y avait un goulot d'étranglement très dangereux à Ramadi, là où une bombe américaine guidée au laser avait détruit une section de l'autoroute surélevée. Les voitures devaient quitter leur chaussée à deux voies pour s'engager au pas sur l'une des deux voies intactes du tronçon d'autoroute arrivant en sens inverse. C'était le point de rendez-vous favori des insurgés, qui aimaient bien y traîner au soleil pour observer le lent ballet des voitures et identifier de nouvelles cibles potentielles à se mettre sous la dent. J'ouvrais toujours grand les yeux pour repérer d'éventuels guetteurs, mais je ne vis rien ce jour-là et nous retournâmes rapidement sur notre tronçon d'autoroute sans avoir été inquiétés.

Après avoir dépassé Ramadi, je baissai ma vitre, calai mon AK-47 sur mes genoux, mis mes lunettes de soleil et laissai l'air chaud du désert caresser mon visage tout en scrutant la route et mon rétroviseur latéral en quête du moindre signe anormal. Je ne fus pas long à m'apercevoir que la dernière voiture de notre convoi, celle des deux Israéliens, commençait à nous lâcher. Ça y est, leur putain de problème, pensai-je. Je les avais avertis que je ne m'arrêterais pour rien au monde et il n'était pas question que j'agisse autrement. Ils accéléraient parfois par à-coups et arrivaient à rattraper un peu de retard, mais ils ne s'en laissaient pas moins régulièrement distancer. J'essayais de ne pas m'en formaliser. Leur problème, leur putain de problème !, n'arrêtais-je pas de me répéter.

Nous venions de dépasser la version locale d'un snack minable installé au bord de l'autoroute lorsque je repérai des IGC (Insurgés de grand chemin) dans mon rétroviseur. Ils se trouvaient à bord d'une BMW blanche Série 7 qui avait quitté le parking du snack sur les chapeaux de roues, en soulevant des nuages de graviers.

Putain, ça recommence, pensai-je. J'ai déjà lu ce scénario quelque part.

Je savais sans aucune doute possible que cette BMW ne présageait rien de bon. La manière dont elle avait quitté le parking, la manière dont elle était conduite, tout indiquait qu'il s'agissait de salopards en mission. Au plus profond de moi, je savais pertinemment qu'ils s'étaient mis en chasse des Israéliens qui traînaient maintenant à 300 ou 400 mètres derrière nous. Et, bien entendu, ils fondirent sur eux et les rattrapèrent. Ils se portèrent à leur niveau, braquèrent le canon d'une arme par la fenêtre et obligèrent les Israéliens à se garer sur le bas-côté avant de s'arrêter eux-mêmes.

Non ! Non ! Non !, me répétais-je. Je n'ai rien à voir avec tout ça. Je les avais prévenus : Pas d'argent, pas de protection !

Mais je savais aussi que je ne pourrais pas faire comme si je n'avais rien vu. Je ne pourrais pas. Ça ferait les gros titres le lendemain sur

CNN et tout cela serait de ma faute. L'instant d'après, je me fis alors la remarque que non. S'ils étaient flingués, ils ne pouvaient s'en prendre qu'à eux-mêmes puisque c'étaient eux qui avaient voulu venir en Irak ! Toutes les raisons pour lesquelles il fallait que je m'arrête ou, au contraire, que je continue ma route se bousculaient dans mon crâne en une farandole effrénée. S'arrêter ou continuer ? Appliquer mes règles ou y contrevenir ? Pile ou face. Face. Ils gagnèrent.

– Et merde !, m'exclamai-je bruyamment.

Mon chauffeur avait vu ce qui s'était passé, ainsi que toutes les autres voitures sur l'autoroute, mais le troupeau n'avait pas esquissé le moindre mouvement collectif et avait poursuivi sa route. Les habitants de Ramadi étaient familiers de ce genre d'incident et, de toute manière, la plupart d'entre eux approuvaient les actions de leurs jeunes guerriers. Le chauffeur m'interrogea du regard et je lui fis signe de se garer sur le bord de la route. Les Danois, toujours attachés à notre Range Rover par une barre de remorquage invisible, s'arrêtèrent juste derrière nous. J'allais enfreindre toutes mes procédures opérationnelles et passer outre l'avertissement tragique que j'avais lancé aux Israéliens qui m'avaient suivi. J'ouvris le coffre du véhicule et courus vers les Danois :

– Sortez de votre voiture et planquez-vous dans le fossé !

Je n'eus pas besoin de me répéter. Ils avaient vu ce qui se passait un peu plus bas sur la route et étaient terrorisés.

Je distinguais les Israéliens sur le bord de la route en compagnie de trois IGC qui les bousculaient violemment, mais les choses vraiment sérieuses n'avaient pas encore commencé. Ce serait le cas dès qu'ils mettraient la main sur leurs passeports et qu'ils s'apercevraient qu'ils avaient affaire à des juifs. Mes deux lascars seraient alors acheminés vers Al-Zarkaoui et leur voyage serait loin d'être agréable – ils seraient probablement torturés à chaque étape du parcours.

Ils se trouvaient à environ 400 mètres de moi, l'air miroitait et tourbillonnait au-dessus de l'asphalte brûlant. Les conditions n'étaient pas vraiment réunies pour un tir de précision, même pour un sniper bien entraîné – ce que j'étais. Pour commencer, un air clair et un viseur télescopique auraient été appréciés. Et, à l'occasion, regardez ce que représentent 400 mètres. Parcourez-les dans un jardin. Ça ne paraît pas énorme, mais quand il s'agit d'atteindre une cible avec un fusil, cette distance prend tout de suite une dimension plus imposante. Surtout quand on a la gueule de bois.

Ce n'est pas vraiment le meilleur moyen de procéder, pensai-je en installant le bipied de mon fusil-mitrailleur RPK avant de me plaquer au sol en position de tir le long du fossé, à côté de la roue arrière de la Range Rover. Je jetai un rapide coup d'œil en contrebas, en direction des deux Danois qui tremblaient en attendant que le pire arrive. Puis je reportai mon regard au loin, plus bas sur la route qui s'incurvait légèrement, là où le drame s'était noué. La seule chose positive dans tout cela, c'est que nous étions suffisamment loin des IGC pour qu'ils ne nous aient pas repérés. Ils étaient bien trop concentrés sur leurs trophées pour penser à regarder autour d'eux. L'un d'eux brandissait même son AK à bout de bras en la secouant pour exprimer sa joie.

– Et merde, fait chier. C'est maintenant ou jamais.

Crac !

« Merde ! » Je n'arrivais pas à y croire. Mon tir était trop court et je n'avais réussi qu'à blesser à la cheville le connard qui était en train de faire sa petite danse de guerre. Il sautilla tout d'abord, ce qui n'était pas forcément déplacé dans le cadre de son concert de hululements et de sa séance de gesticulations avec son arme, puis il s'écroula en hurlant. L'un de ses collègues, occupé à fouiller les Israéliens, se retourna, surpris, et commença à tirer dans tous les sens. Il n'avait aucune idée de la provenance du tir. Cela me procura quelques précieux centièmes de seconde supplémentaires. Je rajoutai 50 mètres sur mon viseur et pressai légèrement la détente une seconde fois.

Crac !

Le tireur fut touché à l'épaule, peut-être même à la poitrine, je ne pouvais en être sûr. Il s'abattit au sol comme un sac d'engrais, le doigt toujours sur la détente. Des rafales balayèrent l'espace tout autour de lui, criblant les deux voitures et manquant de peu les Israéliens. Le troisième bonhomme fit la preuve de son héroïsme : il sauta dans la BMW blanche et démarra au quart de tour, abandonnant derrière lui un camarade blessé et un autre agonisant comme s'ils n'étaient rien de plus que des chiens écrasés.

En un clin d'œil, les deux Israéliens regagnèrent leur voiture en catastrophe et mirent la gomme pour nous rattraper. Nous démarrâmes aussitôt, sans perdre de temps à regarder de plus près ce que nous laissions derrière nous. Les Israéliens ne traînèrent plus en arrière et nous collèrent au train à plus de 160 kilomètres/heure jusqu'à la frontière. Je ne sus jamais pourquoi ils s'étaient laissé distancer. J'imagine qu'ils avaient fini par se sentir trop sûrs d'eux et qu'ils s'étaient mis à discuter, comme les Israéliens savent si bien le faire.

Je n'aime pas particulièrement Israël. Je sais ce qui se passe en Cisjordanie et je n'aime pas voir des enfants désarmés abattus de sang-froid parce qu'ils ont jeté quelques pierres. J'éprouve également des sentiments mitigés vis-à-vis de la police israélienne et je pense que les troubles du Moyen-Orient, y compris en Irak, peuvent leur être en partie imputés. Je m'interroge sur les raisons qui peuvent pousser une nation sortie des ghettos de l'Europe à enfermer les Palestiniens dans des ghettos. Un jour, mon ami Bob, qui escortait une équipe de journalistes dans ce coin-là, avait été intercepté par un soldat qui l'avait plaqué contre un char israélien en lui disant : « Je sais que tu n'es pas un journaliste. Si je te revois encore une fois traîner par ici, tu es un homme mort. » Des gens sympathiques.

Nous ne parlâmes pas de l'incident pendant le reste du trajet ; je n'étais pas vraiment d'humeur à papoter. Passé la frontière, nous arrivâmes en vue des faubourgs d'Amman, et les deux voitures de location continuaient à nous talonner. Elles nous suivirent jusqu'au bout, jusqu'à l'hôtel Grand Hyatt, où elles se garèrent derrière nous. Je descendis de la Range et allai à la rencontre de mes quatre touristes, qui sortaient de leurs véhicules. Les juifs commencèrent à se confondre en remerciements, mais je levai la main pour les interrompre.

– Bouclez-la, je ne veux rien savoir.

J'étais néanmoins étonné qu'ils soient encore avec nous, aussi je leur demandai :

– Vous logez dans cet hôtel ?

Ils parurent tout d'abord interloqués puis secouèrent la tête de concert. Bien sûr que non. Ils étaient comme des petits poussins qui avaient suivi Mère Poule ; ils avaient eu la trouille de leur vie sur l'autoroute et ils n'arrivaient plus à me lâcher. Ils n'avaient pas encore réalisé qu'ils n'avaient plus besoin de moi.

– Bon, eh bien je vous suggère de ramener ces bagnoles là où vous les avez louées avant qu'on ne vous abîme la peinture, leur dis-je.

L'un des Danois semblait au bord des larmes à cause du stress enduré et j'étais sûr qu'il avait passé tout le voyage à se demander ce qui se serait passé si un de leurs pneus avait crevé. Les juifs semblaient vouloir partir vers la frontière et tenter de rejoindre Israël par le pont Allenby. Ce n'était pas très recommandé, mais rien de ce qu'ils avaient fait jusque-là ne l'était. Quant à moi, je voulais juste boire un café, prendre une douche et dormir. Je ne me doutais pas que quelqu'un m'avait repéré à travers la grande baie vitrée de l'hôtel.

Un énorme dos me bloqua le chemin lorsque je m'approchai de la réception du Sheraton. J'aurais reconnu ce dos n'importe où et je fis un pas pour passer mon bras autour de la taille de cet homme.

– Johnny ! Comment ça va, bonhomme ? Je t'ai vu arriver tout à l'heure, beugla Mike Curtis de sa grosse voix mâtinée d'accent gallois en se retournant vers moi.

En même temps qu'il parlait, il baissa d'un ton et m'interrogea :

– Putain, tu as l'air claqué, mon pote. Qu'est-ce que tu as foutu ? On dirait que tu viens de voir un fantôme.

Je lui répondis que j'avais quasiment rencontré le mien, puis je m'assis avec lui et lui racontai, autour d'un verre d'eau et d'une cafetière, toute l'histoire de mes cuites et de mes traversées angoissantes de l'Irak. Cela prit un petit moment. Il m'écoutait attentivement, partagé entre l'inquiétude, qui se lisait dans ses yeux, et l'amusement que provoquaient quelques-uns des aspects les plus futiles de mon récit.

– Alors, Johnny, me dit-il finalement, si je résume bien, tu t'es baladé dans les coins les plus pourris de ce pays, sur cette autoroute foireuse, à t'inquiéter pour la santé de tes journalistes. Et tu as fais ça tout seul, comme un putain de cinglé ?

J'acquiesçai.

– Ouais, c'est à peu près ça.

C'était maintenant à son tour de parler. Mike me tomba sur le paletot et m'engueula comme je ne l'avais jamais été de toute ma vie.

– Mais putain, pour qui tu te prends, John ? Pour Zorro ? Non, c'est pas ça, hein ? Tu te prends pour la putain de fée Pimprenelle ? C'est ça ? Vas-y, raconte-moi, je vais être sur le cul. T'es une vraie légende vivante, mec, mais tu es à deux doigts de te transformer en un putain de cadavre. Tout cela doit s'arrêter, John. Si tu ne laisses pas tomber ce trip de justicier solitaire, tu seras mort dans moins d'un mois.

J'étais trop fatigué pour le contredire. De toute manière, je n'avais rien à répondre. Il avait parfaitement raison et je le savais. Mais j'avais besoin que ce soit quelqu'un comme Mike qui me le dise. J'avais besoin que ce soit un ancien couteau avec lequel j'avais déjà travaillé. J'avais besoin que ça vienne d'un homme auprès duquel j'avais combattu et pour lequel j'éprouvais un respect et une loyauté absolus. Seul quelqu'un de cette carrure pouvait me dire exactement où j'en étais. J'aurais envoyé balader n'importe qui d'autre.

– Quand est-ce que tu y retournes ?, m'interrogea-t-il.

– Demain matin, 6 heures. J'emmène une relève de journalistes.

– Tout seul ?

– Ouais.

– Eh bien non, tu te goures. Tu vas partir à 8 heures parce que j'ai un convoi de cinq 4 x 4 à tourelle qui part à cette heure-là. Tu pourras te joindre à eux. Ça marche ?

– Super. Je crois que je vais aller me coucher maintenant.

– Bonne idée. Hé, John...

– Quoi ? Qu'est-ce qu'il y a, Mike ?

– Rappelle-toi. La tartine tombe toujours par terre du côté beurré.

– Qu'est-ce que ça veut dire, cette connerie ?

– Putain, qu'est-ce que j'en sais !

Il éclata de rire, comme un rugissement, et je sus que je me trouvais à nouveau parmi mes amis.

Le trajet de retour vers l'Irak fut une véritable partie de plaisir. Pas de gueule de bois, l'esprit aussi affûté qu'un rasoir et douze camarades avec lesquels combattre si jamais tout se mettait à péter. Je regardais toujours dans mon rétroviseur et j'étais toujours prêt à tout, mais je sentais vraiment la différence à une journée d'intervalle, tandis que nous foncions sur la rocade de Fallouja. J'examinai en passant l'endroit où j'avais touché les deux IGC la veille, mais je ne vis aucun signe montrant que quelque chose s'était produit, à l'exception d'une tache de sang marron séchée par le soleil sur le bord de la route. Et il n'y avait pas non plus de BMW blanche garée sur le parking du restaurant miteux.

Ces vingt-quatre heures marquèrent un véritable changement dans ma conduite en Irak. Dès lors, je ne travaillai plus qu'en équipe, parfois avec Bungo, parfois avec les hommes de Mike, mais plus jamais seul. Je louais encore mes services, mais plus pour des travaux en free-lance.

Je me remis également à suivre une routine plus saine. Plutôt que prendre une douche et aller boire un coup avec mes clients, je partais faire un petit jogging dans les escaliers du Palestine ou ceux de n'importe quel hôtel où je descendais. Et si ma mémoire est bonne, il y a dix-huit étages au Palestine. Je les parcourais dans les deux sens, un sac sur les épaules, et je croisais d'autres collègues qui s'entraînaient comme moi. En revanche, si je croisais un Irakien, il me regardait comme si j'avais perdu l'esprit. Ce qu'il ignorait, c'est que, bien au contraire, je venais juste de le retrouver.

Je passai aussi plusieurs mois à Bassora. La cité avait retrouvé un calme précaire après les révoltes provoquées par les pénuries d'essence et la majorité chiite appréciait de faire sa propre police tout en endiguant plus ou moins l'armée britannique sur son terrain. Cela changea environ un an après mon départ, lorsque les troubles provoqués par l'Iran et une série d'attaques contre nos soldats atteignirent leur paroxysme avec la capture de deux hommes du SAS par la police locale, en août 2005.

Bassora me fut bénéfique, car là-bas on ne trouvait rien à boire. Pourquoi ? Il y avait bien eu trois ou quatre tentatives de monter des commerces officieux dans la ville, mais les ayatollahs locaux avaient résolu le problème en les faisant fermer à coups de lance-roquettes. À ce rythme, toutes les sources d'approvisionnement en alcool furent rapidement taries. Votre licence est refusée, on vous souhaite une putain de bonne journée !

C'est ainsi que je retrouvai un certain équilibre dans ma vie, qui, par essence, était de toute manière assez peu équilibrée. Je fis aussi quelques sauts chez moi – un vrai plaisir – et cessai désormais de considérer ma famille comme un acquis. Mais un événement devait encore advenir pour que je retrouve pleinement confiance en moi. Celui-ci allait se produire bien entendu sur l'Autoroute, qui était devenue mon petit arpent d'enfer sur cette planète. Cependant, avant cela, j'avais une autre affaire à régler.

NEUF

Les poupées de Bagdad

Deux des quatre convives attablés ce jour-là dans la cantine bourdonnante d'une base de la Coalition, au nord de Bagdad, étaient vêtus avec recherche, dans le style safari tropical. Ils avaient dû acheter leurs vêtements pour l'occasion dans l'un des grands magasins chics de New York. Ces deux banquiers, missionnés pour évaluer les nouveaux besoins en investissements de l'Irak et pour faire un audit sur l'avancement des projets déjà financés, étaient peut-être des huiles dans le monde des affaires, mais ils représentaient surtout une précieuse cargaison pour l'équipe chargée de leur protection. Personne n'aime perdre ses clients, surtout des clients comme ceux-là. C'est pourquoi les deux autres convives de cette table portaient la tenue habituelle des *contractors* – gilets de combat, gilets pare-balles, pantalons cargos dotés de multiples poches. Comme ils se trouvaient dans un environnement raisonnablement sûr, ils avaient cependant pris la liberté de poser leurs fusils d'assaut MP5 sur la table, à portée de la main. Tous les quatre grignotaient plus qu'ils ne mangeaient. La chaleur était étouffante et, malgré le climatisateur de la cantine qui tournait à plein régime, ils n'avaient qu'un appétit modéré.

Whoomph !!

Un obus de mortier explosa brusquement à proximité de la cantine, qui se retrouva aussitôt plongée dans le noir. Les soldats se précipitèrent à couvert, sous les tables, alors même que deux autres salves explosaient à l'extérieur. Leur déflagration fit voler toute la vaisselle en éclats, sous les hurlements de terreur des cuistots.

Les banquiers, eux, avaient déjà disparu. Leur équipe de protection rapprochée les avait immédiatement entraînés dans la direction opposée aux salves d'obus et les avait évacués du baraquement en quelques secondes.

– Dans la voiture, vite !, avait crié l'un d'eux.

Les banquiers avaient obéi instantanément, sans poser de question, même si le *contractor* qui avait aboyé cet ordre n'était autre qu'une grande blonde magnifique qui aurait pu travailler comme mannequin dans une autre vie. D'ailleurs, le deuxième garde du corps était également une femme. En quelques secondes, elles avaient réussi à exfiltrer leurs clients de la base et à les éloigner des tirs. Froides comme la glace, cinglantes comme un fouet et expertes en tir, ces deux femmes faisaient partie de l'élite travaillant dans la protection rapprochée sur l'Autoroute. Leurs collègues les ont baptisées les «Poupées de Bagdad» et elles portent ce surnom avec fierté – même si c'est aussi le titre d'un film X : elles sont uniques et n'éprouvent nul besoin de faire dans le politiquement correct.

Des centaines de femmes, parmi lesquelles de très nombreuses Britanniques, travaillent dans le domaine de la sécurité en Irak. Beaucoup peuvent ainsi se vanter, lorsqu'elles rentrent chez elles au terme de leur séjour, d'avoir travaillé sur la ligne de front de l'un des pays les plus dangereux du monde. Elles ont raison d'être fières, pourtant 99,9 % d'entre elles n'ont rien vu de ce pays. Leur travail s'est limité presque exclusivement à fouiller les bagages à l'Aéroport international de Bagdad. Pour la plupart, elles ont d'ailleurs atterri dans cet aéroport même, où elles ont été logées, où elles ont fréquenté bars et cinémas, et où elles ont travaillé avant de rentrer chez elles en avion, sans jamais en être sorties. Elles n'ont jamais mis les pieds en zone de combat.

Quelques très rares femmes, cependant, ont vu tout le reste. Six d'entre elles sont originaires de Grande-Bretagne, quelques-unes viennent d'Europe centrale, et je n'en connais aucune qui soit américaine. J'ai également rencontré une Italienne et une Française. Elles ne sont pas plus d'une quinzaine en tout.

Les femmes réclament aujourd'hui le droit à l'égalité dans le domaine des forces armées, ce qui est perçu par certains comme une nouvelle étape dans l'histoire de la guerre. Mais les femmes sont en réalité impliquées dans les conflits armés depuis déjà des milliers d'années. L'histoire de la Grande-Bretagne est ainsi marquée par l'une des plus grandes guerrières qui ait jamais existé, la tempétueuse Boudicca, qui faillit chasser les Romains hors de Grande-Bretagne. Les femmes celtes avaient d'ailleurs pour tradition de combattre aux côtés de leurs compagnons. Dans la mythologie, les Amazones furent des ennemies redoutables et redoutées. Elles se battaient aussi bien, voire mieux, que les hommes. Certains témoignages archéologiques laissent à penser que la légende des Amazones puise sa source dans les montagnes du Caucase, en Géorgie, où plusieurs tombes de guerriers contiennent des squelettes de femmes enterrées avec leurs armes.

La fille d'Alfred le Grand était connue sous le magnifique nom saxon de Aethelflaed. En l'absence de son père, cette jeune princesse aux cheveux de lin se faisait des tresses, sortait son épée de son fourreau et s'en allait guerroyer à la tête de ses Saxons contre l'envahisseur viking. Il y eut également la Française Jeanne d'Arc, qui défia les Anglais, mais paya le prix de ses victoires en finissant sur un bûcher, accusée de sorcellerie et de revêtir des habits masculins. Au cours de la Première Guerre mondiale, les Français employèrent des mercenaires marocaines dans leurs tranchées et, durant la Seconde Guerre mondiale, certains des snipers les plus habiles et les plus redoutés qui combattaient dans les ruines de Stalingrad et de Leningrad n'étaient autres que des femmes extraordinaires. Enfin, les femmes furent nombreuses à porter des AK-47 et à combattre sans répit aux côtés des hommes dans les guerres civiles qui ont déchiré l'Afrique ces trente dernières années. En 2005, des femmes originaires du Liberia se sont battues comme mercenaires en Côte d'Ivoire. Qu'il s'agisse de la comtesse de Pembroke, de Dame Nicolaa de La Haye, d'Agnès « la Terrible », comtesse de Dunbar, toutes furent de redoutables guerrières.

Mais, de toutes ces femmes, celle qui enflamme le plus mon imagination est une princesse de Lombardie du IXe siècle au nom enchanteur : Sichelgaita. Malgré l'opposition de son père, elle épousa un mercenaire normand dont elle rallia la cause. Décrite comme grande, élancée, puissante et d'une beauté ravageuse, elle combattait avec son époux, chevauchait à ses côtés et avait fait serment de vivre ou de mourir selon son exemple. Sichelgaita n'acceptait aucune démonstration de faiblesse et se chargeait elle-même d'exécuter les déserteurs. Un sacré personnage.

J'élude un peu la question cependant car mon opinion personnelle sur les femmes au combat m'inciterait plutôt à affirmer que tous les droits du monde ne pourront faire d'une femme au front l'égale d'un homme – même s'il existe quelques exceptions notables çà et là. Les femmes ne pourront probablement jamais réussir les épreuves de sélection du SAS ou d'autres unités des forces spéciales, même si l'évolution des armes modernes tend à niveler les différences : une femme capable de bien viser avec une AK, ou avec une mitrailleuse en composite léger comme on en trouve aujourd'hui sur le marché, peut égaler les performances masculines.

Cette Danoise aux commandes de son char Léopard qui réussit l'exploit de détruire deux pièces d'artillerie serbes qui semaient la terreur dans la vallée de Gorazdé constitue sans doute une parfaite illustration de l'égalité des sexes vue depuis la culasse d'un canon. Elle était le meilleur tireur de son unité et n'utilisa que deux obus, un pour chaque cible. Chapeau bas. Elle accomplit là un travail fantastique. Mais la guerre ne consiste pas seulement à rester assis à plusieurs centaines de mètres de son ennemi pour lui balancer des obus dans la gueule.

Personnellement, je prends les femmes comme elles sont. Je n'ai pas de problèmes d'ego et je ne suis pas assez macho pour gloser sur elles. Je préfère m'attacher à la réalité des faits militaires. Les femmes qui s'acquittent brillamment de missions très dangereuses ont mon respect absolu. Mais elles doivent le gagner, au même titre que leurs collègues masculins. Je ne me prive pas, face à un homme qui a l'air de tout savoir, d'observer attentivement ses aptitudes dans l'épreuve. En somme, je n'accorde ma confiance à personne, que ce soit un homme ou une femme, avant de l'avoir vu à l'œuvre.

Mais revenons-en à l'Irak, et à l'une de ces deux femmes croisées dans la cantine de la Coalition. Elle a vraiment quelque chose de Sichelgaita : elle est aussi grande, aussi élancée, aussi athlétique. Son nom est Penny et c'est la première femme à avoir travaillé comme *contractor* en Irak. C'est la « Poupée de Bagdad » originelle. C'est une amie depuis plusieurs années et je l'admire de pouvoir s'imposer ainsi dans le monde très viril de la protection rapprochée. Nous avons travaillé ensemble comme gardes du corps pour différentes familles royales du Moyen-Orient sur lesquelles Mike Curtis et moi-même devions veiller à Londres. Elle a fait une carrière fascinante et dangereuse dans une unité secrète de la police londonienne, où elle a acquis une véritable expertise dans les armes à feu. Après avoir quitté la police, elle a intégré le monde de la sécurité privée et s'est retrouvée en Irak en 2003.

C'était la première fois qu'elle mettait les pieds dans une zone de guerre, mais elle s'est admirablement bien comportée. Elle m'a elle-même raconté l'histoire des Poupées de Bagdad telle que je vous la rapporte aujourd'hui. Ce témoignage constitue une plongée passionnante dans un monde très fermé.

Je n'oublierai jamais le jour où j'ai reçu un coup de fil d'une connaissance travaillant pour une autre société de sécurité. Je ne peux pas citer le nom de la société pour différentes raisons, mais il s'agissait de quelqu'un avec qui j'avais déjà travaillé. Je ne m'attendais pas du tout à la question qu'il allait me poser. Mais alors pas du tout.

– Dis-moi, Penny, m'avait-il demandé, j'aimerais beaucoup que tu ailles en Irak pour y faire quelques missions de protection rapprochée. Nous avons besoin d'une femme qui puisse prendre en charge certains de nos clients. Qu'en penses-tu ? Ça pourrait t'intéresser ?

– Laisse-moi y réfléchir, lui avais-je répondu avant de raccrocher, plutôt

abasourdie par cette demande.

Je n'avais jamais mis les pieds en zone de guerre, aussi je passai les heures suivantes à ruminer les différentes options qui s'offraient à moi, à savoir les différentes manières dont je pouvais trouver la mort. Et, tandis que je les faisais défiler dans ma tête – depuis mourir déchiquetée par une voiture-suicide à Bagdad jusqu'à mourir accidentellement, renversée par un taxi, devant le terminal 4 de l'aéroport d'Heathrow –, je savais déjà que j'allais le faire. Depuis que j'étais toute petite, j'avais cette certitude ancrée en moi que je vivrais jusqu'à 87 ans. Alors, non, je n'étais pas prête de mourir et j'allais accepter le boulot.

J'ai rappelé mon contact pour lui donner ma réponse, mais je l'ai persuadé d'embaucher une autre fille en même temps que moi – nous l'appellerons June. Elle possédait également une grande expérience. Nous avons décollé quelques jours plus tard pour Bagdad et j'en connais beaucoup qui auraient payé pour voir la tête des gars de l'équipe qui nous accueillirent à notre descente de l'avion. Le patron de Londres s'était contenté d'indiquer nos initiales sur le manifeste du vol et il ne leur avait pas précisé que nous étions des femmes. Nous n'étions pas non plus n'importe quelles femmes parce que, sans nous vanter, je peux sincèrement affirmer que June et moi faisons pas mal tourner les têtes. Nous sommes plutôt jolies. Les gars sont restés figés, bouche bée, lorsque nous avons passé le contrôle des passeports. Un ou deux ont affiché un sourire méprisant et j'ai bien vu qu'ils ne pouvaient pas s'empêcher de penser : « Mais qu'est-ce qu'on va bien pouvoir faire de ces deux potiches ? »

Cela ne nous a guère déstabilisées ; nous étions habituées à être prises pour des potiches dans cet univers d'hommes. Mais j'ai découvert que plus on montait haut dans la chaîne alimentaire des contractors, plus les hommes y étaient ouverts et tolérants. Les hommes du SAS sont au sommet de cette chaîne et des gens comme toi, comme Mike Curtis ou comme Bungo ne jugent personne avant de l'avoir vu en situation. On ne peut rien exiger de plus que cela.

Quoi qu'il en soit, nous avons commencé l'entraînement avec nos nouvelles armes. Nous étions toutes deux rompues au maniement des pistolets, mais nous n'avions encore jamais utilisé de fusils-mitrailleurs. Nous avons donc reçu un cours accéléré de MP5 et, là encore, nous nous sommes attiré pas mal de regards au cours de nos entraînements. Nous avons passé beaucoup de temps sur le champ de tir et nous avons aussi expérimenté toutes les formes de conduite évasive – demi-tour, virage à angle droit, ce genre de choses – sur le champ de parade de Saddam Hussein, célèbre pour ses deux immenses épées croisées. Je me rappelle d'ailleurs avoir pensé, en regardant ces deux épées : Mon Dieu, il y a une semaine encore je jouais au Scrabble sur le pont d'un bateau de croisière descendant une rivière dans le Norfolk. Mais qu'est-ce que je fous ici ? Je trouvais pénible ce type d'entraînement quand j'étais dans la police parce que nous passions déjà nos journées à courser des gens en voiture. Nous entraîner encore à la fin de la journée nous paraissait superflu. Mais les gars de l'armée ont raison, s'entraîner permet de rester opérationnel à 100 % et ils n'arrêtent pas de vous bassiner avec ça.

Nous avons commencé à travailler presque immédiatement après notre formation au fusil-mitrailleur. Nous avons composé des équipes de quatre personnes et nous avons passé de longues journées à assurer la protection rapprochée d'officiels de très haut niveau. Vous supposez sans doute qu'il s'agissait de banquiers ou d'économistes, et vous pourriez avoir raison, mais je me garderai de tout commentaire. Nous préférions nous déplacer en faisant profil bas. Nous étions équipées de voitures rapides, malheureusement dépourvues de blindage, et nous en avions cabossé la carrosserie afin de mieux nous fondre dans l'environnement local.

Comme il y a peu de grandes blondes de 1,80 mètre qui travaillent à Bagdad, je devais porter une burka lors de mes déplacements. Elle me servait à dissimuler mon visage sans pour autant amputer mon champ de vision. C'est facile d'imaginer ce que cela donnait lorsque je m'installais dans la voiture ; une grande blonde engoncée dans sa burka avec un MP5 sur les genoux ! Je suppose que cette vision devait être assez étrange, mais elle présentait l'avantage d'être efficace puisque nous donnions l'impression d'être des gens du coin en transit à Bagdad.

Les premières impressions sont quelque chose d'essentiel en Irak. L'impression que nous donnions d'être des gens du coin en déplacement nous permettait de disposer de quelques secondes supplémentaires, le temps qu'il fallait à tout ennemi potentiel pour en avoir le cœur net. Et lorsqu'il réalisait que nous n'étions pas forcément ce que nous semblions être, nous avions déjà disparu. C'était un bon système opérationnel qui nous permettait de rester à l'écart des ennuis ; car, comme je l'ai indiqué, nos clients étaient vraiment très importants. Ils appréciaient particulièrement de travailler avec des gardes du corps féminins. Nous ne les déstabilisions pas ; ils étaient même impressionnés par notre présence dans ce pays et je peux affirmer, en toute honnêteté, qu'ils se comportaient comme de véritables gentlemen. Aucune claque sur les fesses ni truc de ce genre. Mais bon, il faut bien admettre que c'est un peu risqué d'essayer de peloter une fille armée d'un fusil d'assaut.

June et moi étions si populaires que la société employa jusqu'à six autres filles en Irak. Deux venaient des forces de police et quatre de l'armée. Nous étions toutes de nationalité britannique et je n'ai jamais entendu parler d'une équipe de protection féminine en dehors de la nôtre. À ma connaissance, il n'y avait pas non plus de contractor américaine, et je n'ai rencontré qu'une seule Italienne travaillant comme garde du corps en Irak.

Nous n'étions qu'une petite élite prête à prendre tous les risques, qui étaient considérables. Je ne me faisais aucune illusion sur ce qui nous arriverait si nous étions capturées par des insurgés. Nous savions que nous serions torturées physiquement et abusées sexuellement dans l'éventualité où nous serions prises vivantes, et ce serait mentir que d'affirmer que cette pensée ne nous terrifiait pas.

Nous savions toutes ce qui nous attendait car deux employées scandinaves d'une association humanitaire avaient été enlevées et assassinées par des insurgés. Ces deux femmes, qui en avaient assez de l'Irak et voulaient rentrer chez elles, s'étaient rendues dans un café proche de leur association pour y prendre un taxi en direction de l'aéroport. Le chauffeur de taxi était en réalité un insurgé. Elles furent enlevées et torturées à mort. Je ne voulais surtout pas que ça m'arrive et je savais que je serais prête à tout pour ne pas être capturée. J'avais promis de garder ma dernière balle pour moi. Cela peut sembler mélodramatique, mais est-ce vraiment si mélodramatique d'en arriver à de telles considérations dans l'Irak d'aujourd'hui ? Je ne le pense pas.

Les hommes ont fini par nous surnommer les « Poupées de Bagdad » – rien à voir avec le film pornographique du même nom puisque, est-il besoin de le préciser, ce type de boulot n'entrait pas dans nos ordres de mission. Nous ne trouvions pas ce nom choquant ; c'était même plutôt l'inverse. Nous n'étions pas féministes au sens strict du terme et nous avions suffisamment confiance en nous pour ne pas avoir à nous défendre à tort et à travers. Nous avions donc accepté ce sobriquet pour ce qu'il était, et il était même devenu comme un motif de fierté pour toutes celles qu'il désignait. Nous sommes allées jusqu'à poser en photo pour la publicité d'un site Internet, nos visages restant dissimulés.

Des moments effrayants ? Il y avait énormément de choses effrayantes qui se déroulaient en Irak lorsque j'y travaillais. Cela n'avait rien à voir avec les balles qui volaient autour de vous sans que vous puissiez dire si elles vous étaient destinées ou non. J'ai survécu à quelques obus de mortier et à quelques roquettes qui m'ont manquée de peu, mais aucune d'entre nous n'a jamais été impliquée dans une véritable fusillade. D'ailleurs, notre travail consistait justement à éviter ce genre de situation et, à cet égard, notre choix tactique de faire profil bas et de porter une burka s'avéra excellent.

Un jour, j'ai vécu une expérience assez sinistre sur l'un des ponts qui traversait le Tigre. Un groupe d'hommes armés s'y trouvait et l'un d'eux prenait des photos. Il m'a photographiée par la vitre de la voiture, ce que je n'ai pas apprécié du tout. L'idée que je puisse avoir été capturée sur la pellicule d'un insurgé m'a mise très mal à l'aise et j'ai été tentée de sortir de la voiture pour y remédier. Mais la sécurité du client que nous avions avec nous primait sur tout le reste. Il n'y avait rien à faire.

Nous ne passions pas inaperçues auprès des gens du cru et il n'y avait rien de tel que l'arrivée d'une grande blonde armée d'un fusil-mitrailleur pour que tous les Irakiens s'activent soudainement. Comme il y avait de nombreux policiers, miliciens ou gardes de sécurité qui faisaient office d'indics pour les insurgés, nous abusions de cette fascination à notre avantage. Parfois, nous nous baladions jusqu'à un point de contrôle ou l'entrée d'un hôtel et nous commencions à discuter avec le garde, juste le temps nécessaire pour que notre équipe ait le temps de quitter les lieux et de disparaître discrètement. De cette manière, l'indic éventuel n'avait pas le temps d'avertir ses contacts, lesquels perdaient toute chance de faire un gros coup.

Usage abusif de nos charmes ? Oui, sans doute, mais les femmes de la Résistance agissaient de même avec les sentinelles nazies dans la France occupée de la Seconde Guerre mondiale. Pourquoi se priver d'un stratagème qui fonctionne ?

Parfois, nous escortions nos clients dans le quartier financier de Bagdad. C'était un endroit étrange, très animé, mais plein de tension sous-jacente car il représentait une cible de choix pour les insurgés. Il avait été entouré d'une barrière de blocs de béton afin d'empêcher les voitures-suicide d'y pénétrer et se trouvait sous haute surveillance permanente. Cependant, rien qu'en regardant autour de soi, on voyait bien que l'endroit grouillait d'indics au service des insurgés.

Lorsque nous nous y rendions, nous faisions profil bas comme à notre habitude et nous garions notre véhicule dans le garage souterrain de notre immeuble de destination. Nous n'avions alors plus qu'à rejoindre la salle du conseil de telle banque ou telle institution, qui se trouvait généralement dans les derniers étages. Cela me procurait un sentiment étrange de me retrouver si haut dans ces tours ; je m'y sentais vulnérable et je me demandais comment évacuer notre client si une bombe explosait. Ces visites avaient toujours quelque chose d'irréel car, dès que je franchissais le seuil d'entrée, je me débarrassais de ma burka et je me retrouvais entourée de femmes plus stupéfaites les unes que les autres de voir une grande blonde armée d'un fusil-mitrailleur. Elles voulaient toutes toucher mes vêtements et n'arrêtaient pas de babiller autour de moi, ce qui me compliquait singulièrement la tâche.

Une fois, j'y accompagnai un client américain. C'était quelqu'un de très sympathique – grand, distingué, des cheveux argentés, habillé avec élégance, l'air sportif. « Il me semble que ça serait bien de prendre les escaliers, pas vous ? », me demanda-t-il.

Personnellement, je n'en pensais rien de bon, mais c'était lui le patron et il allongea son pas, grimpant les escaliers deux par deux tandis que je trottais derrière lui. Incroyable. Il ne me fallut guère plus d'une minute pour comprendre qu'il n'y avait pas de climatisation dans la cage d'escalier. Je me mis à souffler car je transportais tout mon équipement et mes armes sur moi, mais je voulais absolument suivre le rythme de ce vieux chamois. Lorsque nous parvînmes enfin au vingt-septième étage, je suais à grosses gouttes, au bord de l'évanouissement.

Mais je repris rapidement mes esprits et, lorsqu'il s'exclama : « Plutôt vivifiant, non ? », je lui répondis par un sourire forcé.

Un fort sentiment de camaraderie régnait en Irak et la plupart des hommes étaient prêts à vous donner votre chance. Bien sûr, il était impossible d'échapper aux blagues stupides, mais ça n'avait pas beaucoup d'importance. Cela faisait longtemps que je travaillais dans des univers d'hommes et j'avais appris à vivre avec leurs conneries. Je me contentais généralement de les ignorer et, comme je l'ai souligné plus tôt, ce n'était pas les gens qui comptaient pour moi qui faisaient ce type de remarques.

Je pense que le pire de tous ceux que j'ai rencontrés est un Sud-Africain. Ce type m'avait paru sympathique au premier abord, mais il fut pas long à révéler sa nature – il se mit à débiter des horreurs sur la manière d'exécuter les Noirs dans les townships, ou sur les femmes, qui sont tout juste bonnes à faire la cuisine. Il déblatérait comme ça sans se lasser… Je savais ce qui lui arrivait. Certains hommes s'imaginent plein de choses sur vous, et lorsqu'ils réalisent non seulement que le sexe n'est pas au programme mais qu'en plus vous êtes tout aussi professionnelle qu'eux, ils vous attaquent sur votre amateurisme supposé puisque vous êtes une femme.

Je me contentai de lui rétorquer : « Écoute, mec, tu te prends peut-être pour un dur, mais quand j'avais 19 ans, je patrouillais déjà dans les rues de Brixton avec une simple matraque. Toi, en revanche, tu n'aurais pas osé te promener dans ces rues sans ton gros calibre, alors arrête de te la jouer. »

J'aurais sans doute dû faire comme d'habitude et l'ignorer, mais j'en avais ma claque, il m'avait vraiment énervée. Quelques-uns de ces Sud-Africains sont vraiment les rois pour vous mettre en rogne. Ce sont vraiment des abrutis.

De plus en plus de femmes sont aujourd'hui impliquées dans le domaine de la sécurité, mais, en Irak, elles sont surtout employées à la fouille des bagages ou aux commandes des portiques de sécurité dans les aéroports. De nombreuses filles entrent dans ce milieu après avoir pratiqué des arts martiaux et commencé à travailler comme physionomiste dans une boîte de nuit, ce genre de chose. Puis elles veulent enchaîner en travaillant comme gardes du corps, ce qu'elles n'arrivent pas à faire, alors elles atterrissent à l'aéroport de Bagdad et se retrouvent à fouiller les bagages.

La protection rapprochée, c'est vraiment un autre monde, dont les meilleurs éléments proviennent de la police ou de l'armée. Certaines femmes ont servi au sein d'unités spécialisées comme le 14e Régiment de renseignement – une unité de l'armée spécialisée dans les missions de surveillance – ou au sein d'unités bien particulières de la police.

J'ai moi-même débuté dans la police londonienne, où j'ai commencé très jeune à patrouiller dans les rues. J'ai vécu les pires émeutes de Londres lorsque j'avais 20 ans et quelques. Ce type de situation m'a permis d'apprendre beaucoup de choses : savoir ressentir et appréhender ce qui se passe autour de soi ; toujours avoir un coup d'avance, même si cela se résume parfois à déchiffrer un panneau routier annonçant un ralentissement pour pouvoir décider d'un changement d'itinéraire à temps. Ça consiste aussi à regarder un homme dans les yeux tout en restant assise dans sa voiture et en sentant intimement qu'il soupèse ses chances de vous balancer une rafale mortelle à travers le pare-brise, en faisant en sorte que l'intensité de votre regard le persuade de reporter son geste à un jour plus propice.

Comme je l'ai indiqué plus tôt, aucune des filles ne s'est jamais retrouvée impliquée dans une fusillade avec des insurgés, mais cela ne les a pas empêchées d'accomplir quelques actions héroïques. Il y a des choses que je ne peux absolument pas évoquer car certaines de nos procédures opérationnelles toujours en usage pour escorter nos clients en toute sécurité s'en trouveraient compromises. Les filles n'en ont pas moins réalisé un travail formidable et elles ont fait quotidiennement la preuve de leur courage. Nous avons contrecarré plusieurs attaques-suicide et nous avons toujours ramené nos clients sains et saufs. Certains d'entre eux puisent leur courage dans le fait que ce sont des femmes qui s'occupent d'eux, comme ce jour-là, dans la cantine de la base, lorsque l'enfer s'est déchaîné autour de nous et que les obus se sont mis à tomber. Un peu plus tard, nos clients ont avoué que la présence de deux femmes qui avaient su rester calmes et concentrées durant ces quelques minutes terrifiantes les avait stimulés. Je pense que c'est un superbe exemple.

Les aventures amoureuses peuvent-elles naître sous le ciel du désert ? Les gens me posent toujours la question, mais ça n'a pas été mon cas. Bien que célibataire, je n'ai jamais été séduite par l'un de ces milliers de mâles alpha lâchés en toute liberté en Irak. Cela ne semble peut-être pas très juste, mais je n'étais pas là-bas pour chercher l'amour. J'étais là-bas pour faire un boulot qui payait bien. Et c'était pareil pour les autres filles. En tout cas, aucune d'entre elles n'a eu de coup de cœur pendant que j'y étais.

Ce qu'il faut retenir de tout cela, c'est qu'il y a une gigantesque armée de mercenaires en Irak qui compte en son sein une poignée de filles prêtes à rivaliser de courage et de professionnalisme avec leurs homologues masculins. J'en éprouve de la fierté et j'espère sincèrement avoir aidé à ma manière les Irakiens à retrouver le chemin de la reconstruction. Quant aux insurgés qui aimeraient tant renvoyer ce pays à l'âge de pierre, je suis heureuse de leur avoir adressé un doigt d'honneur.

Tels sont les mots de Penny, telle est son histoire. J'aimerais ajouter quelque chose : le fait qu'aucune des Poupées de Bagdad n'ait été impliquée dans une fusillade témoigne vraiment de leur habileté à se déplacer en toute discrétion dans un Irak à feu et à sang. J'espère qu'elles n'auront jamais à tirer un coup de feu sous l'effet de la colère et que leur manière d'opérer en gardant un profil bas leur permettra d'éviter toutes sortes d'ennuis aussi longtemps qu'il le faudra.

J'ai cependant entendu parler d'une fusillade qui s'est déroulée quelque part au nord-ouest de Bagdad et qui impliquait une femme originaire d'Europe centrale. Sa voiture avait été soufflée par l'explosion d'un IED et elle s'était dégagée de l'épave en titubant avant de s'écrouler sur la chaussée quelques mètres plus loin, sans cesser de hurler de douleur. En réalité, elle simulait. Lorsque des insurgés accoururent vers elle pour la capturer, elle les étendit raides morts d'une rafale de son fusil-mitrailleur. Je ne sais pas si cette histoire est vraie ou non, mais, pour avoir vu les Poupées de Bagdad à l'œuvre, je suis convaincu qu'elles possèdent cette qualité exemplaire propre à l'armée britannique – savoir tirer avec une précision mortelle. Une chose en tout cas est certaine : les femmes ont tout à fait leur place dans la gamme des SMP.

C'était le 4 novembre 2005. Quatre Irakiens, dont une femme, fonçaient sur l'Autoroute en direction de la Jordanie, déterminés à créer leur propre enfer miniature sur terre. Ils louèrent un appartement à Amman-Ouest et, quelques jours plus tard, montèrent à bord de plusieurs taxis pour rejoindre trois hôtels différents. Les trois hommes se firent exploser, mais la femme ne réussit pas à déclencher son détonateur.

Les explosions ravagèrent des hôtels, provoquèrent d'immenses dégâts et causèrent la mort de nombreuses personnes. Les kamikazes avaient mené leurs attaques contre le royaume de Jordanie pour le châtier d'avoir profané la pureté de l'islam. Mais ne serait-on pas en droit de demander quelle sorte d'islam exactement avait été profané ? Les services de sécurité jordaniens furent près de répondre à cette question lorsqu'il capturèrent, et emprisonnèrent, la kamikaze dont le détonateur n'avait pas fonctionné.

Elle s'appelle Sajida Moubarak Atrous Al-Richaoui et, lorsque l'annonce de sa capture se répandit, les rues d'Amman se remplirent de manifestants exigeant sa tête et celle de son cher ami Abou Moussab Al-Zarkaoui, le chef d'Al-Qaida en Irak. Ce n'est sans doute pas la réaction qu'espéraient ces psychopathes d'Al-Qaida.

La police jordanienne avait tout d'abord gardé le secret sur l'arrestation de cette kamikaze de 35 ans car elle espérait pouvoir remonter la piste d'Al-Zarkaoui, le cheikh des Égorgeurs, et éventuellement le capturer. Al-Richaoui, la kamikaze, arrivait en effet tout droit de Ramadi, la tanière même des loups d'Al-Qaida, bastion de l'insurrection sunnite, et n'était autre que la sœur de Moubarak Atrous Al-Richaoui, un ancien bras droit d'Al-Zarkaoui tué par les forces spéciales de la Coalition à Fallouja. Tous ces éléments suffisaient à établir la preuve de sa proximité avec Al-Zarkaoui.

Le mari de Sajida, Ali Hussein Ali Al-Shamari, était lui-même le lieutenant d'Al-Qaida pour la province irakienne d'Anbar. Il se trouvait parmi les trois autres kamikazes qui avaient attaqué le Grand Hyatt, le Radisson SAS et le Days Inn et tué 57 innocents.

Les services de sécurité jordaniens n'ont pas divulgué beaucoup de détails sur leur enquête, mais j'ai appris par la bande qu'Al-Richaoui avait délibérément choisi d'attaquer le Radisson car elle voulait semer la mort dans un mariage jordano-palestinien de 300 convives qui se déroulait dans l'une des salles de réception. Quel genre de femme peut ainsi vouloir transformer le plus beau jour de la vie d'une autre femme en un cauchemar ? Comme ses camarades, elle avait bourré sa ceinture de puissants explosifs RDX et de billes de métal, destinées à faire un maximum de morts et de blessés parmi l'assistance. Al-Richaoui s'était introduite dans la salle de réception avec son mari mais, lorsqu'il avait remarqué qu'elle n'arrivait pas à faire exploser sa bombe – elle tirait sur le détonateur sans résultat – il l'avait expulsée de la salle et s'était fait exploser lui-même.

Je ne doute pas qu'Al-Richaoui ait été quelque peu secouée par ses interrogateurs jordaniens, mais cela ne me chagrine guère. Je suis persuadée qu'elle leur a livré de nombreuses informations permettant de détruire des caches ou de capturer des agents. Cela a certainement permis de limiter les options d'Al-Zarkaoui et de l'acculer un peu plus à la capture ou à la mort. Quant à Al-Richaoui, la peine de mort existant toujours en Jordanie, elle rejoindra prochainement son mari en enfer.

Sajida Al-Richaoui est la première des Veuves noires, mais elle a été imitée par une femme encore plus sinistre, Muriel Degauque, une Belge de 38 ans native de Charleroi, convertie à l'islam après avoir épousé un immigré marocain lui-même islamiste radical. Liliane, la mère de Muriel Degauque, avait reconnu que sa fille, élevée dans la religion catholique, était devenue « plus musulmane qu'un musulman » après qu'elle se fut convertie et mariée en 2000. Liliane avait essayé de joindre sa fille pendant plus de trois semaines sans succès, juste avant qu'elle ne concrétise son projet d'attaque-suicide à Bagdad le 9 novembre 2005. Ce jour-là, Muriel se fit exploser en tentant d'emmener une patrouille de l'armée américaine avec elle – ce qu'elle ne parvint heureusement pas à faire.

Le processus de radicalisation de la jeune Belge s'était déroulé très rapidement, à peine le temps d'abandonner un simple voile pour un tchador la recouvrant entièrement de la tête aux pieds. Après avoir été consciencieusement endoctrinée, elle rejoignit l'Irak via la Syrie et devint la première femme kamikaze d'origine européenne. Le gouvernement syrien nia bien sûr avoir eu connaissance de son passage en Syrie, mais son implication dans de nombreuses activités d'Al-Qaida en Irak n'était plus à démontrer. Il est effrayant de songer qu'elle aurait pu venir de n'importe quel autre pays européen, dont bien sûr la Grande-Bretagne, où la récente législation anti-terrorisme introduite en 2005 ne semble avoir eu que peu d'effets sur les imams radicaux. Ils prônaient encore la violence et la haine et faisaient l'apologie des kamikazes « martyrs » lorsque Muriel Degauque se fit exploser en Irak.

En décembre 2005, deux autres Veuves noires ont commis ensemble un double attentat-suicide dans une école de police de Bagdad, tuant 27 étudiants et en blessant 32 autres. L'une d'elles s'est fait exploser dans une salle de classe au moment de l'appel, l'autre dans le mess où de jeunes officiers prenaient leur déjeuner. Les deux femmes, censées être des étudiantes de l'école, n'avaient pas été fouillées. Cinq autres femmes officiers de police, des musulmanes, comptaient parmi leurs victimes.

Ce genre d'action illustre bien ce type particulier de terrorisme, qui s'avère le plus difficile à combattre.

DIX

Le pouvoir de l'amour

Vous imaginez sans doute que les flèches de Cupidon ne font pas le poids face aux balles de gros calibre et aux attentats-suicide en Irak. Et même si ce pays n'était pas devenu une immense zone de guerre, vous vous dites que les interdits liés à la culture musulmane ne peuvent que refroidir les ardeurs des milliers d'Occidentaux présents en Irak.

Détrompez-vous. L'amour peut creuser son sillon partout, même en Irak, et bien des soldats de la Coalition, des *contractors* ou encore des Irakiens ont été liés les uns aux autres par des histoires d'amour, parfois même par des mariages. En pratique, il s'agit la plupart du temps de l'union d'un militaire américain et d'une Irakienne, d'une militaire américaine et d'un *contractor* rencontré au cinéma ou encore d'un *contractor* et d'une Irakienne. En revanche, je n'ai jamais entendu parler d'un Irakien qui aurait modifié la géométrie de ce difficile triangle amoureux. Pourquoi ? Parce que de telles histoires d'amour ne peuvent survivre sans quelque chose d'essentiel : un foyer et une vie en dehors de l'Irak, ce que les Irakiens ne peuvent généralement offrir. Bien sûr, lorsque je parle de la survie du mariage, je ne fais pas allusion à la difficulté qu'il y a à trouver des conseillers conjugaux en Irak. Non, j'évoque des jeunes mariés qui seraient abattus, et dont les corps seraient jetés dans le Tigre, avant même que le marié ait eu le temps de franchir le seuil de l'église ou de la mosquée avec sa promise.

L'épicentre de ce grand bazar amoureux est la Zone verte, une enclave relativement protégée qui abrite le siège de l'Autorité provisoire de la Coalition, et où des centaines d'Irakiennes travaillent comme secrétaires, employées de bureau ou serveuses. Elles y rencontrent bien sûr des soldats de la Coalition ou de l'armée de mercenaires au cours de leur journée de travail, et des relations se nouent parfois entre les uns et les autres. La vie sociale dans la Zone verte est très développée, avec des bars et des discothèques, et il est relativement facile de discuter avec quelqu'un dans la journée avant de lui donner rendez-vous le soir même pour se revoir.

Cette enclave est un peu le cinquante et unième État de l'Union et, quand je m'y trouvais, je m'y sentais comme au sein d'un vaisseau spatial protégé par une sorte de champ magnétique. Au-dehors règnent le chaos et l'anarchie, rien ni personne n'est en sécurité, mais à l'intérieur les envahisseurs étrangers et les Irakiens ont réussi à entrer en communication et façonnent ensemble une nouvelle culture à eux.

Toutes sortes de liens se créent dans cette zone, depuis des relations entièrement platoniques jusqu'au parfait amour ou des rapports de débauche absolue. Mais je dois reconnaître que beaucoup de jeunes Irakiennes, et certaines d'entre elles sont de vraies beautés, cherchent surtout à mettre le grappin sur un Américain pour échapper à l'enfer de Bagdad et s'envoler à l'autre bout du monde pour mener une vie agréable et relativement tranquille dans la plus grande société de consommation de la planète. Et c'est exactement ce qu'elles font car, dès qu'elles se marient, elles s'interdisent à jamais de revenir chez elles. Lorsqu'elles entrent dans la « boutique mariage », elles mettent les pieds sur un immense tapis roulant qui les arrache à leur culture et leur fait traverser la moitié du globe avant de les faire atterrir dans une civilisation totalement différente.

Les Irakiennes gardent le secret absolu sur leurs projets et n'hésitent pas à les cacher à leurs propres parents. Puis, le grand jour, elles arrivent dans la Zone verte avec tous leurs bagages, prêtes à quitter le pays dès la fin de la cérémonie civile. Toutes les autorisations et les visas nécessaires ont été délivrés par le service d'immigration américain, dont les employés occupent également un bureau dans la Zone verte. Les jeunes couples échangent leurs vœux dans l'ex-palais présidentiel, un château de Versailles revu et corrigé par Saddam, niché dans le méandre d'un fleuve, au cœur de la Zone verte. Les cérémonies se déroulent dans l'une des nombreuses salles d'apparat, toutes décorées de peintures plus flamboyantes les unes que les autres, aux plafonds hauts croulant sous le stuc. Une fois les alliances échangées, les jeunes mariés n'ont plus qu'un seul chemin possible, celui qui mène droit à l'aéroport, en convoi protégé, où ils embarqueront pour le premier vol.

À l'époque où je me trouvais à Bagdad, le nombre de mariages était tel qu'il avait fallu leur dédier des journées entières dans le palais. Je connais d'ailleurs trois ou quatre *contractors* américains qui sautèrent le pas et épousèrent leurs fiancées irakiennes. Les mariages mixtes entre chiites et sunnites auraient apparemment connu une baisse considérable, mais les nombreux mariages entre Occidentaux et

Irakiens au sein de la Zone verte permettront peut-être de combler ce déficit.

C'était un soir tranquille de juillet 2003 et je me trouvais à Bagdad, au bar d'un hôtel, en train de me détendre autour d'un verre en compagnie du correspondant britannique dont j'assurais la protection. Il avait invité quelques collègues des chaînes télévisées internationales à nous rejoindre pour discuter des sujets habituels. Quelle était la zone d'insurrection la plus dangereuse ces derniers jours ? Qui avait réussi à établir un contact avec les insurgés ? Quel était le bilan du dernier attentat-suicide ?

L'une de ces journalistes était une femme que j'appellerai Jasmine. C'était une belle brune d'une quarantaine d'années. Je devais bientôt découvrir qu'elle était aussi en chasse, impatiente de manger à sa faim. Nous n'avions pas été présentés depuis plus de vingt minutes qu'elle m'avait déjà poussé dans mes retranchements en changeant délibérément de sujet de conversation, laissant tomber celui de la « situation » pour aborder celui de ma vie privée.

– Oui, j'ai une compagne. Nous sommes ensemble depuis plusieurs années et nous sommes parfaitement heureux, lui répondis-je.

– Moi aussi, je suis très heureuse, continua-t-elle. Mon mari et moi, nous sommes très proches l'un de l'autre, mais nous ne passons pas notre temps à nous surveiller mutuellement, vous voyez ce que je veux dire. Je crois que notre mariage peut être qualifié d'ouvert.

– Vraiment ?

– Oui, nous sommes très compréhensifs envers les besoins de l'autre. Il sait que j'ai certains besoins et, bien sûr, il sait qu'il y a un facteur déstressant à prendre en compte lorsque je suis envoyée en reportage dans un endroit comme celui-ci, et il n'ignore pas l'aspect relaxant des relations sexuelles. (Elle faisait en sorte que son message me parvienne sans ambiguïté en me caressant la jambe avec son pied). Bien sûr, nous n'avons pas besoin pour autant de nous attacher l'un à l'autre, non ?

Confirmer ses dires serait revenu à accepter ses avances. Mais, d'un autre côté, exprimer mon désaccord m'aurait fait passer pour un rustre. Je choisis donc la voie diplomatique.

– Je le suppose, admis-je, laconique.

Elle m'offrit son sourire de séductrice et me présenta la clé de sa chambre.

– Voici mon numéro de chambre. Aurai-je le plaisir de vous voir plus tard ?

Je sais qu'un refus peut parfois offenser, mais certaines des journalistes féminines croqueuses d'hommes pouvaient se révéler encore plus dangereuses que les insurgés. La majorité d'entre elles faisaient un travail fantastique et se conduisaient en professionnelles sur tous les plans, mais d'autres étaient de véritables mantes religieuses. Et, avec tous ces mâles alpha dont le niveau de testostérone avait atteint le maximum de leurs capacités physiologiques, elles se comportaient comme des enfants dans une confiserie.

Il fallait pourtant que je lui réponde.

– Je ne le pense pas. Je me lève tôt demain matin et j'aime ma compagne.

Cette réponse sonnait faux, pourtant elle reflétait la vérité. Heureusement, quelques-uns de mes collègues qui n'avaient aucune attache sérieuse s'entendaient plutôt bien avec les correspondantes de guerre. Car, comme vous pouvez l'imaginer, les chaînes de télévision ne les avaient pas choisies pour leur physique ingrat ni pour leur timidité. Elles savaient exactement ce qu'elles voulaient, et elles n'hésitaient pas à aller le chercher.

Les correspondantes de guerre ne représentaient cependant pas les seules femmes occidentales présentes en Irak. Il y avait également de nombreuses femmes d'affaires, des cadres de très haut niveau qui défendaient les intérêts des plus grandes multinationales. Elles résidaient pour la plupart à l'intérieur de la Zone verte, relativement sûre, et elles y conduisaient leurs affaires au contact des cadres pétroliers ou d'ingénieurs irakiens des travaux public qui venaient à leur rencontre. Là aussi, elles approchaient toutes sortes de personnes impliquées dans la reconstruction de l'Irak et, chaque fois qu'il y avait des envies, il y avait des opportunités. D'innombrables liaisons unirent des femmes d'affaires à des officiers supérieurs, à des interprètes ou, de manière presque inévitable, aux *contractors* chargés de leur sécurité.

Imaginez-vous à la place d'une femme envoyée dans un pays étrange et dangereux qui se voit affecter un beau mec chargé de la protéger lors de ses incursions occasionnelles en dehors de la Zone verte, un homme habité par ses propres pulsions et ses propres désirs. L'impression de vulnérabilité et le sentiment de peur qu'elle ressent suffisent bien souvent à la jeter dans ses bras. Et cela arrive bien plus souvent qu'on ne pourrait le croire. Un de mes camarades, un dénommé Mac, vécut ainsi une liaison passionnée avec une femme d'affaires américaine. Il était divorcé ; elle était célibataire et elle voulut le ramener à New York pour le pourrir de fric, le combler de cadeaux et l'aimer jusqu'à la fin de ses jours. L'idéal ? Apparemment non.

– Elle est superbe, lui dis-je, tu aurais pu tomber sur un laideron.

– Je sais, Johnny, je sais, mais je ne peux tout simplement pas m'y résoudre.

– Ce n'est tout de même pas parce qu'elle est américaine ?, demandai-je. Tu verras, elles sont très chouettes quand on comprend leur mentalité.

– Non, ce n'est pas ça.

– Alors, c'est quoi ?

J'étais vraiment curieux de savoir, maintenant.

– Le problème, c'est qu'elle veut juste m'avoir sous la main pendant qu'elle continuera à travailler, elle. Elle m'a dit que je pourrais avoir tous les jouets que je veux – des voitures, des motos… Elle m'a même promis de me payer des leçons de pilotage. J'aurais tout ce que je veux, Johnny. Le ski à Aspen chaque hiver, la Californie, des billets d'avion pour rentrer voir les gosses quand je voudrais…

– Putain, Mac, décide-toi ! Moi, si j'étais toi…, plaisantai-je.

– Si tu étais à ma place, tu n'en ferais rien.

– Alors, qu'est-ce qui ne colle pas avec elle ? Tout cela commençait à m'énerver.

– Elle m'a promis que je pourrais tout avoir, mais à condition d'arrêter l'Autoroute. Il ne faudrait plus que je bosse.

– Non, tu déconnes ?

– Non.

– Dis-lui d'aller se faire foutre, Mac. Elle ne va quand même pas te couper les couilles.

– Mais c'est ce que je me tue à t'expliquer depuis tout à l'heure !, me répondit-il.

L'une des plus belles relations que je vis éclore à Bagdad fut celle qui lia trois copains et trois sœurs irakiennes, trois filles magnifiques qui appartenaient à la petite communauté chrétienne de la ville. Leur employeur avait confié la protection de ses clients à mes amis.

Une chose en entraînant une autre, elles ne tardèrent pas à rejoindre l'hôtel de mes amis pour y partager leur passion durant la nuit, avec le souci permanent de conserver le secret le plus absolu sur cette romance, non pas parce que l'hôtel l'aurait vue d'un mauvais œil, mais tout simplement pour éviter que les véritables raisons de leurs escapades soient ébruitées, ce qui leur aurait valu de finir exécutées. Chaque fois que je devais rencontrer l'un des gars, je devais patienter devant sa porte avant qu'elle ne s'ouvre, le temps nécessaire pour que l'on m'ait formellement identifié. J'entrais généralement dans la chambre au moment où la jeune fille sortait de son placard.

Elles avaient une peur terrible que leur manège soit découvert par le personnel de service. Il y avait sans doute une part de jeu dans ce manège, chose que les garçons semblaient également apprécier, mais il était également incontestable que les amours illicites couraient un véritable danger en Irak. Un danger toujours réel et toujours présent, qui peut tourner au drame à tout instant, comme ce fut le cas pour un fameux soldat.

Brian Tilley avait fini de dîner et profitait de cette douce soirée en se reposant dans le salon de sa confortable villa d'Al Dourah, dans la banlieue de Bagdad. Ses valises étaient bouclées et il avait décidé de se coucher tôt car, le lendemain matin, il devait prendre le premier vol pour rentrer en Grande-Bretagne. Il avait déjà raté son avion deux jours plus tôt et il ne voulait pas manquer celui-ci.

À 47 ans, Brian était un ancien membre des forces d'élite des Royal Marines, le Special Boat Squadron (SBS), et il affichait une carrière militaire hors du commun. Il était extrêmement respecté en sa qualité d'ancien soldat des forces spéciales et il était resté très populaire auprès de ses camarades « pingouins » du SBS.

À ce moment-là, Brian vivait de manière agréable à Bagdad. Il gagnait plutôt bien sa vie comme *contractor* et il s'était débrouillé pour que la routine de son travail ne lui complique pas trop les choses. Comme les murs anonymes d'une chambre d'hôtel et le sempiternel buffet-couscous chaque soir de la semaine n'étaient pas pour lui, Brian s'était organisé autrement, en faisant la démonstration qu'il possédait toujours les ressources lui ayant permis de devenir l'un des opérateurs les plus redoutés du SBS. Il s'était déniché une superbe villa dotée du dernier confort où il pouvait déguster de bons petits plats chez lui, jouir d'un environnement informel tout à fait agréable et mener une vie sociale épanouie qui englobait l'attention dévouée d'une superbe Irakienne.

Mais les quelques coups frappés contre sa porte en ce soir de mai 2005 signèrent le début d'une tragédie mystérieuse qui mit plusieurs mois à être élucidée tant elle fut riche en rebondissements dignes d'un roman policier. Cinq autres personnes se trouvaient avec Brian dans sa villa ce soir-là : sa maîtresse, la sœur de celle-ci, elle-même accompagnée d'une de ses amies, ainsi qu'un homme qui travaillait avec Brian et la fille de sa maîtresse, une jeune et jolie adolescente. Lorsque l'Irakien ouvrit la porte, il fut confronté à quatre officiers de police qui demandèrent à entrer dans le cadre de leur travail. Brian entendit sans doute la conversation qui se déroulait à la porte, mais il n'y eut pas de bousculade et il resta détendu. Les uniformes de police avaient sans doute dissipé la peur que les occupants de la maison auraient pu avoir. Erreur.

Les officiers de police entrèrent dans le salon et nul ne sait vraiment ce qu'il advint par la suite. Ils sautèrent probablement sur Brian Tilley avant qu'il ait eu le temps d'attraper une arme – je ne peux pas imaginer qu'il n'ait pas eu d'arme à portée de main – et se battirent avec lui. L'un des policiers lui tira dans le pied, peut-être pour l'affaiblir, puis ils le traînèrent dans une autre pièce sous les regards et les cris terrifiés des femmes. Il est difficile d'imaginer ce que les uns et les autres purent crier ou hurler. Brian se vit peut-être reprocher d'être un infidèle répugnant et d'avoir osé poser la main sur une femme irakienne. Peut-être lui proposèrent-ils en vain d'implorer leur clémence. Nous n'en savons rien car Brian Tilley fut exécuté d'une balle dans le dos, qui détruisit ses organes vitaux et le tua sur le coup.

Les policiers exécutèrent ensuite, de sang-froid, les trois femmes et l'autre homme qui se trouvaient dans la maison. La jeune fille de 15 ans, qui sortait de sa chambre en se frottant les yeux après avoir été réveillée par le vacarme, fut abattue d'une balle dans le cou et laissée pour morte. Mais elle survécut et put fournir un témoignage vital aux enquêteurs : c'est elle qui leur révéla que les criminels étaient des policiers. Elle réussit même à les identifier.

Les forces irakiennes arrêtèrent les policiers tandis que le monde des SMP bruissait des rumeurs les plus extravagantes – Brian Tilley aurait été capturé alors qu'il quittait sa maison, puis il aurait été torturé et mutilé avant d'être exécuté ; les policiers feraient partie d'un escadron de la mort qui ciblerait les *contractors* trop bien implantés dans la communauté, etc. Cependant, Brian n'avait pas été torturé, ni mutilé, et il ne semblait pas non plus avoir été la cible des insurgés. Selon la théorie la plus plausible que j'aie entendue, les policiers auraient été payés par la famille de la maîtresse irakienne de Brian afin qu'ils lui délivrent un premier avertissement. Mais lorsque les policiers réalisèrent qu'ils s'étaient fourvoyés dans la tanière d'un tigre, ils se retrouvèrent totalement pris au dépourvu et n'eurent d'autre choix que d'abattre Brian avant qu'il ne se jette à leur gorge. Lorsqu'ils l'eurent exécuté, il leur fallut éliminer tous les témoins.

Le domicile de Brian en Angleterre se trouvait dans le Dorset, pas très loin de la base du SBS de Poole où il avait servi honorablement. Les autorités locales ordonnèrent l'ouverture d'une enquête de police qui fut confiée au commissaire Phil James. À l'hiver 2005, Phil James dut se rendre à l'évidence : l'enquête n'avançait pas comme prévu. Il s'était heurté à une réticence absolue de la part des autorités de

Bagdad à faire la lumière sur ces tristes événements. De très nombreuses raisons pouvaient en être la cause : les Irakiens avaient peut-être d'autres chats à fouetter, ou alors ils éprouvaient une certaine indulgence pour des hommes ayant exécuté un étranger non musulman qui avait eu le tort d'attirer la honte et le déshonneur sur une famille irakienne. Peut-être même que des loyautés tribales – complexes et interconnectées en Irak – et quelques pots-de-vin bien placés avaient permis d'assurer l'immunité des officiers de police. Car, croyez-le ou non, ces salopards revinrent sur le devant de la scène en décembre 2005.

Ce fut la jeune fille, le seul témoin de l'affaire, qui permit à l'histoire de rebondir à nouveau, apparemment par le plus grand des hasards. Elle reconnut les policiers dans l'hôpital de Bagdad où elle se faisait soigner. Peut-être étaient-ils venus finir leur travail, mais elle les identifia la première et les dénonça aux autorités. Il fut aussitôt reconnu qu'elle était toujours en danger de mort et les enquêteurs du Dorset suggérèrent même que l'asile politique lui soit offert en Grande-Bretagne en échange de sa collaboration. Mais les peines de prison irakiennes ne se décidaient pas au Dorset et la jeune fille se volatilisa malgré son statut de témoin protégé. Le procès ne pouvait plus avoir lieu sans sa collaboration, mais, d'un autre côté, son témoignage lui aurait certainement valu de finir exécutée. D'où le dilemme suivant : était-il préférable que la justice puisse juger les responsables ou valait-il mieux préserver la vie d'une adolescente ? En ce qui me concerne, je ne pense pas que la question puisse se poser. La survie de l'adolescente me semblait essentielle ; il n'était plus possible de changer le passé et de ramener les victimes à la vie. Le commissaire Phil James fut quant à lui persuadé que des amis de Brian avaient pris l'adolescente en charge. Cela m'inspira une pensée : ces policiers qui avaient du sang sur les mains feraient mieux désormais de surveiller leurs arrières. En effet, si certains flics irakiens pouvaient se croire tout permis, je pense qu'il en allait de même pour certains amis de Brian Tilley, extrêmement habiles à se déplacer et à se fondre dans l'obscurité.

Plusieurs leçons doivent être retenues de cet épisode tragique et malheureux. Elles signifient qu'il me faut parler en toute sincérité de l'attitude d'un homme tenu en très haute estime du temps de son vivant. Mais il faut d'abord nous arrêter quelques instants sur sa carrière, car c'est celle d'un homme exceptionnel.

Né dans le Derby, Brian Tilley servit plus de vingt-sept ans au sein du Royal Marines. Il se battit dans les Malouines, en Irlande du Nord, mais aussi en Irak lors de la première guerre du Golfe. En 1997, il fut décoré de la Queen's Gallantry Medal pour son remarquable courage. Mais ce n'était pas tant sa carrière militaire qui le définissait comme quelqu'un d'extraordinaire, même selon les critères des forces spéciales. C'était également un infirmier qualifié, un plongeur hors pair et un alpiniste chevronné qui avait entrepris l'ascension de trois des quatre plus hauts sommets du monde. Au cours de deux de ces expéditions, il fit usage de ses compétences médicales pour sauver plusieurs vies. Lorsqu'il quitta le Royal Marines, il monta sa propre société de sécurité qu'il baptisa Peak. David et Victoria Beckham firent appel à lui, en 2002, pour optimiser leur sécurité après qu'un complot visant à les enlever eut été mis au jour. Ils furent entièrement satisfaits de la manière dont Brian avait amélioré leur protection en formant leur personnel de sécurité civil, au point de devenir assez proche d'eux. Pas mal comme CV, non ?

Mais il est évident que Brian Tilley succomba au syndrome d'invulnérabilité des forces spéciales. Pour peu qu'il soit honnête avec lui-même, n'importe quel ancien des forces spéciales reconnaîtra qu'il y a eu au moins un moment dans sa vie, une situation particulière, où il s'est cru invulnérable. Cela m'est arrivé. Dans 99,9 % des cas, cela ne change rien au cours des choses – soit nous prenons conscience de notre erreur à temps, soit la chance nous permet de traverser sans dommage la situation en question. Mais certains ne s'en rendent pas compte ou manquent de chance et finissent par en payer le prix.

J'ignore quelles seront les conclusions administratives sur la mort de Brian, mais, selon moi, il contribua à sa propre mort en décidant d'agir en dehors des règles classiques et de vivre comme un Irakien. Il se fit plaisir en s'installant dans la villa confortable de son amie. Il était persuadé que personne n'oserait s'en prendre à lui et il s'était exposé aux risques aussi sûrement que s'il était parti escalader un glacier sans son piolet.

Je ne voudrais pas contrarier sa famille ou ses amis du SBS, mais je suis sincèrement convaincu qu'ils partagent avec moi l'idée selon laquelle Brian n'aurait jamais dû vivre dans cette villa de manière aussi ostentatoire, et qu'il aurait dû prendre toutes ses précautions pour vivre son histoire d'amour dans un cadre mieux protégé. Même la Jordanie aurait été infiniment plus sûre que la banlieue de Bagdad. Mais Brian avait une adorable fiancée qui l'attendait à Poole et il pensait sans doute que sa liaison irakienne ne durerait pas. C'est malheureux. Cet homme avait encore beaucoup à offrir.

Le mois de septembre compte 30 jours, et ainsi de suite... Février compte 28 jours, 29 les années bissextiles. En 2004, année bissextile, février comptait 29 jours, et j'étais de retour sur ma base arrière habituelle, dans l'hôtel Murbad, à Bassora.

L'attaque nocturne qui nous avait obligés à prendre position sur le toit me semblait remonter à une autre vie et le vieux bonhomme qui tenait l'hôtel était dans une forme éblouissante. Il était heureux de me revoir et il me donna de grandes claques dans le dos en répétant : « Bienvenue, Monsieur Johnny, bienvenue. » Le serveur jumeau de Saddam me fit un clin d'œil complice, comme si nous avions été membres d'une même confrérie réservée à ceux qui sont capables de réparer une AK-47 dont le bloc culasse est coincé. Revenir en terrain connu était toujours plaisant, un peu comme si l'on se retrouvait chez soi. Même les insurgés semblèrent hisser leur drapeau de bienvenue, en déclenchant une fusillade au crépuscule.

Leur rafale avait criblé le mur d'enceinte de l'hôtel Murbad et tous les hommes de mon équipe se déployèrent immédiatement. Mais je remarquai que le vieux veilleur de nuit – de nouveau réfugié dans sa guérite contre le portail de l'enceinte – n'avait pas bronché. Plutôt que de courir partout comme un poulet décapité, je demandai donc au propriétaire ce qui se passait.

– Oh, il n'y a pas à s'inquiéter, Monsieur Johnny, me répondit-il avec gravité. Ce soir, ils se tuent entre eux.

Je savais qu'il avait raison, alors je me contentai de m'asseoir dans un coin du parking pour observer les flashes de lumière qui déchiraient les façades d'immeubles à une centaine de mètres de là. Un différend tribal ou une dispute clanique avait besoin d'être résolu d'une manière ou d'une autre et ils étaient trop occupés à régler leurs affaires entre eux pour daigner s'intéresser à nous.

Tandis que la bataille s'amplifiait, mon téléphone satellite vibra, impérieux, dans ma poche ; les détonations des fusils et les rafales des mitrailleuses m'avaient empêché de l'entendre sonner. Je le sortis de la poche de mon gilet de combat et décrochai.

– John ! C'était ma compagne, Emma.

– Salut, chérie, beuglai-je dans le téléphone.

– C'est quoi tout ce bruit ? La ligne est très mauvaise, me répondit-elle.

La ligne, très mauvaise ? Les seules lignes que je voyais étaient ces traînées lumineuses que les balles traçantes dessinaient dans le ciel.

– Ne quitte pas, chérie, criai-je tout en m'éloignant du bruit de la fusillade pour aller m'agenouiller derrière une voiture. Ça va mieux comme ça ?

– Oui, beaucoup mieux. Qu'est-ce que tu deviens ?

– Rien de spécial, bébé, juste une petite fusillade de l'autre côté de la rue.

– Oh, mon Dieu ! Et tu vas bien ?

– Oui, je vais bien. Comme si j'étais à la maison.

Cela faisait huit ans que nous étions ensemble et elle avait appris à accepter que tout allait bien si je le lui disais, aussi nous changeâmes de sujet.

– Tu sais que cette année est bissextile, John ?

Bien sûr, je le savais, mais je n'avais pas passé toute la journée à m'interroger à ce propos.

– Oui, et alors ?

– Et nous sommes le 29 février aujourd'hui, non ?

Je supposais que c'était la bonne date, mais encore une fois cela ne m'avait pas beaucoup préoccupé et je dois admettre que je devenais même quelque peu irritable à l'idée d'être interrogé sur ma connaissance du calendrier au beau milieu d'une fusillade.

– Vraiment ? Si tu le dis, c'est que ça doit l'être, répondis-je.

– Et bien tu sais que les filles peuvent prendre l'initiative un 29 février…

Boomph ! L'explosion d'une roquette dans la façade d'une maison 150 mètres plus loin couvrit les paroles d'Emma.

– Qu'est-ce que tu disais, Bébé ?

Elle criait à présent.

– John, veux-tu m'épouser ?

Je restai paralysé durant les quelques secondes qu'il me fallut pour réaliser où toute cette conversation nous avait menés, puis je me ressaisis. Emma est une femme ravissante et adorable qui est exactement sur la même longueur d'onde que moi. Il n'y avait qu'une seule réponse possible.

– Bien sûr, chérie.

Un nouveau staccato de mitrailleuse couvrit notre conversation, mais elle m'avait entendu accepter et nous nous mariâmes à mon retour au pays. Mike Curtis me servit de témoin. Qui d'autre aurais-je pu choisir ? C'est donc d'expérience que je sais à quel point le pouvoir de l'amour peut tout vaincre, même dans un Irak déchiré par la guerre, et jamais je n'oublierai ce jour où je dus m'agenouiller derrière une voiture pour accepter une demande en mariage.

ONZE

Revue de presse

Juillet 2003. Les habitants de Bagdad devaient marcher en contournant les mares répugnantes qui s'étaient formées partout où des canalisations d'eaux usées avaient été détruites. Un camion circulait dans l'une de ces rues, avec à son bord un jeune homme aux yeux pleins de haine. Il semblait accroché à son volant et lançait son véhicule droit sur les blocs de béton qui barraient l'accès à l'hôtel Bagdad.

Au premier regard, rien ne laissait penser qu'il s'agissait d'un kamikaze en route vers le paradis. Pourtant, un examen plus attentif aurait permis de déceler une bizarrerie sur son visage. Il serrait entre les dents une pince crocodile ouverte d'où pendaient des fils électriques. Le garde irakien n'eut probablement pas le temps de voir cette pince, mais il comprit certainement ce qui allait se passer lorsque le conducteur, ignorant ses injonctions de stopper, continua sa route. Ultérieurement, plusieurs témoins affirmèrent que le garde avait tiré plusieurs rafales dans le pare-brise du camion. Ses balles avaient sans doute pénétré l'une après l'autre dans le corps du conducteur et, en mourant, celui-ci avait laissé échapper la pince crocodile de sa bouche. Les deux mâchoires d'acier de la pince s'étaient alors refermées, complétant ainsi le circuit électrique qui servait de détonateur à la bombe. Elle explosa en tuant six personnes et en en blessant plusieurs autres.

Moins d'une seconde après avoir entendu cette énorme explosion qui avait retenti non loin de notre hôtel, le Palestine, nous sentîmes comme l'onde de choc d'un tremblement de terre sous nos pieds. Pas le temps de traîner. Nous nous précipitâmes dehors, sautâmes dans la voiture et filâmes en direction de l'hôtel Bagdad. J'escortais alors une équipe de la télévision irlandaise et nous arrivâmes les premiers sur les lieux. Le carnage provoqué par l'attentat-suicide reste aujourd'hui encore difficile à décrire. Je pense que vous avez tous vu de telles images à la télévision – de la fumée, des débris, de la poussière. Mais voir des images à la télévision est une chose, se trouver au cœur d'un tel chaos en est une autre.

Des gens couraient dans tous les sens ; des blessés titubaient autour de nous, les vêtements ou le corps déchirés par l'explosion. L'épicentre de cet enfer n'était plus qu'un trou béant, là même où des gens vivaient et respiraient encore quelques minutes plus tôt. Tout autour, ce n'était plus qu'un immense champ de ruines semé de plaintes. Certains gémissements résonnaient comme des adieux.

En nous approchant, nous aperçûmes des membres déchiquetés du kamikaze mêlés aux corps mutilés de ses victimes. Des lambeaux de chair gisaient partout, des fragments d'anatomie avaient été projetés ici et là, comme s'il s'agissait d'un puzzle macabre dont les pièces humaines auraient été mélangées sous l'effet de la colère – une jambe ici, le pied de quelqu'un d'autre là. Et cette odeur. Ce n'était pas cette puanteur écœurante des corps en décomposition. Il était bien trop tôt pour cela. Non, c'était différent. L'air était lourd comme dans un abattoir à la fin d'une journée de travail. Il y avait cette exhalaison chaude des tripes éviscérées, mais également l'odeur métallique du sang. Et ce n'était pas qu'une odeur ; vous pouviez en goûter la saveur acidulée rien qu'en respirant, car le souffle de l'explosion l'avait pulvérisée comme un aérosol.

La foule commença à se rassembler, mais les soldats et la police n'étaient pas encore arrivés. J'imagine qu'ils se tenaient en retrait et comptaient jusqu'à vingt au cas où il y aurait eu une deuxième bombe qui leur aurait été destinée. Le cameraman faisait de son mieux pour filmer la scène au-dessus des gens, mais il était sans cesse bousculé et ballotté. Pour lui, c'était comme un cauchemar au cœur d'un autre cauchemar.

– John ! John ! J'ai besoin de prendre de la hauteur !

Regardant autour de moi, j'avisai un immeuble en construction distant de 70 mètres environ, à l'opposé de l'hôtel. Quelques ouvriers se tenaient devant, visiblement en état de choc, et j'allai à leur rencontre avec le cameraman. Je leur demandai s'ils parlaient anglais. L'un d'eux hocha la tête et je lui dis : « Télévision irlandaise, on peut monter ? » Il acquiesça à nouveau et nous nous engouffrâmes dans la cage d'escalier pour accéder à l'étage. Nous nous retrouvâmes dans une vaste salle nue qui attendait encore qu'une fenêtre soit posée dans l'un des angles. Le cameraman décida que l'endroit était parfait et voulut filmer en prenant du recul par rapport à cette ouverture dans le béton. Il souhaitait en fait l'utiliser comme cadre pour son image.

L'idée ne me plaisait pas. Au fond de la pièce, tapi dans l'ombre avec son matériel sur l'épaule, il aurait tout aussi bien pu viser avec son fusil ou manœuvrer son lance-roquettes.

– Viens par ici, lui criai-je, rapproche-toi de la fenêtre.

Il n'apprécia pas ma remarque. Pour être franc, il ne m'appréciait pas non plus et ne supportait pas que je puisse lui dire ce qu'il devait faire. Pourquoi ? C'était un Irlandais, un nationaliste convaincu, et il savait que j'étais un ancien du SAS ; il en avait tiré ses conclusions tout seul et avait déduit que j'avais dû être impliqué dans des opérations contre l'IRA. Ce qui était peut-être le cas, mais ça ne le regardait pas. Mon travail consistait à le protéger, un point c'est tout. Je me fichais éperdument de ce qu'il pouvait penser. Je n'allais certainement pas le laisser se faire descendre alors qu'il était sous ma responsabilité, quels que fussent ses sentiments envers les soldats britanniques.

– Rapproche-toi de cette putain de fenêtre !, hurlai-je.

Comprenant que j'étais sérieux, il avança en rechignant.

Il se trouvait à présent à 2 mètres en retrait de l'ouverture, elle-même située en face de l'hôtel Bagdad. Je me trouvais derrière lui, dans le coin opposé, à côté d'une autre fenêtre qui donnait sur la rue menant à l'hôtel. Juste au moment où il s'avançait, un convoi de Humvee de l'armée américaine apparut sur la route. Ils étaient armés de calibres 50 montés en tourelle à l'arrière que les soldats manœuvraient en arcs de cercle menaçants.

Je me penchai à la fenêtre pour me montrer clairement, en faisant des signes, les deux mains en l'air, et je criai : « Télévision irlandaise ! »

Ces hommes, derrière ces putains de calibres 50, ne vous regardaient pas avec leurs yeux, mais avec leurs armes. Et lorsque leur regard vous accrochait, des rafales ne tardaient pas à suivre. Quelques yeux se fixèrent sur moi, m'évaluant rapidement ; des yeux fournis par l'armée américaine – lunettes standard modèle Coyote –, énormes, sombres et réfléchissants comme ceux d'une libellule. Puis l'un d'eux me cria :

– OK, mec, on t'a vu. Pas de problème.

Je savais que si le cameraman était resté en retrait dans la pièce, ces hommes n'auraient pas hésité une seconde en apercevant sa silhouette tapie dans l'ombre. Ils l'auraient tout simplement truffé de plomb, et il le savait aussi bien que moi.

– C'est bon ?, demandai-je.

– C'est bon, répondit-il en maugréant.

Nous redescendîmes dans la rue et repartîmes vers l'hôtel dévasté où nous attendaient le journaliste et son interprète. Notre chauffeur nous y retrouva. Il s'agissait de mon vieil ami Hamdany. Il faut cependant bien comprendre que ces hommes ne sont pas de simples chauffeurs ; ils conduisent leur propre véhicule et se comportent avec fierté, comme de véritables hommes d'affaires bien payés pour accomplir un travail dangereux. Je les admirais, eux et leur famille, et j'éprouvais une affection particulière pour Hamdany.

Le cameraman filma le journaliste débitant son texte sur fond de décombres, puis nous estimâmes qu'il était temps de partir. Presque invariablement dans ce genre de catastrophes, les survivants et les témoins passent par trois phases successives. Ils accusent d'abord le coup, traumatisés par le choc de l'attentat. Ils traversent ensuite une phase qui, pour reprendre une expression militaire, peut être qualifiée de « post-opérationnelle » ; elle constitue un moment crucial au cours duquel aide et assistance doivent être apportées aux victimes. La troisième phase est celle de la colère. Une véritable vague de fureur, qui renverse tout sur son passage jusqu'à ce qu'elle trouve une digue contre laquelle se briser. Les journalistes deviennent souvent la cible de cette rage aveugle, ce qui est assez compréhensible, bien qu'injuste. C'est tout simplement une variation du vieil adage selon lequel le messager porteur de mauvaises nouvelles doit être exécuté – bien que, dans ce type de situation, le véritable messager soit souvent tué au moment même où il délivre son message. Par conséquent, dans de tels cas, j'essaie toujours de faire partir mes journalistes avant le déclenchement de la phase trois, et généralement j'y parviens.

Mais les phases peuvent se chevaucher et ce jour-là, à Bagdad, la colère commença à monter dès le début des opérations de secours. Une foule énorme s'était rassemblée devant la ligne formée par les soldats autour du site. La plupart des gens étaient simplement inquiets pour leurs proches, qui auraient pu être tués ou blessés dans ce terrible enchevêtrement de béton et d'acier, mais certains, dévorés d'anxiété et de colère, devenaient menaçants.

Le cameraman repéra un abri de bus en béton. Je sus tout de suite ce qu'il avait en tête.

– John, j'ai besoin de ces images !

Et merde, pensai-je, nous sommes limite phase trois et il veut grimper sur le toit de cet abri de bus pour tourner de nouvelles images ! Cinq minutes plus tard – qui me parurent être cinq heures –, il avait terminé sa séquence et nous revenions enfin sur nos pas. Il m'avait carrément impressionné en prenant ce risque.

Je marchais avec le trépied de la caméra sur l'épaule et mon pistolet à la ceinture, mais je n'avais pas de gilet pare-balles ; nous étions partis si précipitamment que je l'avais oublié. Je poussai le journaliste et son cameraman sur le côté et passai devant eux, prêt à fendre la foule pour rejoindre notre voiture. Hamdany me rejoignit en passant son bras autour de ma taille, nous formions ainsi comme un demi de mêlée à nous deux. L'interprète n'arrêtait pas de répéter que nous étions des journalistes de la télévision irlandaise, ce qui permit de calmer les ardeurs de la plupart des gens. Certains ne se privaient pourtant pas de nous injurier ou de nous cracher dessus. Nous finîmes toutefois par arriver à la voiture et j'aidai les journalistes à s'engouffrer dedans. Un poing surgit de la foule pour me frapper, mais Hamdany réussit à le dévier. Je portai la main à mon pistolet.

– Un jour idéal pour oublier son gilet pare-balles, pestai-je tandis que Hamdany repoussait notre assaillant.

– Tu es mon ami. Aujourd'hui, c'est moi, ton gilet pare-balles.

Je n'oublierai jamais ces paroles et je me demande souvent ce que lui et sa famille sont devenus.

Cette histoire de l'hôtel Bagdad et du cameraman irlandais contraste cruellement avec la fin tragique que connut Mazen Dana, un cameraman de l'agence Reuters tué par un Bradley de l'armée américaine en août 2003. Dana mourut déchiqueté par une rafale de mitrailleuse qui l'atteignit au ventre alors qu'il filmait à proximité de la célèbre prison d'Abou Ghraib, au lendemain d'une attaque au mortier qui avait entraîné la mort de six civils irakiens. Sa mort fut prétexte à un débat virulent qui m'opposa à un célèbre correspondant de guerre britannique. Nous nous prîmes de bec au sujet de ce qu'il appelait les militaires « cinglés de la gâchette » et les « foutues règles d'engagement » de l'armée américaine.

Les circonstances de la mort de Dana diffèrent selon la personne qui vous les relate. Son preneur de son, Journos, rappelle que, vingt minutes avant la tragédie, les militaires les avaient autorisés à filmer le portail de la prison. Cependant, Dana et son preneur de son s'étaient finalement éloignés de plus de 500 mètres pour filmer la prison du haut d'un pont surplombant le fleuve voisin. Ils auraient tout aussi bien pu se trouver à mille lieues de leur position originelle. Tout le monde s'accorde à dire que Dana et son collègue avaient ensuite achevé leur travail, rangé leur matériel dans leur voiture et démarré en direction de leur bureau de l'agence Reuters. Mais c'est alors que Dana avait remarqué une colonne de blindés se dirigeant droit dans sa direction. Il s'était aussitôt arrêté pour pouvoir la filmer avec la prison en arrière-plan. Il avait bondi hors de son véhicule et préparé sa caméra, équipée d'un microphone intégré, tandis que son preneur de son allumait une cigarette. Moins de dix secondes plus tard, il se tordait de douleur sur le sol en se vidant de son sang.

Il n'avait rien fait d'autre que se ruer hors de sa voiture, qui ne portait aucun signe distinctif, s'agenouiller et porter sa caméra à l'épaule – laquelle était protégée par une housse bleu foncé. Cette chorégraphie correspondait en tout point à celle qu'un insurgé aurait exécutée s'il avait voulu épauler un bazooka ou un lance-roquettes avant de faire feu. Si vous rajoutez à cela que Mazen Dana, comme vous l'avez probablement deviné d'après son nom, était d'origine arabe – je crois qu'il était palestinien –, vous comprendrez plus facilement pourquoi il a pu être confondu avec un insurgé.

Plusieurs journalistes de la presse internationale prétendent qu'une caméra est tout à fait identifiable à une cinquantaine de mètres de distance. Je ne partage pas leur point de vue. La possibilité de confondre une caméra avec une arme constituait déjà l'un des sujets les plus controversés les premiers jours où je m'occupais de la protection d'équipes de journalistes en Irak. Un soldat américain parfaitement entraîné pouvait-il vraiment prendre une caméra pour une arme ? J'avais décidé de m'en assurer par moi-même en faisant une petite expérience. J'avais demandé à un cameraman de s'agenouiller derrière un petit muret avec son matériel à l'épaule tandis que je reculais de 50 mètres, de 100 mètres, puis de 200 mètres. À chacune de ces distances intermédiaires, je m'étais retourné brusquement comme si j'étais en situation de combat. À chaque fois, j'avais été convaincu – en imaginant que ma vie ait été en jeu – de l'impossibilité de disposer de suffisamment de temps pour faire la différence entre une caméra et un lance-roquettes de 66 mm, un Stinger, ou encore un Milan.

Plutôt que d'accuser indûment, j'aimerais demander aux journalistes d'essayer de se glisser dans la peau d'un jeune Marine de 19 ou 20 ans aux commandes d'une mitrailleuse coaxiale devant Abou Ghraib ce jour-là. Il avait sans doute vu ce qu'il avait pensé être un Irakien qui se dépêchait de descendre d'une voiture anonyme pour porter une arme potentielle à l'épaule. À cet instant précis, tout l'entraînement qu'il avait reçu l'avait amené instinctivement à penser : « Ennemi ! Action ! » Il ne disposait que de quelques secondes. L'intégrité de son véhicule et la vie de ses copains ne dépendaient plus que de lui. Il avait ouvert le feu. Un innocent était mort. La guerre n'est qu'une sinistre farce.

Chaque journaliste que j'ai rencontré par la suite blâme les forces américaines pour la mort de Dana et leur reproche leurs règles d'engagement et d'ouverture du feu. C'est stupide. Ils semblent tous penser que les médias peuvent se promener dans ce genre d'endroit avec un bouclier anti-force capable de les protéger. Sont-ils naïfs au point de croire qu'un soldat préférerait hésiter quelques secondes et risquer sa vie et celle de ses camarades ? Pensent-ils sérieusement qu'un jeune soldat peut regarder dans la mire de son canon et se dire : « Tiens, un cameraman. Je vais le descendre en prétextant avoir vu un insurgé armer son lance-roquettes. »

C'est vraiment stupide. Ce sont les propres règles d'engagement de Dana qui étaient fautives et je suis convaincu qu'il n'aurait jamais été autorisé à se comporter de la sorte s'il avait été accompagné d'un *contractor*.

J'ai toujours expliqué aux cameramen dont j'assurais la protection qu'il leur fallait avant tout avoir l'air de ce qu'ils étaient, et ne surtout pas s'habiller dans un style paramilitaire – ce que certains imbéciles font, en enfonçant un pantalon de treillis dans leurs bottes, des trucs de ce genre. L'un de mes journalistes avait pour habitude de porter un grand chapeau mou qui l'étiquetait sans aucun doute possible comme un civil. Je leur apprenais également à prendre leur temps lorsqu'ils se mettaient en position de filmer et à forcer leur geste, de manière presque exagérée, lorsqu'ils installaient leur trépied et leur caméra. Ils devaient avoir conscience de ce qui se passait autour d'eux et ne pas le découvrir uniquement à travers leur objectif ; ils devaient apprendre à regarder les soldats, à établir un contact visuel et à se signaler auprès de tous ceux qui pouvaient ne pas les avoir repérés – ils devaient faire tout ce qui était en leur pouvoir pour s'identifier en tant que journalistes.

J'ai pris des risques considérables au cours de ma carrière, des risques que d'autres auraient qualifiés de pure folie, mais les soldats savent qu'ils doivent parfois mettre leur vie en jeu pour faire basculer le cours d'une bataille. En revanche, prendre un risque considérable pour filmer quelques images de chars Bradley roulant lentement devant une prison était stupide. Je regrette que Dana ait payé cette erreur de sa vie. Mais ses collègues devraient en tirer les leçons au lieu de se lamenter et de reporter la faute sur les autres.

J'avais déjà travaillé avec les médias à plusieurs reprises au cours des années 1990, bien avant que je ne les retrouve en Irak. Je venais alors de quitter le Régiment avec Mike Curtis et nous étions tous deux prêts pour de nouvelles aventures. La première fois, ce fut un copain du *Daily Express* qui nous appela. Il nous demanda s'il nous était possible de lui donner un coup de main.

C'était à l'occasion d'un événement retentissant. Deux infirmières britanniques s'étaient retrouvées enfermées dans les geôles d'Arabie

Saoudite pour avoir prétendument assassiné leur colocataire, une autre infirmière britannique du nom d'Yvonne Gilford. Deborah Parry avait été condamnée à la peine de mort en place publique et Lucille McLauchlan à recevoir 500 coups de fouet avant de retourner en prison. Notre ami nous expliqua que le roi d'Arabie Saoudite avait cependant gracié les deux femmes, qui étaient attendues le lendemain à l'aéroport de Gatwick, près de Londres. Mais il craignait qu'il y ait pas mal de bousculade à l'aéroport et il nous confia qu'il avait besoin de l'aide de professionnels. Il nous présenta à John Cole, le journaliste du *Daily Express* chargé de l'enquête, et nous partîmes avec lui.

Une bousculade se produisit en effet à l'aéroport et Debbie Parry, l'infirmière dont nous avions la charge, fut photographiée alors que nous quittions le terminal pour regagner notre Range Rover. Les photographes nous suivirent jusqu'à Londres, mais à un moment donné nous descendîmes dans un parking souterrain, où l'un de nos amis nous attendait avec sa femme. Cette dernière enfila précipitamment les vêtements de Debbie et repartit à sa place dans la Range Rover, toute la presse à ses trousses. Nous demandâmes alors à Debbie de s'allonger dans le coffre d'une Golf GTI pour l'exfiltrer en toute sécurité, mais elle était bien trop nerveuse pour accepter.

– Ne t'inquiète pas, ma mignonne, je vais m'allonger avec toi, lui dit alors Mike.

La vue de ces deux personnages pelotonnés l'un contre l'autre – un grand costaud, ancien du SAS, et une infirmière toute menue – fut un moment inoubliable. D'abord une princesse, maintenant une infirmière ; Mike semblait devoir passer son temps à s'allonger contre ses protégées dans le cadre de son travail. Bref, nous réussîmes à échapper au reste de la meute de journalistes et à accompagner notre infirmière jusqu'à un petit hôtel tranquille du Wiltshire où le *Daily Express* eut tout loisir de l'interviewer et de la photographier. Le *Daily Mirror* avait pris en charge l'autre infirmière, mais ils durent subir le siège de toute la presse anglaise pendant plusieurs jours. Pour ma part, je reste persuadé que Debbie a été victime d'une manipulation des Saoudiens, désireux de clore une enquête criminelle sans inculper un de leurs citoyens.

J'effectuai également une mission pour l'hebdomadaire *News of the World*, mais je ne peux évoquer cette histoire sans un pincement au cœur, malgré les excellents souvenirs qu'elle m'a laissés. Nous étions chargés de protéger le footballeur George Best dans les jours qui suivraient sa transplantation du foie. J'avais déjà eu l'occasion de faire sa connaissance par l'intermédiaire de son fidèle agent, Phil Hughes, et c'est ce dernier qui nous avait recommandés au *News of the World*.

George était heureux de nous avoir à ses côtés en raison de cette amitié réciproque. J'eus ainsi plus d'une fois l'occasion de boire un verre avec George et Phil dans un club privé du West End de Londres. Mike aussi appréciait beaucoup ces moments en compagnie de George en raison de ses deux passions : la première, qui éclipse généralement toutes les autres, est l'équipe de rugby galloise. La seconde est l'équipe de Manchester United. George était donc l'un des héros de Mike.

George n'était pas qu'un génie du football, c'était aussi un excellent joueur de billard et un compétiteur féroce. Il était toujours prêt à relever un défi et je n'ai pas honte d'admettre avoir perdu une bouteille de champagne à l'occasion d'une partie de billard disputée contre lui. Je n'en ai pas honte, mais, à la réflexion, je ne suis pas très fier d'avoir bu plusieurs verres avec lui, ce qui ne lui a pas rendu service. Mais George n'était plus un enfant depuis longtemps.

Alors que George Best avait vraiment une sale tête à la veille de subir cette opération de la dernière chance, il semblait plein d'espoir et de bonnes résolutions lorsque Mike et moi-même le retrouvâmes après l'opération. Il ne parvint malheureusement pas à lâcher la bouteille. Il aurait sans doute vécu bien plus longtemps s'il avait arrêté de boire, mais on ne pourra pas lui reprocher de ne pas avoir vécu pleinement sa vie.

Ces missions furent pour moi comme une introduction à la folie des gens des médias et à leur rythme de vie frénétique. J'appréciais beaucoup certains des journalistes avec lesquels je travaillais, mais au beau milieu d'une zone de guerre, ils étaient capables de vous rendre fou. Le problème venait du fait qu'ils étaient nombreux, surtout chez les photographes et les cameramen, à se croire naturellement protégés des balles. Ils observaient le monde à travers leur objectif et, pour autant que je pouvais en juger, se croyaient affranchis des événements se déroulant autour d'eux. Ils s'autorisaient du coup à prendre des risques stupides qu'un soldat professionnel n'aurait jamais osé prendre. Ils se comportaient comme des voyeurs convaincus de leur propre immortalité, ce qui les rendait parfois difficiles à protéger d'eux-mêmes.

Les hommes d'affaires se contentent de boucler leur projet ou leur contrat au plus vite, de la manière la plus sûre possible. Les journalistes font de même, à cette différence près que leur travail concerne directement la guerre et qu'ils veulent la voir. Ils veulent se trouver au cœur de l'action, de telle sorte que veiller sur eux devient un exercice acrobatique très risqué. Surtout quand leurs supérieurs exigent que leurs escortes ne soient pas armées.

La plupart des grands médias américains jugent les armes d'un point de vue strictement professionnel. Ils voyagent au sein de convois organisés qui disposent d'une puissance de feu suffisante pour contrer toute embuscade ennemie. Parfois, lorsque cela servait mes objectifs, ou plus souvent quand j'étais pressé, je me collais à la queue d'un grand convoi américain qui avait pourtant toutes les chances de finir bombardé ou mitraillé. À l'inverse, une chaîne de télévision comme la BBC dispose maintenant de sa propre équipe de sécurité spécialisée dans les environnements hostiles. Elle est constituée d'excellents opérateurs dirigés par un ancien officier des forces spéciales. Ils agissent désarmés, car la BBC souhaite avant tout respecter la notion selon laquelle un journaliste doit garder un comportement neutre s'il veut informer de manière objective. Je ne sais pas si ces opérationnels de la BBC pourraient, d'un coup de baguette magique, sortir une arme de leur chapeau au cas où la situation l'exigerait, mais je sais que je n'aimerais pas être responsable d'une équipe de journalistes en Irak aujourd'hui sans une arme à portée de la main.

Je me souviens avoir regardé, enfant, ces reportages sur la Seconde Guerre mondiale réalisés par des journalistes tels que Wynford Vaughan Thomas ou Richard Dimbleby, qui avaient débarqué sur les plages, le jour J, au milieu des soldats. Tout le monde aujourd'hui semble penser que les journalistes « embarqués », ou « incorporés », sont une invention récente, mais à l'époque ces journalistes n'étaient pas seulement incorporés, on leur faisait également confiance pour rapporter du front des nouvelles brutes, non expurgées, non soumises à une analyse politiquement correcte. La guerre n'est pas un exercice aseptisé dénué de cadavres et de sang ; c'est une boucherie féroce dont la seule règle consiste à tuer ou à être tué.

D'autre part, la nature même de la guerre a changé avec l'émergence de combattants islamiques qui non seulement ignorent les Conventions de Genève, mais les méprisent, de même qu'ils méprisent ceux qui les ont créées. Leur but avoué consiste à renverser cet ordre pour ériger à la place un nouvel ordre islamique dénommé le Califat universel. L'article 79 d'un protocole additionnel aux Conventions de Genève (protocole I) stipule que « les journalistes qui accomplissent des missions professionnelles périlleuses dans des zones de conflit armé seront considérés comme des personnes civiles [et] seront protégés en tant que tels. » Ces mots sonnent bien, mais ils ne signifient strictement rien à Fallouja. Dans l'Irak d'aujourd'hui, un journaliste ne peut éviter les pires ennuis que grâce à sa présence d'esprit et à un homme armé pour surveiller ses arrières.

En 2005, un correspondant du *New York Times* basé à Bagdad, Dexter Filkins, porta le débat sur la place publique en décidant de se rendre sur le terrain en portant ouvertement un pistolet à la ceinture. Les cercles médiatiques s'interrogèrent longuement – entre brain-storming et branlette intellectuelle – pour savoir s'il « fallait » ou s'il « ne fallait pas ». Plusieurs journalistes arguèrent du fait que leur profession constituait leur meilleure défense. Un journaliste armé ne peut être qu'un journaliste vulnérable car il devient alors partie intégrante des hostilités au lieu de les observer, expliquèrent-ils. Et d'ailleurs, comment un journaliste armé pourrait-il se défendre d'être un espion ou un combattant ? Ces qualificatifs sont de toute manière ceux que les radicaux islamistes emploient à l'égard des journalistes qu'ils capturent, et le destin tragique de Daniel Pearl est là pour en témoigner. Il a été kidnappé et décapité par un groupe de fondamentalistes pakistanais en 2002. Ses assassins ont prétexté que Pearl était un espion. Les témoignages les plus éloquents sur son impartialité de journaliste ne signifiaient strictement rien aux yeux de ses ravisseurs. Leur monde est un monde différent du nôtre, avec d'autres valeurs, et rien dans notre monde ne peut trouver grâce à leurs yeux.

Je n'ai jamais rencontré Dexter Filkins, mais je suppose qu'il s'agit d'un homme pragmatique qui a préféré mettre toutes les chances de son côté. Il a porté un jugement réaliste sur les Irakiens qui attendent de pouvoir mettre la main sur des gens comme lui. Il a pesé le pour et le contre et conclu que s'en tirer par une fusillade est sans doute une meilleure option que finir égorgé après avoir subi une capture humiliante et terrifiante. Il a, à mon sens, entièrement raison. Je lui tire mon chapeau, à une réserve près : j'espère qu'il sait viser et manipuler son arme en toute sécurité quand il se trouve avec des amis ou des alliés.

Une autre tragédie a ravivé le débat sur la manière dont les journalistes opèrent en zone de guerre et sur l'opportunité qu'ils soient armés ; elle a vu l'un des correspondants britanniques les plus respectés trouver la mort sur une ligne de front.

Terry Lloyd était le plus ancien des correspondants d'ITN lorsqu'il mourut au cours de la guerre officielle, en mars 2003. C'était un vétéran de nombreux conflits qui avait fait la preuve de son courage, qui était aimé de tous pour sa passion de la vie et admiré pour son professionnalisme irréprochable.

Les circonstances de sa mort, ainsi que de celles de son cameraman,

Fred Nérac, et de leur interprète, Hussein Othman, sont compliquées. Ils se trouvaient dans un convoi de deux 4 x 4, avec Nérac et Othman à bord du premier véhicule et le cameraman belge Daniel Demoustier – le seul survivant – au volant du deuxième véhicule, avec Lloyd à ses côtés. Les deux véhicules étaient clairement marqués comme des véhicules de la télévision. Ils roulaient dans les environs d'Az Zubayr lorsqu'ils furent pris en chasse par les troupes irakiennes. Demoustier imagina que les Irakiens voulaient peut-être se rendre à eux, mais la suite amène plutôt à penser le contraire. Quoi qu'il en soit, ils se retrouvèrent piégés entre les troupes américaines devant eux et les troupes irakiennes derrière eux. Leurs voitures, prises entre deux feux, furent mitraillées. Une enquête ultérieure menée par ITN conclut que les Irakiens cherchaient en réalité à capturer les journalistes afin de s'en servir comme bouclier lorsqu'ils traverseraient les lignes américaines.

Le véhicule dans lequel se trouvaient Lloyd et Demoustier versa dans un fossé et prit feu. Lorsque Demoustier reprit ses esprits, il vit que le siège passager était vide et la portière ouverte. Il réussit alors à s'extraire de la voiture malgré ses blessures. Il fut récupéré par un autre véhicule de presse à bord duquel il s'enfuit, mais il eut le temps de voir Nérac et Othman sortis vivants et indemnes de leur véhicule par des Irakiens. Il ne revit plus jamais Lloyd. Plus tard, des soldats américains expliquèrent avoir tiré sur des véhicules marqués des signes « télévision » qui circulaient au milieu des troupes irakiennes car ils pensaient qu'il pouvait s'agir de véhicules conduits par des kamikazes.

Six mois plus tard, un civil irakien émergea pour affirmer que, en conduisant plusieurs soldats irakiens à l'hôpital dans son minibus, il avait ramassé Terry Lloyd sur le bord de la route, blessé à l'épaule, qui se présentait comme un journaliste russe – vraisemblablement pour se protéger. Lloyd, expliqua-t-il, avait été tué pendant le voyage, car un hélicoptère de l'armée américaine avait mitraillé le minibus. Les Irakiens avaient déposé sa dépouille dans un hôpital de Bassora. Une autopsie réalisée en Grande-Bretagne montra que Terry Lloyd avait été blessé à deux reprises, chacune des deux blessures ayant pu s'avérer mortelle. L'une d'elles provenait d'une balle irakienne, l'autre d'une balle américaine. Nérac et Othman auraient quant à eux été livrés aux fedayins, qui les auraient exécutés. Les fedayins allaient constituer, au cours des mois et des années à venir, le noyau dur de l'insurrection baassiste.

Quelques mois après la mort de Terry, je fus à nouveau pris à partie par un correspondant d'ITN, tout comme je l'avais été à la mort de Mazen Dana. Le chagrin et la douleur causés par la mort de leur héros Terry étaient encore frais dans la mémoire des journalistes de la chaîne, et l'un d'eux, un autre visage bien connu des téléspectateurs britanniques, essaya me faire porter la responsabilité de sa mort.

– Vous, les militaires, vous êtes tous le même ramassis d'imbéciles. Des excités de la gâchette. Terry n'aurait jamais dû mourir. On n'aurait jamais dû lui tirer dessus. Son véhicule était parfaitement marqué, avec des « TV » sur toute la carrosserie. Et il a été achevé dans un bus civil. C'est dégueulasse.

Il avait tout à fait raison sur un point : la guerre est une chose dégueulasse. Je ne cherchais pas particulièrement la confrontation, mais je ne pouvais pas non plus accepter tout ce qu'il avait dit sans répliquer. Je lui dit alors ce que je répète aujourd'hui : Terry Lloyd et son équipe n'auraient jamais dû se retrouver mêlés à cette bataille. Ils n'auraient jamais dû non plus se retrouver sur le terrain sans une équipe de *contractors* susceptible de les conseiller et de les protéger. La vérité oblige à dire qu'ils se sont retrouvés otages de la chance en ne se fixant pas de règles précises d'engagement. Je n'ai jamais rencontré Terry Lloyd, mais je ne doute pas qu'il serait d'accord pour reconnaître qu'il a poussé sa chance un peu trop loin et que, malheureusement, celle-ci a tourné court.

Une grande expérience du reportage de guerre importe peu sur une ligne de front. Un journaliste n'étant pas un soldat, il ne peut pas toujours comprendre la logique d'une bataille ou les événements qui en modifient le cours. C'est déjà quelque chose de difficile à comprendre pour un soldat expérimenté, et seuls les meilleurs d'entre eux arrivent véritablement à voir à travers le brouillard de la guerre. Je ne dis pas que Terry Lloyd et ses équipiers auraient survécu si j'avais été là, je dis seulement qu'ils ne se seraient sans doute pas retrouvés en position d'être victimes de ce terrible tir croisé.

La colère du personnel et de la direction d'ITN est inutile. Ces gens pensent-ils sérieusement qu'un pilote d'hélicoptère Apache est incapable de repérer des hommes en uniforme grimpant dans un véhicule civil ? Pensent-ils vraiment qu'un pilote d'hélicoptère, à travers ses lunettes grossissantes, n'a pas la possibilité de reconnaître des uniformes militaires à travers les fenêtres d'un bus ? Je n'ai pas eu l'opportunité de parler avec l'Irakien qui avait ramassé Terry Lloyd, mais il s'agissait certainement d'un homme très chanceux car, d'après mon expérience, il n'est pas très encourageant de servir de cible à un hélicoptère d'attaque. Il suffit d'une seule et unique rafale de son puissant canon mitrailleur pour transformer n'importe quel véhicule en une épave fumante et tailler en pièces tous ses occupants.

Terry Lloyd voyageait de manière autonome au beau milieu du champ de bataille – les journalistes appellent ça « aller à la pêche » – et, dans une telle situation, il ne pouvait pas ignorer qu'il s'exposait à de graves ennuis. Aujourd'hui, on ne peut malheureusement que lui rendre hommage, pleurer sa disparition et tirer les leçons de sa mort.

Il semblerait que dans la confusion des combats les deux parties en présence aient tiré sur le véhicule civil, mais il serait vain de chercher à savoir laquelle des deux blessures se révéla fatale ou même laquelle des deux forces militaires est plus responsable que l'autre. Les supérieurs de Terry Lloyd feraient mieux de s'interroger sur le bien-fondé de la décision consistant à le laisser partir dans cette région sans être accompagné d'experts militaires. Il est impossible de savoir ce qui lui serait arrivé s'il avait été escorté par d'excellents *contractors*, mais je doute que les Irakiens auraient choisi de poursuivre un 4 x 4 capable de répondre à leurs tirs avec précision.

Aujourd'hui, je suis persuadé que sa société a tiré toutes les leçons de sa mort. Toutes les équipes d'ITN doivent désormais voyager escortées par d'anciens militaires chargés de surveiller leurs arrières. Et, s'il ne devait rester que cela de la mort de Terry Lloyd, ce serait déjà beaucoup. Plusieurs des collègues qui ont suivi son parcours ont déjà eu la vie sauvée en certaines occasions par les *contractors* chargés de les protéger.

Quelques conseils à l'usage des apprentis reporters de guerre

Le conseil le plus évident que je donnerais à un journaliste souhaitant partir pour la première fois dans un pays comme l'Irak serait de s'interroger longuement pour prendre une décision mûrement réfléchie. Nous possédons tous différentes personnalités et certaines personnes sont dans l'incapacité de gérer le quotidien en zone de guerre. Si vous n'êtes absolument pas sûr de vous, alors je vous conseille de ne pas partir. Il n'y a aucune honte à exprimer son refus de mettre sa vie en jeu et de décliner une proposition de reportage en zone de guerre. En revanche, il est honteux d'accepter pour se retrouver, une fois sur place, dans un tel état de nervosité que l'on devient un véritable poids, voire un danger pour ses collègues. Chris Ayres, journaliste au *Times*, a écrit un livre hilarant sur ses jours comme correspondant de guerre « embarqué » à son corps défendant en Irak en 2003, alors qu'il était paralysé par la peur. Son livre, *War Reporting for cowards {Le Reportage de guerre pour les trouillards}*, rend parfaitement compte de son expérience et mérite d'être lu.

Si vous décidez de partir en reportage en zone de guerre, il y a plusieurs choses dont il vaut mieux que vous vous occupiez. La première consiste à suivre une bonne formation qui vous permettra de vous familiariser avec le jargon militaire et le monde des SMP. Plus important encore, vous pourrez y faire l'expérience de simulacres d'embuscades terroristes dans un environnement totalement sûr. Ce ne sera jamais aussi réaliste qu'une véritable attaque, bien sûr, mais cette expérience pourra vous sauver la vie par la suite si vous suivez les recommandations de l'instructeur devant les différents choix s'offrant à vous.

Vous apprendrez comment survivre si vous êtes séparé de votre équipe à l'issue d'un accrochage, et vous recevrez quelques conseils essentiels sur le comportement à adopter en cas de capture. Vous apprendrez à utiliser un système de navigation par GPS et vous serez initié aux notions de base en matière de communications radio et de protocoles de transmission. Le sixième sens étant une qualité cruciale dans des environnements hostiles comme l'Irak actuel, vous apprendrez à décrypter les signes annonciateurs de menaces comme une foule en colère sur le point de devenir incontrôlable ou une voiture conduite par des insurgés qui vous aurait pris en chasse. Vous serez en outre sensibilisé au problème des IED (engins explosifs improvisés) et à la manière de les reconnaître – une leçon primordiale pour tous ceux qui veulent éviter de finir déchiquetés dans un fossé. Enfin, vous suivrez quelques leçons de conduite tout-terrain et de conduite évasive qui mériteront votre entière attention.

Une partie essentielle de toute bonne formation concerne la médecine traumatique. Si vous êtes attaqué, vous n'aurez peut-être pas les qualités nécessaires pour répliquer, mais vous pourrez au moins soigner et panser une blessure. Ainsi, vous serez en mesure de sauver une vie sans pour autant représenter un poids au cours des combats. Une telle formation pourrait faire de vous, en dehors de toute considération journalistique, un membre utile de votre équipe.

Ma société organise aujourd'hui des formations pour les SMP et donne des cours personnalisés à des hommes d'affaires ou à des journalistes. Nous réalisons l'essentiel de nos formations en Grande-Bretagne, mais nous nous déplaçons également dans les pays d'Europe centrale, où nous avons le droit de nous exercer au tir avec des Kalachnikov ou des mitrailleuses. J'estime bien sûr que mes formations sont les meilleures, mais il y en a d'autres qui proposent des immersions similaires en zone de guerre. Quelques-unes d'entre elles sont assurées par d'excellents formateurs au profil comparable au mien. De telles formations sont indispensables pour tous ceux qui songent sérieusement à survivre à leurs déplacements en zone de guerre. Assurez-vous de choisir une formation adéquate qui soit dirigée par des professionnels et certifiée par notre organisme de tutelle, la Security Industry Authority.

Une autre chose à laquelle vous devez penser en cas de départ pour un pays en guerre est la validité de vos assurances et le fait que votre présence dans une zone de combats sera bien couverte par votre employeur en cas de problème. C'est particulièrement vrai pour les journalistes free-lance, qui pourraient être envoyés en reportage par des médias importants sans pour autant bénéficier de leur politique d'assurance.

Assurez-vous de connaître votre groupe sanguin et faites-le figurer – ainsi que d'éventuelles informations médicales importantes – sur une médaille que vous porterez autour du cou. Si vous vous rendez dans un pays où le virus HIV fait des ravages, déplacez-vous avec un kit sida – seringues, matériel stérile, etc. – que vous utiliserez en cas de blessure afin d'éviter une contamination dans un hôpital local.

La plupart des journalistes effectuent des recherches détaillées et connaissent parfaitement la situation politique, géographique et culturelle du pays dans lequel ils se rendent, mais ils ne s'occupent pas des pays limitrophes. Demandez des visas pour les pays frontaliers. Ils vous sauveront peut-être la vie si vous devez quitter le pays en catastrophe et, au minimum, ils faciliteront votre travail si vous avez tout simplement besoin de franchir la frontière pour y suivre le sujet de votre reportage.

Les meilleurs journalistes que je connaisse font tenir tout leur équipement, y compris leur ordinateur portable et leurs vêtements, dans une seule valise qui passe en bagage à main lorsqu'ils embarquent dans un avion. Des cameramen réservent parfois un siège supplémentaire pour éviter que leurs bagages ne voyagent dans la soute. Lorsque ces hommes ou ces femmes arrivent sur place, ils ne font pas le pied de grue pendant une heure devant le carrousel de valises dans l'attente de récupérer leurs affaires ; ils se rendent directement sur le terrain. Une règle importante consiste donc à voyager léger.

Un téléphone satellite est un must de nos jours et peut se révéler très utile en Irak pour obtenir des informations auprès des soldats américains. Il n'y a aucun tour de passe-passe là-dedans, il suffit de jouer sur le mal du pays des soldats qui, en échange d'un coup de téléphone gratuit passé à leur famille, vous viendront en aide. Un moyen plus primitif pour obtenir des renseignements consiste à les échanger contre un pack de canettes de bière. N'oubliez pas que l'armée américaine roule « à sec » ; en d'autres termes, elle ne laisse pas ses soldats consommer officiellement de l'alcool en dehors de leurs temps de permission. J'en ai fait l'expérience à plusieurs reprises : quelques canettes de bière ou la possibilité de passer un coup de fil peuvent donc être marchandés contre quelques renseignements essentiels, voire des munitions. À chaque fois, j'ai réussi à conclure un marché.

Le 19 août 2003 marqua un tournant dans l'intensification de l'insurrection en Irak. Ce jour-là, Bagdad assistait à une terrible scène de carnage. Le bâtiment des Nations unies gisait, en ruines, devant moi lorsque j'arrivai sur les lieux en compagnie d'une équipe de la télévision britannique.

Quand je repense à ce moment, je réalise que ce ne fut pas seulement un tournant dans la guerre, mais aussi une révélation pour tous ceux qui n'avaient pas encore compris que les psychopathes d'Al-Qaida, responsables de cette abomination, opéraient depuis de sombres forêts situées bien au-delà des murs de la civilisation. S'ils pouvaient frapper le personnel d'une organisation chargée de la paix dans le monde, alors ils pouvaient frapper n'importe qui.

Et ils avaient frappé fort. Un kamikaze avait garé son camion rempli d'explosifs quasiment sous la fenêtre du représentant spécial des Nations unies, Sergio Vieira de Melo. Celui-ci était mort, de même que vingt autres employés des Nations unies. Des dizaines d'hommes et femmes avaient été blessés dans l'effondrement de leur bâtiment, l'ancien hôtel Canal. L'endroit était un véritable chaos, avec des officiels des Nations unies errant dans les ruines, blessés ou simplement commotionnés par le souffle de l'explosion. De nombreux Irakiens travaillaient au sein de l'organisation en qualité d'interprètes, de secrétaires, d'agents d'entretien, et leurs proches affluèrent en masse sur les lieux du drame dès que la nouvelle fut connue.

De telles situations sont toujours difficiles à appréhender car le risque d'une deuxième bombe est toujours possible. Mon penchant naturel m'aurait plutôt incité à rester assis au loin, dans un endroit confortable, à boire une bonne tasse de thé en attendant de voir si une explosion allait de nouveau retentir, mais la vie est bien différente. Mes journalistes avaient besoin de filmer la scène au plus vite pour monter leur reportage à temps, alors je n'avais pas le choix.

De plus en plus de gens se pressaient sur les lieux de l'attentat et je me rappelle à quel point l'émotion de la foule semblait plus manifeste qu'à l'accoutumée. Je pense que les Irakiens ordinaires voyaient leurs espérances agoniser dans les décombres des Nations unies. Cette organisation leur était toujours apparue comme un compromis acceptable entre les États-Unis et les fous.

Une atmosphère étrange s'installa bientôt sur ces lieux de désolation. Pendant que les services d'urgence entamaient leur pénible travail de fouille des décombres à la recherche de corps, les journalistes s'assirent un peu à l'écart dans l'attente de nouvelles informations. Ils espéraient pouvoir filmer d'éventuels survivants arrachés aux gravats et à la mort. Peu à peu, la vie reprenait son cours et des vendeurs ambulants de boissons ou de sandwiches firent leur apparition, ne tardant pas à proposer leurs produits aux journalistes qui avaient été repoussés derrière un cordon de sécurité. Les gens commencèrent à discuter entre eux pour passer le temps et je fis la connaissance de *contractors* chargés de la protection d'autres équipes de journalistes.

Aussi étonnant que cela puisse paraître, l'ambiance se mit à ressembler à celle d'un pique-nique. C'était surréel. Une catastrophe d'ampleur internationale et un véritable drame humain se jouaient devant nous, mais nous discutions du bon vieux temps, des opportunités de travail et des connaissances que nous avions en commun. Les journalistes m'expliquèrent que cela arrivait tout le temps. Ils se rendaient dans des villes bombardées ou assiégées, et au bout d'un moment ils n'avaient plus rien d'autre à y faire que tuer le temps. Alors, que faisaient-ils ? Se tenaient-ils debout en silence pour rendre hommage à ceux qui étaient morts ou qui souffraient ? Ou bavardaient-ils ensemble ? Ils bavardaient ensemble.

Des vendeurs à la sauvette installèrent leurs petits stands et nous pûmes bientôt déguster du poulet en buvant du café chaud. Les gens mangeaient et discutaient, et je ne vois vraiment pas comment décrire cette scène sinon en la comparant à un pique-nique.

Les enfants des rues arrivèrent à leur tour. Ils étaient des centaines à Bagdad. Certains étaient orphelins à cause de Saddam ou de l'une de ses guerres, d'autres à cause des bombardements de la Coalition. Quelques-uns avaient encore de la famille, mais, faute de pouvoir s'occuper d'eux, on les avait mis à la porte. Nous les croisions souvent car ils aimaient traîner du côté des hôtels, à quémander de la nourriture ou des petits boulots alimentaires pour survivre. Ils étaient toujours à l'affût d'une opportunité, en quête d'un moyen de gagner un dollar ou une canette de Coca-Cola. Lorsqu'ils arrivèrent près du bâtiment détruit des Nations unies, les connaissant déjà, nous leur donnâmes à manger sans qu'ils nous demandent rien. Ils étaient là, nous avions à manger, alors nous partagions avec eux. C'était aussi simple que cela.

La plupart de ceux qui se tenaient autour de moi étaient accros aux solvants. Cela se voyait à leurs nez coulants, à leurs yeux rougis, à leurs petites figures mates décolorées par les effluves chimiques. La situation de ces enfants n'était pas sans évoquer les romans de Charles Dickens. Ils étaient pour moi comme les versions locales d'Oliver Twist. L'un d'eux avait un nom difficile à prononcer que nous avions simplifié en l'appelant David. Je l'aimais bien. Il avait quelque chose de spécial. À chacun de mes passages à Bagdad je lui glissais 20 dollars. Mais je lui avais fait promettre d'arrêter les solvants.

– J'arrêterai, Monsieur John, m'avait-il répondu. De toute façon, je n'aime plus ça.

– C'est une bonne chose que tu n'aimes plus ça, parce que cela pourrait te tuer.

– Aah, avait-il dit gravement. Mais vous, Monsieur John, qu'est-ce qui pourrait vous tuer ?

Bonne question, avais-je pensé sans pouvoir lui fournir de réponse. Il s'était alors enfui avec son argent. À chaque fois que je le revoyais, il me montrait les vêtements ou les baskets qu'il s'était achetés avec mon argent.

– J'ai une famille, mais ils ne m'aiment pas, me dit un jour David. Quand je rentre chez moi, ils me chassent. Ils n'ont pas assez d'argent pour me nourrir.

Je ne sus quoi lui répondre sur sa famille. Qu'aurais-je pu dire sur le fait qu'ils le mettaient à la porte ? Je ne savais tout simplement pas comment réagir. David, comprenant que j'étais mal à l'aise, me sourit de toutes ses dents et déclara :

– Ne vous en faites pas, Monsieur John. Un jour, j'aurai quatre ou cinq énormes voitures de la General Motors Company et je m'en servirai pour transporter les équipes de journalistes. Je serai très riche et j'aurai ma propre famille.

Il se tenait là, ce jour-là, avec les autres enfants devant les décombres des Nations unies et je me demandais ce que lui et ses camarades allaient devenir. J'espérais que David s'en sortirait. Peut-être, peut-être bien qu'il arriverait à se constituer une flotte de 4 x 4. Mais où les journalistes seraient-ils à ce moment-là ? Encore en Irak ? Ou bien au Pakistan, en Indonésie ? Qui sait où la folie de ce monde les mènerait la prochaine fois ?

Ces enfants de Bagdad n'ont jamais fait l'objet d'un article. Leur tragédie n'est jamais montrée à la télévision. L'histoire se déroule sous le nez des journalistes, mais ils ne la voient pas. À bien des égards, c'est pourtant l'une des histoires les plus importantes qui soient, dans ce pays où les enfants ont déjà tant souffert.

DOUZE

Respect

Ce 5 novembre 2003, les brumes glaciales de l'automne enveloppaient déjà l'Angleterre de leurs sombres voiles. En revanche, au milieu du désert, sur l'autoroute qui relie le Koweït à Bassora, la chaleur était écrasante. Et l'air suffocant n'allait pas tarder à se charger d'une odeur de poudre bien plus âcre que celle des pétards de Bonfire Night[1]. Deux anciens couteaux, qui venaient d'escorter deux clients jusqu'à Koweït-Ville, roulaient à présent dans leurs 4 x 4 GMC flambant neufs vers leur base avancée. Dans moins d'une heure, ils laisseraient derrière eux, raides morts au bord de la route, quatre insurgés irakiens, tués au cours d'un drôle de feu d'artifice qu'ils n'auraient pas dû déclencher.

Les quatre IGC installés dans leur vieille Mercedes avaient sans doute cru leur jour de chance arrivé lorsqu'ils avaient repéré ces deux 4 x 4 roulant l'un derrière l'autre dans le paysage lunaire. Ils décidèrent de laisser passer la première voiture et d'attaquer l'homme du second véhicule. Mauvaise décision.

L'ancien couteau qui conduisait le premier 4 x 4 était un Gallois du nom de Darren, un homme formidable et un dur à cuire qui à lui seul aurait déjà représenté un adversaire redoutable pour les quatre insurgés, et même pour quatre de plus s'il avait fallu. Mais l'homme auquel avaient décidé de s'en prendre les IGC était d'un autre calibre. La deuxième voiture était en effet conduite par une légende vivante du SAS, un homme dont les exploits étaient célébrés au sein de toute la communauté des forces spéciales. C'était un Fidjien connu sous le nom de Tak, qui deviendrait bientôt leur Némésis. Imaginez-vous un puissant guerrier polynésien à la carrure imposante, toujours poli, parlant d'une voix douce et se comportant de manière adorable avec sa famille et ses amis. Mais lorsque son instinct de combattant se réveillait, il devenait alors le plus terrible des ennemis.

Tak me raconta lui-même son accrochage. C'est l'un des plus

1- En Angleterre, le 5 novembre 1605, une tentative de faire sauter le Parlement fut déjouée ; on commémore cet événement chaque année.

extraordinaires témoignages sur les combats rapprochés ayant impliqué un *contractor* en Irak que j'aie jamais entendus. Je ne peux mieux faire que laisser Tak en parler avec ses propres mots...

Tu sais comment c'est, John. Je commençais à en avoir un peu marre des procédures opérationnelles de la boîte pour laquelle je travaillais et j'avais dans l'idée de tout plaquer et de chercher du boulot ailleurs. Je n'aimais pas trop conduire seul au beau milieu de l'Irak et j'estimais qu'il me fallait un coéquipier car on ne pouvait pas tirer tout en conduisant. Tout cela était trop risqué. Je n'aimais pas non plus me promener dans un 4 x 4 sans blindage, avec des armes de merde et même pas de gilet pare-balles.

Bref, nous avions déposé nos clients au Koweït et nous retournions en Irak pour effectuer une nouvelle navette avant d'avoir droit à cinq ou six jours de repos. Après avoir roulé jusqu'à la passe de Mutla, là où se trouve le vieux poste-frontière, nous avons emprunté l'Autoroute Tampa conduisant en Irak. Mais j'ai eu envie de varier un peu l'itinéraire, alors j'ai contacté Darren par radio pour lui suggérer de prendre l'ancienne route parallèle à l'autoroute. Nous avons donc quitté l'autoroute et Darren a pris la tête de notre petit convoi. Il était environ 15 h 30, l'endroit était absolument désert. Nous avancions bien et il ne nous restait plus qu'une heure et demie de route à faire. Nous n'étions pas très loin des champs de pétrole qui s'étendent entre le Koweït et Bassora et l'on distinguait leurs installations à l'horizon.

Nous sommes ensuite arrivés sur un tronçon de route encombré d'une vieille carcasse calcinée de char T42 datant de la guerre du Golfe. Nous l'avons contournée, puis nous avons continué sur la route, qui devient alors à quatre voies, juste avant d'emprunter un pont surplombant l'autoroute. À la sortie de ce pont, il y avait une espèce de piste pentue qui faisait office de bretelle d'accès officieuse entre la nationale et l'autoroute. Une voiture en a surgi et nous a devancés sur la nationale. Les occupants se sont laissé doubler par Darren, puis ils se sont arrêtés pour me regarder passer. J'ai voulu jeter un coup d'œil dans leur voiture pour y repérer d'éventuelles armes, mais je n'ai rien pu voir. Ils ont alors redémarré, m'ont dépassé, puis ont brusquement ralenti. Lorsque je suis arrivé derrière eux, j'ai voulu les doubler, mais ils m'ont fait une queue-de-poisson en m'obligeant à freiner et à rester derrière. Décidant de leur accorder le bénéfice du doute, j'ai tenté de les dépasser à nouveau.

À ce moment-là, le doute n'a plus été permis ; ils ne se sont même pas fatigués à me faire une queue-de-poisson, ils se sont contentés de me lâcher une rafale de Kalachnikov. J'ai alors clairement réalisé que j'étais au menu. Comme je ralentissais à nouveau, des AK sont apparues à toutes les fenêtres de leur voiture. Pas bon.

Une première option aurait consisté à leur rentrer dedans. Comme tu le sais,

John, au Régiment, on nous enseigne certaines techniques de conduite agressive qui les auraient certainement secoués. Ç'aurait été parfait si Darren avait été assis à mes côtés, prêt à leur tirer dessus tout de suite après le choc. De cette façon nous en aurions rapidement terminé, mais, comme il n'était pas avec moi, je décidai d'abandonner cette solution. À la place, je braquai brusquement le volant et quittai la route pour m'enfoncer dans le désert. Je ne fis qu'une quinzaine de mètres, à cause des rochers et par peur de m'ensabler, puis je repris un cap parallèle à la nationale. J'étais intensément concentré sur ma conduite – tout en maudissant la boîte et sa politique de merde – lorsque j'aperçus en face de moi une crête rocheuse impossible à franchir en voiture. J'étais pris au piège. Je dus m'arrêter et, lorsque je relevai les yeux... merde ! Trois des connards de la Mercedes étaient debout devant moi. Ils avaient sans doute foncé sur l'asphalte pendant que je m'évertuais à ne pas planter mon véhicule dans le désert. Et, lorsqu'ils avaient vu que j'allais être coincé, ils avaient bifurqué pour me couper la route.

J'ai omis de dire qu'ils ne se contentaient pas de rester nonchalamment plantés devant moi ; ils commençaient à me tirer dessus, l'arme à la hanche. Des balles criblaient l'air tout autour de moi, mais aucune ne me toucha. J'avais braqué sur le côté en m'arrêtant, de sorte que la plupart des balles traversaient la voiture du côté passager. J'avais moi-même un MP5, un pistolet et une AK posée par terre derrière mon siège. Le MP5 est une bonne arme pour un combat rapproché – son canon est plus court que celui d'une AK –, je l'utilisai donc aussitôt pour leur lâcher une rafale à travers le pare-brise. Je ne crois pas qu'ils réalisèrent que j'avais répliqué à leurs tirs tant ils étaient occupés à me vider leurs chargeurs dessus. Ils faisaient un tel vacarme qu'ils n'avaient sans doute même pas entendu les détonations de mon arme. Peut-être pensaient-ils que c'étaient leurs balles qui avaient détruit mon pare-brise ? Ils continuèrent d'avancer vers moi, l'arme à la hanche.

Je ne sais plus comment cela arriva, mais une drôle d'idée me vint tout à coup à l'esprit. Je lâchai mon arme sur mes genoux et levai les mains comme si je me rendais. Ils cessèrent de tirer – ils étaient alors juste devant mon capot – et hésitèrent quelques secondes sur la conduite à tenir. Il ne me fallait rien de plus que ces quelques secondes. Tout alla très vite, à peine le temps d'un battement de cils. J'attrapai mon MP5, tirai à nouveau à travers le pare-brise et deux d'entre eux allèrent au tapis. Je me rappelle encore l'expression de leurs visages. C'était une véritable surprise pour eux. Comme s'ils avaient pensé : « Putain, qu'est-ce qui se passe, ce n'était pas prévu comme ça ! »

Ils étaient vêtus de djellabas, à la mode locale. Je crois me rappeler que l'un d'eux avait un keffieh enroulé autour de la tête. Ils tombèrent comme des sacs. Mais le troisième s'était avancé sur le côté et tirait encore. Terrifié à la vue de ses camarades abattus, il sentait que tout allait bientôt finir.

Je bondis de la voiture et me précipitai vers lui. Je lus dans ses yeux que la mort de ses amis l'avait paralysé et qu'il avait perdu toute l'assurance qu'il affichait encore quelques minutes plus tôt. Mes yeux n'exprimaient aucune peur, mais les siens lançaient comme des signaux de détresse. Il était désespéré ; il savait que c'était lui ou moi. Nous le savions tous deux.

Je contournai la voiture tout en lui tirant dessus avec le MP5. Il restait debout et vidait son chargeur sur moi, mais il était si bouleversé qu'il ne me toucha pas. Je lui sautai dessus avant qu'il puisse réagir et lui écrasai mon arme sur la figure. Je ne sais plus pourquoi. Sans doute parce que je m'étais retrouvé à court de munitions sans avoir eu le temps d'enclencher un nouveau chargeur. Tout ce que je savais, c'est que je devais lui arracher cette AK des mains. C'est à ce moment-là, tandis que je l'assommais, qu'il me tira dans la cuisse. Mais je ne pense pas qu'il s'en soit rendu compte car je l'avais salement arrangé. Il était alors dans un tel état que je pus facilement lui arracher la AK des mains avant de m'en servir pour l'achever. Je partis ensuite à la rencontre de Darren, qui venait juste d'abattre le conducteur de la Mercedes et qui s'apprêtait à venir à la rescousse.

Il me conduisit jusqu'à l'hôpital militaire de Bassora, après quoi je fus rapatrié à Londres par avion. La balle n'avait heureusement fait que traverser la chair et j'avais échappé à de graves ennuis. Il arrive en effet que les balles d'une AK touchent un os, ricochent dessus et traversent tout le corps. Aujourd'hui, tout va bien. Ce n'était pas ma première blessure et j'avoue que j'ai eu beaucoup de chance.

Quand il eut fini de me raconter son histoire, Tak me sourit et ajouta :

– Ils m'ont aussi tiré dans la tête, John.

– Que veux-tu dire ?

– Eh bien, quelques balles ont traversé mes affaires, qui se trouvaient sur la banquette arrière, dans mon sac, et l'une d'elles a troué la photo de mon passeport. J'ai dû aller à Newport pour en faire établir un nouveau et, lorsque j'ai expliqué à la fille derrière le comptoir ce qui s'était passé, elle m'a demandé : « C'est ce qui vous a sauvé ? » Je me suis contenté de lui répondre : « Euh, non, pas vraiment… »

Voici donc l'histoire de Tak, mais elle n'est pas finie. Tak est tout simplement le genre d'homme dont l'histoire devrait être projetée en rayons laser au-dessus de sa tête pour que tous les imbéciles du coin apprennent à l'éviter et vivent un peu plus vieux. Tak faisait partie de l'équipe qui avait donné l'assaut à l'ambassade d'Iran à Londres, lors de la prise d'otages de 1980, et dont les images montrant le travail du SAS avaient fait le tour du monde et rendu le Régiment célèbre sur toute la planète. L'assaut avait été mené de manière courageuse, avec sang-froid et en toute transparence. Pourtant, ce n'était pas son plus haut fait d'armes. Tak était également l'un des héros de la bataille de Mirbat, qui s'était déroulée à Oman – à ne pas confondre avec l'escarmouche de l'hôtel Murbad de Bassora.

Cette bataille, qui eut lieu en 1972, est considérée comme l'une des plus grandes démonstrations de résistance et de bravoure de l'armée britannique. L'aube était à peine levée, ce 19 juillet, lorsque 400 rebelles de l'ADOO descendirent de leurs collines pour fondre sur le port de Mirbat, dans la région du Dhofar. Ce port était défendu par un simple détachement de neuf hommes du SAS, sous le commandement du capitaine Mike Kealy.

La patrouille de SAS se barricada dans une maison située à proximité du vieux fort Wali, qui constituait un point stratégique dominant la ville, et elle repoussa, vague après vague, les multiples assauts rebelles. Au cours de cet affrontement, le sergent fidjien Talaiasi Labalaba, un camarade de Tak, parvint à parcourir les 500 mètres qui le séparaient de l'une des fosses d'artillerie du fort, et il sauta dedans pour y manœuvrer une vieille pièce d'artillerie, un canon de 25 livres datant de la Seconde Guerre mondiale. Des nuées de rebelles convergèrent alors vers le fort, sous le feu dévastateur des deux mitrailleuses du SAS dont les canons étaient chauffés à blanc, ainsi que sous la pluie d'obus tirés au jugé par Labalaba depuis sa fosse d'artillerie. Lorsque Labalaba fut blessé par l'ennemi, Tak se précipita pour lui venir en aide, s'exposant à son tour aux balles traçantes et aux obus de mortier qui le poursuivirent tout au long de sa course de 500 mètres. Mais il réussit à plonger et à rouler dans la fosse d'artillerie sans avoir été touché.

Il trouva Labalaba aux commandes de sa pièce d'artillerie. Il le remplaça à la manœuvre et, bien qu'étant rapidement blessé à son tour, continua de tirer ses obus sur les rebelles qui s'approchaient désormais du bord de leur fosse. Quelques-uns de leurs camarades arrivèrent à la rescousse, mais Labalaba fut tué d'une balle dans le cou. Ils allaient tous se retrouver submergés par les rebelles quand 22 hommes de l'Escadron G furent héliportés au cœur même de la bataille. Les rebelles furent finalement repoussés avec l'aide de renforts aériens. Les combats avaient duré six heures et entraîné la mort de 87 rebelles de l'ADOO.

À l'issue de la bataille, et alors même qu'il souffrait d'une grave blessure qui n'aurait pas manqué de faire s'évanouir n'importe qui d'autre, Tak se contenta de marcher d'un pas tranquille vers l'hélicoptère qui devait l'évacuer. Son ami gisait mort dans la fosse d'artillerie. Il ne faisait aucun doute, au sein du Régiment, que les deux Fidjiens devaient recevoir la Victoria Cross. Oubliez Fort Alamo. Davy Crockett y a peut-être trouvé la mort mais, lorsque la bataille de Mirbat s'acheva, Tak et la plupart de ses amis étaient encore debout. Ils avaient pourtant combattu l'ennemi dans des proportions équivalentes. À quarante contre un.

Il y a une dernière chose que je dois vous dire à propos de Tak : lorsqu'il tua ces trois IGC en ce jour de 2003, il avait 58 ans. En décembre 2005, à l'âge de 60 ans, il dut s'inscrire à l'une de mes formations car les nouvelles lois britanniques rendaient obligatoire l'obtention d'un diplôme pour travailler dans une SMP. Imaginez-vous tentant d'enseigner à un homme comme lui le combat rapproché ou l'intuition du danger !

Certains de ses amis ne se privèrent pas de le taquiner après son accrochage sur la route Jackson. Ils lui reprochèrent d'être tombé dans une embuscade en allant chercher sa carte Vermeil à Bassora. Un homme extraordinaire.

Il y a d'autres personnes en Irak dont je respecte énormément le travail. Ce sont notamment trois jeunes gens dont les exploits leur ont valu le surnom effrayant de « Cavaliers de l'Apocalypse ». Ils ont hérité de ce surnom en raison du nombre très élevé d'accrochages auxquels ils ont survécu et du nombre important d'insurgés tués lors de ces confrontations. Je les appellerai Andy, Mel et Cules. Je me sens particulièrement proche d'eux car je les ai entraînés lors de ma première formation dispensée en août 2004, avant qu'ils ne partent pour l'Irak. Mel et Cules, deux anciens du 1er Régiment de paras, avaient servi aux côtés de mon fils Kurt en Sierra Leone. Andy avait quant à lui servi dans l'unité transmissions mise à la disposition du SAS. Après avoir quitté l'armée, il avait effectué quantité de boulots complètement cinglés, dont lutteur à mains nus en cage quelque part dans l'ouest de la Grande-Bretagne. C'était vraiment quelqu'un de particulier.

Ils eurent leurs premiers ennuis quelques semaines seulement après leur arrivée. Cela les mit très vite dans le bain puisqu'ils enchaînèrent ensuite fusillades et attentats à la bombe avec une régularité qui était tout sauf monotone. Ils accumulaient les accrochages avec les insurgés comme d'autres collectionnent les contraventions pour excès de vitesse. À ce jour, ils ont été victimes de quatre attentats à la bombe (je devrais plutôt dire de quatre tentatives d'attentat) et ont été impliqués dans une douzaine de fusillades. Quatre ou cinq de leurs véhicules ont été entièrement détruits, mais ils sont sortis à chaque fois indemnes et triomphants de leurs épaves. Certains pensent qu'ils sont indestructibles. J'espère qu'ils le sont vraiment.

Ce sont les Cavaliers qui vécurent la triste fusillade contre le rebelle solitaire qui fut finalement tué par un hélicoptère Apache, comme je l'ai raconté à la fin du chapitre 5. Mais ils survécurent aussi à quelques attaques beaucoup plus sévères, dont l'une impliqua même des policiers. C'était en octobre 2004, au nord de Bagdad, tandis qu'ils effectuaient un voyage de routine – pour autant que de tels voyages existent en Irak – au sein d'un convoi constitué de trois 4 x 4 blindés et d'un véhicule à tourelle fermant la marche. Ils partaient chercher des clients à escorter. Un vent brûlant du désert ayant soufflé toute la journée leur avait mis les nerfs à vif. Quand ils tombèrent sur un barrage routier installé par la police à l'entrée d'une petite bourgade, ils ne se doutèrent pas un instant que leur énervement allait franchir quelques degrés dans l'heure suivante.

Ils s'arrêtèrent et entamèrent la procédure habituelle consistant à présenter papiers d'identité et laissez-passer aux policiers ; un type de situation qui entraîne toujours beaucoup de confrontations visuelles. En fait, vous vous retrouvez vite à regarder dans les yeux tous ceux que vous croisez en Irak. Vous y cherchez le moindre signe de haine ou de gêne qui pourrait vous avertir que quelque chose se prépare. Cela devient une seconde nature. Les Cavaliers reconnurent plus tard avoir pressenti que ce barrage routier avait quelque chose de louche, mais ils continuèrent néanmoins de rouler dans sa direction parce qu'il n'y avait que ça à faire – continuer d'avancer. Quand ils arrivèrent en ville – une ville que je ne peux nommer pour différentes raisons –, ils la trouvèrent déserte et eurent une impression de profonde solitude, à la Clint Eastwood. Leur malaise augmenta encore lorsqu'ils virent des policiers se précipiter dans leur commissariat à l'approche de leur convoi.

– Tu as vu ces enfoirés ?, interrogea Andy sur la radio.

– Ouaip, répondit Cules.

– Faites gaffe, lança Andy, bien que tous aient déjà pressenti ce qui allait se passer.

Whak ! Whak ! Whak !

Les rafales d'une mitrailleuse lourde firent sauter des gerbes de terre sur leur droite avant que ne retentissent à leur tour les sifflements d'armes légères. Quelques balles criblèrent leurs véhicules, mais ils eurent le temps de repérer l'origine des tirs et commencèrent à riposter. Mel et Cules sortirent de leurs voitures et coururent vers le bâtiment le plus proche tandis que la Minimi du véhicule à tourelle dévorait avec gloutonnerie ses bandes de cartouches pour les recracher furieusement à la face des hommes embusqués. Mel et Cules, qui comptaient grimper dans les étages du bâtiment pour arroser leurs assaillants, y furent accueillis par des coups de feu.

Retour à la rue. Chaos assourdissant. Une véritable bataille rangée s'ensuivit, au cours de laquelle les Cavaliers tuèrent tous les hommes armés qui commettaient l'erreur de révéler leur position. Six ou sept d'entre eux gisaient déjà, morts ou blessés, mais d'autres continuaient de tirer. Les Cavaliers n'avaient pas réussi à détruire la mitrailleuse lourde de leurs opposants, mais ils en avaient limité le champ d'action grâce à la précision de leurs tirs. Il était temps pour eux de lever le camp et de laisser la Minimi transmettre leur message d'adieu.

– Merde ! Le pneu !

Tandis que les balles continuaient de siffler autour d'eux, Cules se figea quelques instants à la vue de sa roue arrière. Elle était en lambeaux.

– Oh, non !

Mel venait de constater l'état du pneu.

– Couvre-moi, hurla Cules. Je vais m'en occuper !

– Qu'est-ce que tu vas faire ?

– Ben je vais changer cette putain de roue !

Mel haussa les épaules et retourna à son tir de couverture qui, avec celui de ses collègues, permit de faire taire les armes ennemies. Telle est la règle du jeu ; remporter la bataille en tirant mieux que les attaquants, en ne leur laissant jamais le temps de viser. Les Cavaliers n'avaient pas besoin de longues secondes pour viser ; les insurgés, si.

Cules détacha le cric et la roue de secours de l'arrière du véhicule et déboulonna la roue endommagée en un temps record. Vous avez déjà vu les mécaniciens dans les stands de ravitaillement des courses de Formule 1 ? Certes, ils travaillent vite, mais je ne ferai aucun commentaire sur leur travail avant de savoir s'ils sont aussi rapides sous la mitraille ennemie. Les Cavaliers estiment avoir établi un record en mettant six minutes à changer la roue sous un feu nourri, alors même qu'ils n'étaient que deux à le faire ! Il y aurait peut-être un concours à organiser, mais je ne suis pas sûr que les gars de Ferrari seraient enthousiastes à cette idée.

Cules plaqua la nouvelle roue contre l'essieu, vissa les boulons tout comme si sa vie en dépendait, abaissa le cric, puis le balança sur le plateau du pick-up avant de ramasser la roue crevée et de la jeter à son tour à côté du cric.

– Mais fous-moi cette putain de roue ailleurs !, se mit à hurler Gus, l'homme de la tourelle aux commandes de la Minimi, lorsque la roue, en heurtant son arme, dévia son tir, lui faisant cracher une rafale dans la rue juste au-dessus de l'épaule de Cules.

Cules rattrapa la roue et la coucha sur le plateau du pick-up. Elle glissa contre les parois lorsqu'ils démarrèrent en trombe pour quitter la ville et rejoindre leur base avancée.

Les tirs des assaillants avaient nettement diminué sous l'effet de leur riposte, précise et dévastatrice, mais il aurait été déraisonnable qu'ils poursuivent leur chemin à travers la ville.

Saddam Hussein est né à Tikrit, la ville qui constituait le cœur de sa puissante toile d'araignée despotique. Elle abrite toujours ses proches et grouille encore de ces porcs du parti Baas qui se gavaient dans les mangeoires de son régime pendant que le reste de la population souffrait. Tikrit n'est pas vraiment l'endroit idéal pour louer un appartement en résidence partagée.

Les Cavaliers y passèrent un jour, après avoir consacré l'essentiel de la journée à escorter des clients dans le coin sans jamais relâcher leur garde. Ils avaient avalé les kilomètres et roulaient sur une portion de route à quatre voies, à l'est de la ville, quand Cules avait remarqué une vieille voiture japonaise garée au bord de la route de manière plutôt étrange. Formant comme un angle avec la chaussée, elle offrait à ses passagers une vue parfaite sur près d'un kilomètre de route, ce qui suffit aux Cavaliers pour la trouver suspecte. D'autant plus que l'un d'eux, rusé comme un renard, l'avait déjà remarquée plus tôt dans la journée.

– Même voiture que ce matin, aboya-t-il à la radio.

Il ne faisait aucun doute que cette voiture était celle d'une « tête de nœud » – un terme d'argot anciennement utilisé par l'armée britannique pour désigner les guetteurs de l'IRA en Irlande du Nord. La manière dont la voiture était garée laissait présager d'autres surprises. De nombreuses surprises. Les Cavaliers virent bientôt une autre berline, de couleur sombre cette fois, garée sur un bas-côté entièrement vide, à l'exception d'un mur de béton haut de 2 mètres. Pourquoi quelqu'un irait-il se garer là ? Que faisait-il ? Inspectait-il une partie du mur ? Peu probable.

Mel envisagea rapidement toutes ces éventualités, mais plusieurs voix lui crièrent la seule réponse qui s'imposait, et qu'il répercuta aussitôt sur le canal de la radio pour prévenir les voitures derrière lui : « Kamikaze ! »

Au même moment, le mitrailleur du véhicule fermant le convoi repéra un tireur sur le côté droit de la route. Il commença aussitôt à tirer de courtes rafales, les unes après les autres. Une seconde plus tard, leur pare-brise se craquelait sous l'impact du flash orange provoqué par l'explosion de la voiture garée contre le mur.

Cules, qui se trouvait au volant, réussit à garder le contrôle du véhicule malgré l'effet de souffle. Il le conduisit à travers les flammes, en dehors de la zone piégée. Là, les Cavaliers se retrouvèrent pris sous la mitraille, mais même s'ils venaient de traverser une explosion, ils avaient eu la présence d'esprit de noter les positions de tir ennemies.

« À droite, à droite ! », hurla Andy en lâchant ses rafales depuis un véhicule que les insurgés s'attendaient à voir réduit à l'état d'épave et ne contenant plus que des corps déchiquetés. Mauvaise pioche. Les Cavaliers accentuèrent leur pression et tuèrent vraisemblablement quatre insurgés en se défendant. Cet accrochage est d'autant plus remarquable qu'il a été filmé par une caméra de bord comme celles qui équipent la police routière en Angleterre.

À l'heure qu'il est, deux des Cavaliers poursuivent leurs chevauchées sauvages sur l'Autoroute, mais Cules a raccroché. Je lui ai demandé pourquoi.

– Ce n'est pas parce que j'ai peur ou un truc comme ça, John, me dit-il. En fait, je ne sais pas trop pourquoi, mais je crois surtout que j'en ai ma claque de me faire tirer dessus ou de réchapper de justesse d'une explosion.

Bien vu. Je respecte et j'admire les Cavaliers pour ce qu'ils ont fait, mais il y en a d'autres qui n'ont malheureusement pas survécu à de telles attaques. Je les salue également.

En mai 2005, un convoi circulant dans l'ouest de l'Irak fut attaqué par une branche d'Al-Qaida, le groupe Ansar Al-Sunna. L'embuscade réussit et elle leur permit d'isoler l'un des membres du convoi. Celui-ci, encerclé, vaincu par le nombre, se retrouva tenu en joue par les insurgés, seul face à son destin, tandis que le reste du convoi disparaissait à l'horizon afin que les clients, dont la vie était prioritaire, puissent être mis à l'abri. Les hommes du groupe Ansar Al-Sunna s'apprêtaient sans doute à s'amuser un peu avec leur otage, mais ce dernier n'était pas un homme ordinaire. C'était Akihiko Saito, un samouraï des temps modernes qui avait servi au sein des forces parachutistes japonaises avant de s'engager dans la Légion étrangère.

Le canon de la AK-47 que l'un des moudjahidins pointait sur lui ne lui faisait pas peur ; il avait décidé de mourir plutôt que d'endurer de longues tortures avant de finir égorgé. Bien que grièvement blessé, il dégaina une arme dissimulée sous son gilet de combat et blessa deux de ses ravisseurs. Il ne parvint pas à faire mieux en raison de ses blessures et il fut aussitôt abattu d'une rafale de mitraillette. Il reçut encore plusieurs balles, mais la vie ne l'abandonna pas tout de suite. Les terroristes traînèrent son corps, le passèrent à tabac sans aucune pitié et ne prirent la fuite qu'à l'arrivée de la Force de réaction rapide américaine. Akihiko mourut plus tard de ses blessures.

Ansar Al-Sunna diffusa ultérieurement un enregistrement vidéo montrant son corps martyrisé accompagné de quelques commentaires de propagande islamique – des paroles creuses et vides de sens en regard de l'immense courage dont Akihiko avait fait preuve. Je l'avais brièvement rencontré, quelque temps avant sa mort. En bon Japonais, il était poli et réservé, mais je lui avais trouvé le regard hanté du rônin – ce samouraï sans maître, ce mercenaire du Japon millénaire. Respect.

TREIZE

Les temps changent

Nous sommes en 2015 et l'Amérique occupe toujours la première place dans le monde grâce au développement des piles à hydrogène, une nouvelle source d'énergie, et à ses avancées scientifiques dans le domaine de la génétique. La guerre contre le terrorisme, qui n'a jamais cessé, oblige le président des États-Unis à intervenir contre un État fondamentaliste du Moyen-Orient servant de refuge à des terroristes. Une nouvelle onde de peur ébranle la planète lorsqu'il envoie l'US Air Force bombarder plusieurs sites terroristes avec une précision redoutable. Des troupes au sol prennent le relais sur le terrain, sous couverture aérienne, et détruisent plusieurs objectifs avant de prendre le contrôle d'une ville frontalière stratégique. Il ne s'agit pas d'un raid des forces spéciales, mais d'une opération plus importante, d'une invasion de taille moyenne.

Les troupes au sol ne sont guère différentes de celles qui furent déployées durant la guerre en Irak, à quelques nuances près toutefois. Les casques des soldats ont été redessinés et intègrent à présent une lunette de vision nocturne et une visée laser. Les hommes portent désormais une sorte d'armure légère moulée dans la céramique qui les fait ressembler à des chevaliers de plastique du XXIe siècle. Mais la différence fondamentale vient sans doute de ce que cette armée américaine n'est plus constituée de recrues venues des quatre coins des États-Unis : elle est composée de *contractors* grassement payés, qui ont fait allégeance non pas au président ou à la bannière étoilée, mais aux sociétés qui ont remporté les appels d'offres du Pentagone.

Quelques soldats d'élite ont directement négocié des contrats individuels fort lucratifs, mais la plupart d'entre eux sont salariés par de grosses sociétés. Ces gens de guerre incorporés dans des « Grandes Compagnies », pour reprendre un terme du Moyen Âge, sont originaires du monde entier. Ces sont des Anglais, des Allemands, des Français, des Italiens, des Australiens, des Néo-Zélandais, mais aussi des Sud-Africains, des Gurkha et des Fidjiens, qui forment ensemble une immense armée internationale prestataire de services. Ils ont de nombreuses choses en commun – une excellente formation au combat, une grande expérience en zone de guerre et une parfaite maîtrise de l'anglais – qui leur permettent de s'insérer sans effort dans la structure de commandement de n'importe quel État client.

La loyauté ? Bien sûr. Loyauté envers leurs camarades et envers leurs idéaux de bon soldat. Loyauté envers leur contrat. Les citoyens préfèrent sans aucun doute les engagements militaires motivés par le patriotisme, et certains des plus grands héros de l'Histoire furent de vrais patriotes, mais, pour chacun de ceux-là, combien de conscrits qui, avec la meilleure volonté du monde, furent d'excellents employés de bureau mais seulement de piètres soldats ? On les appelait « chair à canon ». Nul besoin de chair tendre dans ces nouvelles armées de mercenaires. Elles ne comptent que des combattants. Il est d'ailleurs aisé d'imaginer comment ces armées pourraient être organisées – à la manière américaine, avec des classements façon équipes de football. Le contingent britannique serait vraisemblablement désigné sous le sobriquet des « Bulldogs », avec un bel emblème churchillien. On trouverait également l'équipe des « Gurkha de l'Everest » ou celle des « Wallabies »... Ces légions d'un nouveau genre pourraient même sécuriser des contrats publicitaires, des conventions de sponsoring ou des placements de produits. Peut-être pourraient-elles prétendre à des primes en fonction de leurs résultats ?

Vous pensez peut-être que je vais trop loin ? Rien n'est moins sûr. Même de ce côté-ci de l'Atlantique, en Grande-Bretagne, notre secrétaire d'État aux Affaires étrangères, Jack Straw, a prédit un rôle croissant pour les SMP dans les conflits futurs. Je le cite : « Dans les pays développés, le secteur privé s'implique de plus en plus dans des activités militaires ou de maintien de l'ordre. Les États et les organisations internationales se tournent vers le privé car il leur procure, au meilleur rapport qualité-prix, des services qui étaient autrefois exclusivement fournis par l'armée. »

Des officiers supérieurs de l'armée américaine envisagent d'ailleurs que l'armée américaine du futur puisse un jour ressembler à l'armée espagnole des XIVe et XVe siècles. Celle-ci était constituée de mercenaires recrutés parmi les meilleurs combattants européens et payés avec l'or et l'argent aztèques rapportés d'Amérique du Sud dans les soutes des galions espagnols. D'après les conversations que j'ai pu avoir avec des officiers de l'armée américaine et des dirigeants de SMP, il semblerait que cette option soit sérieusement étudiée par les stratèges du Pentagone. Qui sait ? De nouvelles avancées génétiques permettront peut-être un jour aux recrues disposant du bon potentiel de bénéficier d'une thérapie génique renforçant leur musculature ou leur courage, de sorte que leur recrutement par le SAS ou par la Delta Force ne sera plus qu'une simple formalité ?

À la vérité, j'en doute, mais ce que je crois, en revanche, c'est que les champs de bataille du futur seront survolés par des drones et verront une présence accrue de robots ou de machines de guerre contrôlées à distance. Il est probable que ces machines du futur seront, à l'image des combattants du futur, louées auprès des SMP. Mais, pour vraiment comprendre ce qui pourrait arriver plus tard, il est important de se pencher sur le passé.

Certains historiens affirment que le métier de mercenaire est le deuxième plus vieux métier du monde. L'Égypte ancienne, l'Empire grec, l'Empire romain regorgent de témoignages évoquant des soldats combattant pour de l'argent. La Mésopotamie, ce pays qui s'appelle aujourd'hui l'Irak, eut également recours à leurs services. L'Angleterre n'était pas en reste et, au Moyen Âge, les chevaliers armés qui louaient leurs services étaient, au sens littéral… free-lance.

Les empereurs byzantins de Constantinople engagèrent des mercenaires pour leur servir de gardes du corps. Le chef de la garde de l'un d'eux, un Viking nommé Harald Hardrada, avait été promu à ce poste après avoir pris part à dix-huit combats. Hardrada réapparut plus tard dans le Yorkshire, en 1066, quand le roi Harold d'Angleterre défit son armée à la bataille de Stamford Bridge. Cinq jours plus tard, alors qu'il menait ses troupes entre le Yorkshire et Hastings, le même Harold d'Angleterre reçut une flèche mortelle dans l'œil. À mon avis, les Anglais ont perdu cette bataille contre Guillaume le Conquérant et ses chevaliers normands à cause de leur longue marche, qui devait les avoir épuisés. En revanche, les légendaires archers qui semèrent la panique dans les rangs français au cours de la bataille d'Azincourt, en 1415, étaient en réalité des Gallois payés pour se battre. Ils préféraient crier : « De l'argent pour acheter un troupeau de moutons ! » plutôt que « Que Dieu protège Harold ! Pour l'Angleterre et pour saint Georges ! » À peu près à la même époque, les villes souveraines d'Italie employaient des mercenaires, les *condottieri*, pour combattre en leur nom. Ce sont les excès de ces derniers qui ternirent la réputation de cette profession.

Regardez la Suisse moderne, pays de la neutralité et de l'horloge à coucou, du Toblerone et du secret bancaire. Aussi difficile que cela puisse se concevoir, la Suisse n'était au XVIe siècle qu'un territoire rural enclavé et misérable, dont la population parvenait tout juste à survivre entre deux hivers montagnards. Cette vie rude transforma les hommes en de rudes salopards. Ils devinrent particulièrement habiles au maniement de la lance – des lances de près de 6 mètres de long, meurtrières contre n'importe quelle charge de cavalerie ennemie. Naturellement, ces lanciers furent très demandés et permirent à la Suisse de résoudre ses problèmes économiques en se louant comme mercenaires aux pays voisins. Aujourd'hui encore, ce sont des citoyens suisses qui travaillent comme mercenaires pour le Vatican. Ces fameux gardes suisses qui ont solennellement juré de protéger le pape sont désormais les silhouettes familières de tout reportage télévisé consacré aux événements pontificaux.

Et cela continua ainsi au fil des siècles. Au XIVe siècle, des mercenaires endurcis formèrent des « Grandes Compagnies » qui se mirent au service de la France ou de l'Angleterre – ou de l'une, puis de l'autre – au cours de la guerre de Cent Ans. La plus célèbre d'entre elles était la Compagnie blanche, commandée par sir John Hawkwood, dont les exploits devinrent synonymes de courage au combat. Une autre de ces Grandes Compagnies fut créée par un Gallois surnommé « Owain Red Hand » – Owain à la Main rouge – en raison du sang qui teintait ses mains. Owain guerroya pour les Français contre les Anglais, mais finit assassiné par un cavalier du nom de John Lamb. Ainsi, un Anglais avait payé un Écossais pour tuer un Gallois – on dirait une mauvaise blague –, mais la guerre des mercenaires était un jeu compliqué et cruel dans lequel il valait mieux ne pas commettre d'erreurs.

Au XVIe siècle, des hordes de lansquenets, mercenaires vêtus de couleurs éclatantes et rompus au maniement des armes, dominaient les champs de bataille européens. Les Espagnols firent appel à leurs services pour une guerre qu'ils menèrent pendant près de quatre-vingts ans contre les Pays-Bas. Ces lansquenets rassemblaient les meilleurs combattants de nombreux pays – ils étaient anglais, allemands, français, scandinaves, tyroliens et italiens – et n'exigeaient comme seules aptitudes que la technique des armes et un courage exemplaire. C'est au cours de cette période, alors que le pouvoir glissait des mains des souverains de droit divin pour tomber dans celles des peuples, et plus particulièrement dans celles des citoyens les plus riches, que le concept de nationalité commença à émerger.

Le monde connut encore quelques grandes épopées mercenaires, notamment quand la Compagnie des Indes orientales entreprit d'asservir économiquement l'Inde en se reposant sur une armée de mercenaires, ou quand le roi George III d'Angleterre, dont l'armée n'était pas assez puissante, finança la levée d'un contingent de 30 000 soldats de la Hesse-Cassel pour combattre l'Armée continentale de George Washington aux États-Unis. Ces mercenaires perdirent cependant cette guerre et, retournement de l'Histoire, c'est aujourd'hui l'armée américaine, fondée par George Washington, qui a recours à des soldats de fortune en Irak en raison de la faiblesse numérique de ses troupes.

Finalement, la Révolution française, l'unification de l'Italie et la réunion des principautés prussiennes pour former l'Empire germanique contribuèrent au XIXe siècle à précipiter le déclin des armées de mercenaires, remplacées par des armées nationales. En 1792, les Français inventèrent le concept d'armée-nation, formée grâce à la « levée en masse ». Lorsque le concept fut importé en Grande-Bretagne au moment de la Première Guerre mondiale, il fut appelé « conscription », « appel sous les drapeaux » ou « service national ». Les Américains, eux, utilisent le terme de « mobilisation ». L'allégeance à un drapeau et à un pays constitua dès lors un enjeu moral, et le patriotisme fournit une nouvelle raison de se battre. Les gouvernements n'hésitèrent plus à menacer leurs citoyens de peines de prison s'ils ne se présentaient pas à l'appel sous les drapeaux. Les généraux pouvaient ainsi enrôler autant de soldats qu'ils le souhaitaient et – devinez quoi – ils pouvaient les payer trois fois rien.

Imaginez comment la Première Guerre mondiale, la prétendue « Grande Guerre », se serait déroulée si ces têtes de mules de généraux ignorants avaient dû payer des mercenaires pour la faire. Je suis convaincu que la guerre des tranchées n'aurait pas duré bien longtemps. Des soldats coincés plusieurs années dans un trou, qui passaient leur temps à observer l'ennemi au-delà d'un no man's land, puis qui se retrouvaient soudain à lancer des offensives catastrophiques se soldant à chaque fois par des milliers de morts... Cela n'a été possible qu'en raison du vaste réservoir de conscrits mis à la disposition des généraux pour se faire massacrer. Si les officiers avaient été obligés de payer les services de leurs recrues, ils se seraient empressés de trouver un moyen plus efficace de faire la guerre.

Pour s'assurer un afflux régulier de conscrits, les autorités mirent en scène les vertus du patriotisme. En contrepartie, elles présentaient tous ceux qui étaient prêts à se battre pour de l'argent comme d'ignobles scélérats, des violeurs, des pillards, même si, au cours des siècles passés, les soldats mercenaires n'ont pas commis plus de méfaits que les troupes nationales, voire plutôt moins. Ainsi, ce sont les grandes armées nationales qui ont engendré les pires exactions contre des civils. Nul besoin de regarder plus loin que les massacres perpétrés par les forces de l'Allemagne nazie au cours de la Seconde Guerre mondiale. Personne ne les payait en heures supplémentaires...

C'est à l'issue de ce conflit, alors que la guerre froide s'installait et que les empires européens d'outre-mer se disloquaient, que le métier de soldat mercenaire s'attira une nouvelle vague de mépris. Le monde était balayé par de nouvelles idéologies, pour la plupart de gauche, et l'idée qu'un soldat pût combattre pour de l'argent était immanquablement reliée au colonialisme. L'Afrique devint le terrain de chasse d'une nouvelle race de mercenaires dont la clientèle s'avéra assez évidente à trouver : d'un côté les dirigeants des nouveaux États indépendants, de l'autre leurs opposants en exil. Les guerres financées par les « diamants de sang » se propagèrent sur tout le continent. Elles opposaient des armées ennemies entraînées, et parfois conduites, par des mercenaires.

Ce sont des mercenaires européens qui vinrent combattre pour la République du Biafra durant les trois ans de guerre civile nigériane, laquelle se termina par une catastrophe humanitaire en 1970. C'est un soldat britannique, Mike Hoare, qui fut largement impliqué dans la crise du Congo des années 1960 et dans le coup d'État avorté des îles Seychelles en 1978. Ce sont encore des mercenaires qui, au cours des années 1970, firent de l'Angola, ancienne colonie portugaise, une de leurs destinations privilégiées. Ils prirent part à la guerre civile qui ravageait le pays en combattant contre le MPLA aux côtés du FNLA. Les mercenaires blancs qui eurent le malheur d'être capturés en Angola bénéficièrent d'une attention toute particulière : neuf écopèrent de lourdes peines de prison et quatre autres – trois Britanniques et un Américain – furent exécutés. Parmi les mercenaires les plus célèbres de ces dernières années, citons Costas Georgiou, qui servit dans un régiment de parachutistes britannique avant de se faire connaître sous le nom de Colonel Callan, et le charismatique Bob Denard, qui fut impliqué dans de très nombreux coups d'État en Afrique avant de connaître la défaite aux Comores en 1995.

Plusieurs films de mercenaires furent produits durant ces mêmes années, notamment *Les Chiens de guerre* et *Les Oies sauvages*, puis le mercenariat entra de plain-pied dans la modernité au début des années 1990 quand, pour la première fois, de nouvelles sociétés militaires privées (SMP) parfaitement structurées intervirent en Sierra Leone. L'une des ultimes aventures africaines du mercenariat se solda en août 2004 par l'arrestation au Zimbabwe de Simon Mann, un ancien officier du SAS apparemment impliqué jusqu'au cou dans la préparation d'un coup d'État en Guinée équatoriale. Le propre fils de Margaret Thatcher, Mark, était également compromis dans ce complot.

Pendant ce temps, le système soviétique s'effondrait et le Pacte de

Varsovie s'écroulait comme un château de cartes – ce qu'il avait toujours été en réalité. Parmi les millions de soldats qui se retrouvèrent sur le carreau, les plus motivés cherchèrent un emploi susceptible de requérir leurs compétences. Ils furent nombreux en Russie à rejoindre les rangs du crime organisé ou, pour les musulmans entraînés par les Soviétiques, à partager leur savoir-faire avec des militants islamistes. En Amérique du Sud, d'anciens agents des services de renseignement ainsi que quelques soldats des forces spéciales s'allièrent aux cartels de la drogue et aux narco-trafiquants dans l'espoir de faire fortune. En Grande-Bretagne et en Afrique du Sud, deux pays dotés de forces spéciales parfaitement entraînées et expérimentées, de nouvelles sociétés poussèrent comme des champignons et se mirent à l'affût de toutes les opportunités qui s'offraient à elles. Des sociétés similaires se développèrent aux États-Unis et le Pentagone commença à signer des contrats avec des SMP chargées de la logistique ou de l'approvisionnement, qui vinrent le seconder dans ses interventions malheureuses en Somalie et dans la Corne de l'Afrique.

Les SMP n'accédèrent cependant à la reconnaissance officielle qu'en mai 2003, lorsque le précurseur de l'Autorité provisoire de la Coalition en Irak, le Bureau de Reconstruction et d'Assistance humanitaire, confia la protection de son personnel et l'évaluation des risques qu'il encourait à la société britannique Global Risk Strategies. Ce fut comme si on avait ouvert un robinet. Dès lors, les SMP furent officiellement admises en zone de guerre et leurs effectifs s'accrurent de manière exponentielle – en même temps que l'insurrection – pour atteindre le nombre de 30 000 employés en 2005, et près de 50 000 en 2006. La quasi-totalité des missions de sécurité assurées en Irak furent déléguées au secteur privé et, très rapidement, tous ceux qui devaient se déplacer dans le pays sans appartenir aux forces combattantes de la Coalition durent faire appel aux services d'une SMP.

Une telle omnipotence entraîna bien sûr des inquiétudes, notamment autour de la chaîne de commandement et de la responsabilité des SMP qui, pour la plupart, opéraient en Irak dans un véritable vide juridique. Les citoyens américains, qui représentaient le gros de leurs effectifs, travaillaient hors de la juridiction des États-Unis tout en ayant plus ou moins reçu carte blanche de la part de l'Autorité provisoire de la Coalition. Certains avocats américains prétendirent ainsi que les SMP opérant en Irak exerçaient dans une zone de non-droit juridique équivalente à celle de Guantanamo Bay. Il est vrai que les *contractors* qui avaient mené les séances de torture humiliantes dans la prison d'Abou Ghraib ne furent jamais inquiétés par la justice alors que leurs homologues de l'armée passèrent en cour martiale.

Mais l'Autorité provisoire laissa bientôt la place à un gouvernement irakien qui vota de nouvelles lois. À partir d'août 2005, l'administration irakienne exigea que les SMP obtiennent des licences d'activité et fassent homologuer les armes à feu en leur possession. Elle ne modifia cependant pas les règles d'engagement qui autorisaient les *contractors* à ouvrir le feu sur des véhicules irakiens jugés menaçants – une pratique courante au sein des grosses sociétés américaines, ainsi que je l'ai exposé auparavant. Il fallut l'intervention d'une société britannique, Olive Security, pour suggérer une approche moins létale. Olive Security utilise des cartouches spéciales, les cartouches Hatton, qui ont été conçues à l'origine pour que des forces d'intervention anti-terroristes puissent détruire des serrures ou des charnières de porte sans provoquer de dommages collatéraux. Ces cartouches sont constituées d'un mélange de cire et de poudre de plomb. Tirer une de ces cartouches dans la calandre d'une voiture provoque non seulement un formidable impact, mais fait aussi clairement comprendre au conducteur qu'un homme armé et nerveux ne souhaite pas le voir s'approcher de plus près. Il s'agit, me semble-t-il, d'une meilleure option qu'une munition standard. Quoi qu'il en soit, les SMP sont encore sur place pour un bon moment, ce que le gouvernement britannique avait d'ailleurs reconnu avant même la guerre en Irak, en publiant un livre vert sur le sujet.

Bien entendu, le Bureau des Affaires étrangères et du Commonwealth n'était pas arrivé à cette conclusion en raison de seules considérations morales ou militaires. Les SMP réalisaient déjà d'énormes profits en dollars avant que la situation irakienne ne se détériore, et la tradition britannique a toujours voulu faire rimer immatriculation de société avec imposition. En d'autres mots, le gouvernement voulait pouvoir identifier tous les Britanniques salariés de SMP afin de les imposer fiscalement autant que possible. C'est pourquoi, à partir de 2005, tous ceux qui voulurent travailler dans une SMP durent suivre une formation dûment homologuée par la Security Industry Authority, laquelle se retrouva plongée du jour au lendemain dans l'univers des durs de l'armée alors qu'elle se contentait jusque-là de réguler le monde des videurs de boîtes de nuit – un tout autre monde.

Un nouveau pas a été franchi. Critiquer ou se défier des SMP ne résoudra rien ; c'est au gouvernement de proposer un cadre juridique national et international aux industries, y compris celle du mercenariat.

La réalité du pouvoir des SMP est aujourd'hui une évidence, comme on le constate en Irak, et il continuera d'en aller ainsi dans l'avenir grâce à la bénédiction des institutions militaires et politiques de la plus grande puissance du monde, les États-Unis. Le mercenariat n'est donc pas près de disparaître. Mais d'autres facteurs sont également à prendre en compte. Et si l'on veut trouver de puissants arguments en faveur de la régulation de cette industrie et de l'instauration d'un véritable code éthique, il nous faut revenir en Afrique, au cœur des ténèbres.

Retour en 2005. Deux officiels des Nations unies inspectent le camp de réfugiés de Bunia, au Congo, à la recherche d'indices susceptibles de confirmer les allégations de violences sexuelles commises par des soldats de l'ONU sur les femmes, les filles ou les garçons qu'ils ont pour mission de protéger. Tandis qu'ils marchent le long de la clôture du camp, les deux enquêteurs entendent des pleurs. S'approchant, ils comprennent les raisons de cette détresse. Un soldat de l'ONU, allongé sur une toute jeune fille, est en train de la violer, son béret bleu posé par terre, à côté de sa victime.

Je suis sûr que les enquêteurs furent horrifiés de voir leurs soupçons confirmés de cette manière, littéralement sous leurs yeux, mais je doute qu'ils en furent surpris. Les rumeurs d'activités pédophiles ou de viols systématiques étaient pléthore au Congo. Je connais bien le pays : vous vous rappelez la mine de diamants et Bob « le Bricoleur » ? Durant les dernières quarante années, le pays a été régulièrement secoué par une guerre dont l'amplitude variait à l'image des phénomènes climatiques – avec des perturbations plus ou moins fortes selon les années. Et pendant six ans la guerre ne s'est pas limitée à une simple guerre civile ; le pays a fait l'objet de toute l'attention et de toutes les ambitions de ses voisins. Des miliciens venus du Zimbabwe, du Rwanda, d'Angola, de Namibie et d'Ouganda se sont battus comme des chiens pour s'approprier une part des gigantesques gisements du Congo, à peine entamés.

Les diamants brillent d'un pouvoir attractif évident, mais il y a aussi le coltan, l'appellation locale de la colombo-tantalite, un minerai rare, assez peu connu du grand public mais présent pourtant dans tous les ordinateurs et les téléphones mobiles. Sa grande valeur a entraîné les Congolais dans une spirale de malheur. On peut donc imaginer leur soulagement quand ils apprirent que les bérets bleu ciel de l'ONU allaient leur venir en aide. Cependant, les exactions commises contre les réfugiés et les populations les plus vulnérables ne firent que s'amplifier lorsque les 10 000 soldats issus des cinquante pays qui constituent la force de la MONUC amenèrent leur lot de malheurs. Les soldats marocains semblent avoir initié ces abus, mais ce ne sont pas les seuls. Des femmes et des enfants manquant de nourriture, de toit et de protection se sont retrouvés à devoir payer pour ces droits basiques dans une monnaie que les experts internationaux et les membres de l'ONU appellent le « sexe de survie ». C'est sans ambiguïté : des relations sexuelles pour survivre.

Un ou deux officiels dont les excès ne pouvaient être ignorés furent renvoyés dans leur pays pour y être jugés, mais des centaines de plaintes furent enterrées. À tel point qu'un an plus tard, en août 2006, la MONUC a été contrainte d'ouvrir une nouvelle enquête officielle après avoir appris « l'existence d'un important réseau de prostitution impliquant des mineures à proximité d'une forte concentration de militaires congolais et de Casques bleus ». Une situation terrible, mais accrochez-vous, il y a pire. Cela ne concerne pas que le Congo. Pendant des décennies, les forces de maintien de la paix des Nations unies ont débarqué dans des pays sinistrés où les gens avaient autant besoin de leur aide que d'une invasion de sauterelles assoiffées de sexe.

Soixante-dix mille soldats des Nations unies assurent des missions de maintien de la paix tout autour du globe. Et des accusations à l'égard de Casques bleus se comportant comme des prédateurs sexuels ont été portées au Liberia, en Sierra Leone, en Côte d'Ivoire et au Burundi. Dans les années 1990, la présence des soldats de la paix au Cambodge fut suivie d'une explosion du nombre de bordels thaïlandais ainsi que de l'arrivée du virus HIV dans le pays. Le plus haut responsable de l'ONU alors en poste au Cambodge, un diplomate japonais, se contenta de hausser les épaules à cette annonce : « Ma foi, les hommes seront toujours des hommes. » Un phénomène similaire se produisit au Timor-Oriental, où des prostituées thaïlandaises affluèrent en masse, apportant le sida avec elles. Elles n'avaient eu aucune difficulté à circuler dans ce pays ravagé par la guerre : elles avaient été tout simplement transportées par les pilotes de l'ONU dans les avions acheminant l'aide humanitaire.

En Afrique, une maxime de l'ONU semble stipuler : « Plus c'est jeune, mieux ça vaut. » Après tout, une fillette de 10 ans risque moins d'avoir été contaminée par le virus HIV que sa mère. La vague de malheur que ces comportements honteux peuvent laisser dans leur sillage ne fait aucun doute, mais d'autres conséquences m'écœurent encore plus. Dans une autre région de l'Afrique, le gouvernement soudanais encourage activement – et peut-être même finance – des attaques sur les camps de réfugiés. Il s'agit de véritables nettoyages ethniques commis par des miliciens arabes qui voyagent souvent sur des distances considérables à travers le désert pour attaquer les réfugiés noirs abrités dans les camps du Darfour. Lorsque l'éventualité d'une force de maintien de la paix a été soulevée, le gouvernement soudanais a pris l'air horrifié et l'a refusée énergiquement en prétextant que les soldats des Nations unies allaient apporter le sida avec eux. Il avait marqué un point. Cette propagande qui fit mouche lui avait été présentée sur un plateau en raison du passé peu glorieux des Nations unies.

Ces violences sexuelles à large échelle ne représentent qu'une partie du problème de l'ONU. Son impuissance militaire absolue en est une autre. Les exemples sont trop nombreux pour pouvoir les citer tous ici, mais la paralysie des soldats néerlandais durant le massacre de l'enclave de Bihac, en Bosnie, constitue sans doute l'un des plus choquants car il ne s'agissait pas de soldats d'opérette. C'étaient des soldats bien entraînés et solides qui ne purent se battre – je le suppose – en raison des atermoiements politiques de leurs chefs à La Haye. Nous ne connaîtrons vraisemblablement jamais les véritables raisons de cette passivité, mais nous en connaissons malheureusement les conséquences. Le Rwanda représente un autre exemple de cette impuissance. Près d'un demi-million de personnes ont été massacrées sans que l'ONU ait pu rassembler une force de reconnaissance décente qui aurait permis au monde de savoir ce qui se passait. Kofi Annan était en charge du Rwanda à l'ONU lorsqu'il défendit une résolution désespérée. Faites intervenir des SMP, implora-t-il auprès de ses supérieurs à New York. C'est hors de question, lui répondit-on.

Kofi Annan est aujourd'hui secrétaire général de l'ONU et, après avoir assisté impuissant au génocide rwandais, il a contribué à mettre en place le programme pour l'Irak « Pétrole contre nourriture » – que j'appellerais plutôt « Pétrole contre billets verts » – qui a permis à Saddam Hussein et à ses partisans baassistes de disposer de milliards de dollars, aujourd'hui utilisés pour financer l'insurrection. Les Irakiens ont été spoliés deux fois. Une première fois quand les officiels corrompus de l'ONU ont aidé Saddam à faire main basse sur l'argent, et une seconde fois car cet argent leur a volé toute chance de paix. Bien joué, Kofi.

Les forces de maintien de la paix de l'ONU sont fragilisées par de graves problèmes que j'ai pu constater à différentes occasions à travers le monde.

Le premier concerne le professionnalisme de leurs soldats. Leurs troupes sont constituées à la fois d'excellents soldats fournis par des pays tels que la Grande-Bretagne ou la Norvège, mais aussi de conscrits illettrés envoyés par des pays comme le Maroc ou le Congo. Comprenez-moi bien : certains pays en voie de développement disposent d'excellents soldats, mais pensez-vous vraiment que le roi du Maroc, confronté à la possibilité d'une révolution islamique dans son pays, puisse se permettre d'envoyer ses meilleurs éléments au Congo ? Aucune chance. Et regardez l'Inde ou le Pakistan. Leurs soldats comptent parmi les mieux entraînés du monde – sans doute, oserai-je suggérer, parce qu'ils ont été encadrés et formés selon les standards de l'armée britannique. Mais ces pays ont-ils envie de mettre des troupes à la disposition de l'ONU alors que le premier est confronté au problème des séparatistes sikhs et que le second est occupé à pourchasser les hommes d'Al-Qaida réfugiés dans des territoires tribaux ? Sans parler du conflit qui les oppose l'un à l'autre dans les montagnes de l'Hindu Kuch et du Cachemire. On connaît les affectations de leurs meilleurs soldats, et il ne s'agit certainement pas de maintenir la paix pour l'ONU.

Le deuxième problème est d'ordre politique. Mais il faudrait quelqu'un de bien plus intelligent que moi pour réussir à démêler l'écheveau d'accords de coopération internationaux, de traités et d'accords commerciaux complexes qui sous-tend toute demande de troupes faite par l'ONU. Pour résumer, aucun pays n'accordera une aide militaire qui ne serve pas ses intérêts. Il enverra même parfois des troupes dans une région donnée aux seules fins de compliquer la situation.

Un troisième problème, que j'ai déjà mentionné dans le cadre des SMP opérant en Irak, concerne la notion de responsabilité. Aucun soldat de l'ONU n'a jamais vraiment été inculpé pour un crime qu'il aurait commis, alors même que tous les universitaires contestant la légalité des SMP mettent en avant l'impossibilité de tenir ces sociétés militaires pour responsables de leurs actes.

Mais revenons en Afrique, plus précisément en Sierra Leone, en 1995, lorsqu'une armée de rebelles se mit à brûler vifs des innocents en prélude à un carnaval de tortures et de mutilations qui allait devenir sa marque de fabrique durant plus d'une décennie. Les dirigeants du pays désespéraient de pouvoir restaurer l'ordre par eux-mêmes et, comme personne ne les aidait, ils décidèrent de faire appel à la SMP sud-africaine Executive Outcomes. Cette société dépêcha 250 excellents soldats en Sierra Leone, ainsi qu'une petite flotte d'hélicoptères en support aérien. En onze jours seulement, les hommes d'Executive Outcomes repoussèrent les rebelles dans la jungle, loin des mines de diamants du Koidu et des populations civiles innocentes. En raison de sa situation de quasi-banqueroute financière à l'époque, le gouvernement de Sierra Leone rétribua Executive Outcomes par le biais d'une concession pour l'exploitation d'une mine de diamants, ce qui procura à la société un surcroît de ressources et d'influence.

En 1998, après une nouvelle tentative de coup d'État menée par les rebelles, le gouvernement de Sierra Leone missionna la SMP Sandline, dirigée par Tim Spicer, pour qu'elle reprenne le contrôle du pays avant que l'ONU n'y déploie une force de maintien de la paix. Mais les atermoiements de la communauté internationale et l'impuissance totale des Casques bleus n'empêchèrent pas longtemps les rebelles de reprendre leurs massacres. Il fallut alors l'intervention des parachutistes britanniques et du SAS pour régler définitivement leur compte aux West Side Boys.

L'exemple de la Sierra Leone illustre bien la manière dont les SMP usèrent de leur force et de leurs forces d'élite pour démêler rapidement et avec efficacité une situation terrible tout en restaurant un gouvernement légitime au pouvoir. À l'inverse, les Nations unies ont prouvé tout au long de ce drame qu'elles manquaient de volonté politique et de soldats suffisamment aguerris pour jouer un rôle décisif. En outre, les forces des Nations unies se révèlent bien plus coûteuses que les SMP, car cette absence de volonté politique entraîne l'immobilisation de troupes au sol sur une longue période sans pour autant permettre l'accomplissement de leur mandat. Les troupes de l'ONU ne sont globalement ni bien contrôlées, ni bien gérées. Leur principale efficacité réside dans leur propension à gaspiller leurs ressources et à piller ce qui leur tombe sous la main. Alors que je me trouvais en Bosnie, par exemple, je pus remarquer que l'activité majeure de certains soldats de l'ONU consistait à voler les Land Rover de l'ONU pour les exporter et les revendre dans leur pays natal.

Mais revenons-en maintenant au génocide qui se déroule au Soudan, dans la région du Darfour.

Les campagnes de viols et de meurtres conduites contre les campements de réfugiés par la redoutable et détestable milice arabe Janjaweed ont été lourdement condamnées par l'ONU, mais uniquement en paroles. L'ONU n'a entrepris aucune action concrète. Ne serait-il pas envisageable que les pays préférant ne pas envoyer de troupes puissent mandater une SMP pour effectuer le travail sur le terrain et empêcher que de tels drames se produisent ? Il suffirait de quelques heures après le vote d'une résolution de l'ONU pour que des SMP répondent à un appel d'offres, et de quelques jours seulement pour qu'elles se déploient avec une force opérationnelle. D'autre part, les SMP ne se contenteraient pas d'effectuer des rondes en bordure des campements de réfugiés ; elles iraient au contact des miliciens et les frapperaient si durement qu'ils renonceraient, sans doute pour longtemps, à violer ou à tuer des réfugiés désarmés. Fin de la mission.

Seule la Convention internationale contre le recrutement, l'utilisation, le financement et l'instruction des mercenaires, votée par l'assemblée générale de l'ONU en 1989, empêche d'agir ainsi. Elle n'est rien d'autre qu'une réaction instinctive de la communauté internationale face à la manière dont la profession a gagné en poids et en influence au cours des guerres civiles de ces dernières années. Certaines grandes puissances n'ont pas signé cette convention, tandis que certains pays, comme l'Angola ou le Zaïre, l'ont signée alors qu'ils continuent à employer des mercenaires pour atteindre leurs objectifs militaires. Le gouvernement britannique semble plutôt favorable à la constitution d'un réservoir de SMP, dûment enregistrées et accréditées, qui pourraient intervenir pour des opérations de l'ONU et qui travailleraient dans le cadre des lois internationales. Les Américains, qui financent largement l'ONU, appellent ce changement de leurs vœux. Kofi Annan a un jour déclaré qu'il aurait pu sauver des centaines de milliers de vies s'il avait pu faire intervenir des SMP au Rwanda. Alors pourquoi la communauté internationale ne passe-t-elle pas aux actes, pourquoi ne regarde-t-elle pas la réalité en face pour enfin se décider à venir en aide à ceux qui sont le plus menacés dans le monde ?

Vous vous rappelez ce collègue, au Kosovo, qui communiqua ses propres coordonnées par radio pour déclencher une frappe aérienne, seul moyen d'empêcher un massacre ? Eh bien, un autre de mes amis, un ancien couteau, travaillait au Ghana lorsqu'il croisa la route d'une trentaine de gamins entassés sur la remorque d'un camion et attachés les uns aux autres par une cordelette en nylon bleu passée autour du cou. L'esclavage est encore vivace en Afrique, et mon collègue savait que, quelques heures plus tard, ces gamins trimeraient gratuitement dans un champ ou une mine. Mon ami profita d'un instant où le conducteur s'était arrêté pour se soulager. Il assomma le garde armé qui était resté pour surveiller les gamins, se mit au volant du camion – son collègue le suivait dans leur 4 x 4 – et conduisit les enfants jusqu'aux locaux d'une organisation humanitaire située un peu plus loin. Ces deux hommes dirigent aujourd'hui des SMP qui emploient d'excellentes gâchettes en Irak et ils vont très certainement rester à la tête de leurs sociétés dans les années à venir. Alors, qui aimeriez-vous voir défendre la cause des opprimés sous la bannière bleu ciel de l'ONU : ces deux hommes, ou les violeurs d'une armée de conscrits incapables de se battre ?

QUATORZE

On the road again

Premier mai 2003. J'étais prisonnier de la police secrète du Nigeria au moment où George W. Bush traversa le pont du porte-avions USS *Abraham Lincoln* d'un pas assuré, s'arrêta devant un micro dressé pour l'occasion et fit l'une des allocutions les plus controversées de son mandat – ce qui n'était pas un exploit pour lui, je vous le concède : « Mes chers compatriotes, l'essentiel des opérations militaires en Irak est terminé. Dans la bataille d'Irak, les États-Unis et leurs alliés l'ont emporté. »

Telle fut sa déclaration, qui se révélait prématurée de trois ans, au bas mot. Je regrette d'avoir raté ce moment, car on n'a pas tous les jours l'occasion d'entendre une gaffe aussi monumentale, mais je n'avais guère le choix. Les Nigérians m'ayant jeté en prison, je devais m'occuper de mes propres problèmes.

Tout avait commencé quand Mike Curtis m'avait proposé de conduire une équipe au Nigeria pour y évaluer les mesures de sécurité à prendre à l'égard d'un membre éminent de l'opposition – mesures indispensables dans un pays où les gens paient souvent de leur vie leur soutien à un parti politique.

J'étais accompagné de trois anciens militaires et d'un expert en contre-mesures électroniques. Tout s'était plutôt bien déroulé au début, le travail avançait comme prévu, mais mes hommes en eurent bientôt assez de rester enfermés dans la propriété protégée du client. Ils décidèrent d'aller prendre l'air dans un hôtel situé à une dizaine de kilomètres de là. De mon côté, je décidai de rester sur place avec les gardes nigérians du client. Ceux-ci possédaient des armes automatiques de toutes sortes et de toutes tailles alors que nous nous promenions désarmés pour notre part. Je préférai donc rester à l'abri plutôt que de courir des risques inconsidérés ; il est toujours difficile de savoir ce qui peut se passer lorsqu'on se trouve dans l'arrière-cour d'une démocratie africaine brute de décoffrage comme celle du Nigeria. En cas d'attaque-surprise, j'aimais autant avoir des armes à ma portée et je ne me privai pas de le faire savoir à mes collègues.

Ce qui ne les empêcha pas de sortir prendre l'air. L'expert en contre-mesures électroniques, que nous avions baptisé « Bug Man », était un Blanc dont la présence en ville ne passait pas inaperçue. Les trois autres étaient noirs ; quelqu'un avait eu cette idée géniale de croire qu'ils se fondraient discrètement dans un environnement africain. Faux, entièrement faux. Leur accent typique de l'estuaire de la Tamise et leur attitude parfaitement britannique étaient autant de signes permettant de les identifier aussi sûrement qu'un John Bull[1]. Ils étaient tout aussi repérables que Bug Man lui-même.

Les hommes du gouverneur local eurent tôt fait d'apprendre leur présence en ville. Et, lorsque je me rendis plus tard dans le hall de l'hôtel pour y briefer mes hommes, les gros bras de leurs services de sécurité nous tombèrent dessus. Bug Man et moi-même fûmes quelque peu bousculés, rien de bien grave, mais je constatai une certaine forme de racisme inversé lorsque je vis mes trois partenaires noirs, Nev, Vince et Rich, se faire passer à tabac. Les six ou sept hommes qui s'en étaient pris à eux eurent cependant beaucoup de chance car Nev et Vince étaient experts dans un art martial très dangereux, le kung fu *Tiet Sin Kuen* – « fil d'acier ». Ne m'en demandez pas plus – je n'ai jamais été qu'un champion de karaté classique –, mais je les avais déjà vus à l'œuvre et ils étaient redoutables. Quoi qu'il en soit, Nev et Vince firent preuve d'une modération remarquable : ces Nigérians auraient pu se retrouver proprement écartelés, le canon de leurs armes planté dans le derrière.

Les gros bras nous conduisirent ensuite jusqu'au poste de police local, où nous fûmes interrogés pendant quarante-huit heures d'affilée. Devoir répondre aux mêmes questions encore et encore, sans jamais pouvoir faire une petite sieste, c'est assez lassant. « Qui êtes-vous ? », « Pourquoi êtes-vous là ? », et ainsi de suite. Mais cela ne m'ennuyait pas plus que cela. Cet interrogatoire était plutôt classique et je voulais bien rester assis et leur faire perdre leur temps avec toutes ces conneries si ça leur faisait plaisir, si toutefois ça ne s'éternisait pas. Un peu plus tard, je fus à nouveau ramené dans la salle d'interrogatoire. Je m'attendais à y rejouer la même comédie lorsqu'un nouveau visage fit son apparition. Il se présenta comme étant un capitaine des services secrets dépêché par le quartier général de Lagos et il nous annonça que nous allions être transférés.

Trois gardes équipés de vieilles mitrailleuses de l'armée américaine, des vieilles pétoires toutes graisseuses de la Seconde Guerre mondiale, nous accompagnèrent jusqu'à une vieille camionnette. Nous

1- Personnage caricatural de la bourgeoisie britannique affublé d'un gilet décoré des couleurs de l'Union Jack

montâmes à l'arrière et ils prirent place à nos côtés. Deux autres hommes des services secrets s'engouffrèrent dans une voiture d'escorte. Le conducteur de notre camionnette démarra et prit une route qui s'enfonçait dans la brousse. Cela ne nous plaisait guère. Que se passait-il ? Allaient-ils nous emmener dans les profondeurs de la brousse pour nous liquider ? Nos gardiens semblaient tendus et toute l'affaire commençait à sentir le roussi. L'atmosphère dans la camionnette était à couper au couteau. J'attribuais la mauvaise humeur de nos gardes au fait qu'ils avaient dû recevoir l'ordre de nous faire disparaître.

Décidé à ne pas me laisser faire, j'entamai la conversation avec mes experts en arts martiaux, utilisant à cet effet un anglais à l'accent rustique. Ils n'eurent aucun mal à me comprendre, car dans l'armée on se familiarise avec toutes sortes d'accents locaux. Ils me répondirent dans une sorte de patois jamaïcain, que je saisis avec difficulté. Je souriais tout en parlant pour donner aux gardes l'illusion d'une conversation amicale et détendue. Il était évident qu'ils n'avaient pas la moindre idée de ce dont nous discutions.

Comme Nev, Vince et Rich n'aimaient pas non plus la tournure que prenaient les événements, nous décidâmes d'une stratégie quelque peu radicale – mais bon, lorsque vous pensez finir bientôt abattu comme un chien, vous ne pouvez pas vous empêcher de vouloir mordre pour vous défendre.

– S'ils prennent cette route qui s'enfonce encore plus dans la brousse, nous nous occupons de ces guignols puis du chauffeur. Ensuite, on trace à travers le pays jusqu'au Haut Commissariat à Lagos, OK ?, proposai-je.

– Pas de problème, Johnny. On va leur briser le cou, me rétorqua Nev sur un ton badin.

– OK, Nev, répondis-je avec mon accent chantant. Tu t'occuperas de celui qui est assis en face. Vince, tu prendras celui qui est à côté de toi. Je prendrai le gars au long cou et pour toi, Rich, ce sera le chauffeur. Après, on pique leurs armes et on règle son compte à l'escorte de la voiture. Vous agirez lorsque j'en donnerai l'ordre, et tous en même temps.

Je pouvais voir Vince et Nev piaffer d'impatience à l'idée de passer à l'action. Je pense qu'ils n'avaient pas digéré le fait d'avoir été battus comme plâtre et je n'étais pas sûr qu'ils allaient avoir la patience d'attendre mon signal pour casser les gardes en deux. J'étais même persuadé qu'ils les tueraient en un clin d'œil au moindre mouvement suspect. Je commençai à me demander s'il ne valait pas mieux passer à l'action sans nécessairement attendre de gestes menaçants de leur part, ne serait-ce que pour échapper à la pression qui transformait notre camionnette japonaise en une véritable Cocotte-minute, quand, soudain, les gardes se mirent à scruter les alentours comme s'ils reconnaissaient l'endroit. Ils abaissèrent les canons de leurs armes et sourirent avec soulagement. Le chauffeur se mit même à chantonner.

Mais que se passait-il donc ? Comme ils parlaient assez bien l'anglais, j'interrogeai celui des gardes qui avait l'air d'être le responsable. « Nous venons de traverser une région dangereuse. Très, très dangereuse. Il fallait que nous restions sur nos gardes. Le capitaine nous a dit que vous ne deviez pas être blessés. »

Putain ! Nous étions sur le point de liquider de pauvres idiots qui n'avaient fait que veiller sur nous. Nev faillit se pisser dessus en éclatant de rire devant cette incongruité. « Putain de merde, John, quelle rigolade ! », se gondola Nev avec son accent de la Tamise retrouvé. « Quelques minutes de plus et je n'aurais plus pu me retenir. J'avais réservé ma meilleure prise à cet imbécile ! »

Les gardes dévisagèrent Nev, intrigués, comme s'il était légèrement demeuré. Peut-être croyaient-ils qu'il riait de soulagement à l'idée d'avoir traversé sans encombre une zone dangereuse. S'ils avaient pu deviner les véritables raisons de son hilarité, ils auraient compris à quels dangers eux-mêmes venaient d'échapper.

Ils nous gardèrent prisonniers encore une journée, au cours de laquelle nous continuâmes à subir les mêmes interrogatoires épuisants. Mais Bug Man avait réussi à envoyer un SMS à Mike Curtis, qui se porta aussitôt à notre secours. Il informa le Bureau des Affaires étrangères et du Commonwealth de notre situation, et celui-ci parvint à convaincre les autorités nigérianes que nous étions dans leur pays pour un travail tout à fait légal. Au cours de mon dernier interrogatoire, l'agent qui menait le bal dut s'interrompre pour prendre un appel téléphonique. Il se redressa tout en parlant dans le combiné, signe évident qu'il s'adressait à un supérieur hiérarchique. Il hocha la tête à plusieurs reprises, puis raccrocha et m'adressa un sourire jovial.

– Monsieur Geddes, vous et vos amis êtes libres. Je vous remercie pour votre collaboration et, s'il vous plaît, assurez-vous de n'oublier aucun effet personnel.

Je récupérai mes affaires et signai un reçu, trop heureux d'être enfin libéré de ces pénibles séances. Nous partîmes aussitôt en direction de l'aéroport, où nous embarquâmes pour le premier vol à destination de la Grande-Bretagne. J'ai encore les numéros de téléphone de Nev et de Vince : après tout, qui sait si je n'aurai pas quelques travaux de kung fu à leur confier un jour ? Bien que je ne tienne pas de journal et que ma perception du temps ait été quelque peu modifiée par ces interrogatoires, je crois que c'est au moment où nous roulions vers Lagos à bord de notre camionnette que le président Bush fit sa déclaration à bord de l'USS *Abraham Lincoln*.

Il est amusant de noter que le dernier grand de ce monde à avoir exprimé une telle contre-vérité historique était lui aussi descendu d'un avion avant de prendre la parole devant un micro. Il s'agissait du Premier ministre britannique Neville Chamberlain, qui, après avoir rencontré Hitler à Munich en 1939, fit une déclaration prophétique devant les photographes en annonçant « une nouvelle ère de paix ». À sa décharge, précisons que George W. venait d'atterrir de manière spectaculaire à bord d'un jet de l'US Navy dont la course avait été stoppée par un câble tendu au-dessus du pont du porte-avions. Je me dis que les gars qui s'occupaient de la fixation de ce câble avaient dû choisir le plus neuf de tous et qu'ils l'avaient tendu avec une certaine angoisse à l'idée qu'il puisse se rompre. Heureusement, l'avion avait gardé son cap. Contrairement aux prédictions de Bush.

L'annonce fracassante du président selon laquelle la guerre en Irak était gagnée fut suivie d'un discours. Je pense qu'il est important de se replonger dans ce discours, qui dessine une situation irakienne qui sera finalement propice au développement des SMP.

Mes chers compatriotes, l'essentiel des opérations militaires en Irak est terminé. Dans la bataille d'Irak, les États-Unis et leurs alliés l'ont emporté. À présent notre coalition va pouvoir restaurer la sécurité dans ce pays et le reconstruire. Dans cette bataille, nous avons combattu pour la liberté et pour la paix dans le monde. Notre nation et notre coalition sont fiers de cet accomplissement qui n'aurait pas été possible sans vous, les membres des forces armées américaines. Ce sont votre courage et votre volonté d'affronter le danger pour servir votre pays et vous soutenir mutuellement qui l'ont rendu possible. Grâce à vous, notre pays est plus en sécurité qu'auparavant. Grâce à vous, le tyran est tombé et l'Irak est libre. Vous avez mené à bien l'opération « Liberté pour l'Irak » avec une précision, une rapidité et une détermination auxquelles notre ennemi ne s'attendait pas et que le monde n'avait encore jamais vues.

Quand les citoyens irakiens ont découvert les visages des hommes et des femmes de notre armée, ils y ont lu la détermination, la bonté et la bonne volonté. Nous disposons aujourd'hui de la plus grande force qui soit pour libérer une nation en détruisant un régime dangereux et agressif. Grâce à de nouvelles tactiques et à des armes de précision, nous pouvons atteindre des objectifs militaires sans exercer de violence sur les civils. Aucune invention humaine ne pourra jamais éliminer la tragédie d'une guerre ; pourtant, quand les coupables ont beaucoup plus à craindre d'une guerre que les innocents, un grand progrès moral a été accompli. Il nous reste un travail difficile à mener en Irak. Il nous faut ramener l'ordre dans certaines régions du pays qui demeurent dangereuses. Il nous faut traquer et trouver les dirigeants de l'ancien régime, qui seront jugés pour leurs crimes.

La bataille d'Irak constitue une victoire dans cette guerre contre le terrorisme qui a débuté le 11 septembre 2001 et se poursuit à ce jour. La libération de l'Irak représente une avancée cruciale dans cette campagne. Nous avons détruit un allié d'Al-Qaida et asséché une source majeure de financement du terrorisme.

Songez maintenant à ce qui s'est passé depuis que le président Bush a prononcé ce discours. De mai 2003 à Noël 2005, le gouvernement américain a dépensé 200 milliards de dollars pour poursuivre la guerre. Environ 30 000 civils irakiens ont été tués par les différents belligérants et la Banque mondiale a estimé le coût de reconstruction du pays à 35 819 millions de dollars. Deux cent cinquante et un travailleurs civils de nationalité étrangère ont été kidnappés, soit une moyenne de cinq par mois, et 66 journalistes ont été tués, ce qui n'est pas loin de représenter un véritable bain de sang pour les médias. Tous pays confondus, les troupes de la Coalition ont perdu 2 389 hommes à fin 2005, dont 98 soldats britanniques[2]. Et bien qu'il n'existe pas de statistiques officielles, on estime qu'environ 300 *contractors* ont déjà trouvé la mort tandis que de nombreux autres ont été blessés.

La plupart de ces morts, je dirais 60 % d'entre elles, peuvent être imputées aux IED placés sur le bord des routes et aux attentats-suicide. Une équipe de *contractors* a ainsi été déchiquetée par un kamikaze dont la voiture-suicide transportait deux enfants. Cette technique de camouflage, l'une des plus ignobles et des plus barbares qui soit, permet de passer les checkpoints sans encombre avec un chargement mortel. Certes, les pertes humaines des SMP sont élevées, mais considérez à présent les statistiques américaines recensant le nombre d'insurgés abattus durant cette même période : 53 470. C'est une saignée énorme et, bien que ce chiffre ait fait l'objet de très nombreuses critiques et qu'il cache de nombreux sacrifices, je suis

2- 2 792 soldats américains et 119 soldats britanniques au 20 octobre 2006

persuadé qu'il comblera toujours George Bush.

Ses détracteurs affirment qu'il a commis une erreur en déclarant la guerre à Saddam, et il faut reconnaître que les faits semblent lui avoir donné tort sur de nombreux points. Nous savons parfaitement que les combattants et les kamikazes d'Al-Qaida n'ont pas été chassés d'Irak, mais qu'ils ont au contraire investi le pays pour y semer la confusion et la mort sous le commandement d'Abou Moussab Al-Zarkaoui. Mon intuition de soldat me souffle cependant que le Pentagone et la CIA ne voient pas forcément cette situation d'un mauvais œil. Ils veulent que les hommes d'Al-Qaida se concentrent sur leur guerre sainte, alors ils leur en ont créé une. Et pour pouvoir les localiser et les combattre plus facilement, la CIA les a attirés dans un piège mortel en Irak. Les Américains ne préfèrent-ils pas voir les bombes exploser en Irak plutôt qu'aux États-Unis ? Ne vaut-il pas mieux mener la guerre contre le terrorisme dans les rues de Ramadi plutôt que dans le centre de New York ? Ils apprécient également le fait de disposer d'une armée de mercenaires qui puisse se développer dans ce pays, peaufiner ses méthodes de travail et améliorer son organisation.

Les activités d'Al-Qaida et les actions menées par ses alliés de l'insurrection sunnite ont fait des SMP une pièce essentielle du jeu mené par les forces de la Coalition en Irak. Les sociétés américaines sont particulièrement bien intégrées dans les stratégies militaires de la Coalition – ou incorporées, « embedded », dans l'armée américaine – et elles organisent souvent leurs déplacements au sein de convois de Marines ou de Rangers. À de rares exceptions près, et quelle que soit leur nationalité d'origine, les SMP ont su démontrer qu'elles étaient bien organisées et qu'elles remplissaient leurs tâches avec un véritable sens de la responsabilité, avec intégrité et dans le respect des lois. À bien des égards, elles s'autorégulent, et il est à porter au crédit de leurs dirigeants que n'importe quel employé dépassant la ligne rouge est aussitôt renvoyé, sans guère de chances de retrouver du travail dans cette activité.

Lors des élections de décembre 2005, les bureaux de vote de Fallouja se sont retrouvés à court de bulletins tant les habitants de la capitale de l'insurrection s'étaient déplacés en masse pour participer au processus démocratique. Cette forte participation a été perçue comme un signe que les sunnites commençaient à envisager de s'engager dans le processus politique, et que par ailleurs les citoyens éprouvaient une suspicion grandissante à l'égard des activités d'Al-Qaida : après tout, cette organisation ne tue-t-elle pas plus d'Irakiens que d'Américains ?

Seul le temps nous dira si l'insurrection est appelée à disparaître ou si l'engagement politique des sunnites se révélera finalement une couverture, comme ce fut le cas pour les républicains en Irlande du Nord. Il n'empêche que ce sont des SMP qui ont livré les bulletins de vote partout en Irak lors de ces élections et du référendum de 2005. Ce sont des SMP qui ont distribué la nouvelle monnaie irakienne dans le pays pour que l'économie puisse redémarrer. Ce sont des SMP qui protègent la vie des milliers de civils étrangers qui reconstruisent le pays. La plupart des *contractors* ne portent que des armes légères et ne représentent en aucune manière une force offensive structurée, mais ils s'acquittent de ces missions très risquées avec sang-froid et professionnalisme. Si la démocratie et la volonté du peuple finissent par s'imposer en Irak, ce sera en partie grâce à la présence des *contractors* dans ce pays.

Modestement, à mon échelle, j'ai tâché de faire la différence chaque fois que je le pouvais. Je me rappelle ce jour où j'accompagnais une équipe de journalistes au nord du territoire des « Arabes des Marais ».

Il me semble important de rappeler que les marais du sud de l'Irak furent en leur temps de grandes plaines inondables, parsemées d'îles plantées de roseaux et peuplées de sangliers sauvages. Ces îles étaient séparées par des canaux dont l'eau transparente et poissonneuse attirait de nombreux échassiers et autres oiseaux aquatiques. Les marais étaient entourés de déserts brûlants, c'est pourquoi beaucoup pensèrent qu'il s'agissait là du jardin d'Éden. Les habitants des marais, les Mahd, étaient uniques eux aussi, vivant en harmonie avec la nature, construisant de fantastiques huttes de roseaux et se nourrissant des poissons et du gibier d'eau que leur environnement leur procurait. C'était un peuple très indépendant, que Saddam avait en horreur. Après la première guerre du Golfe, il fit massacrer les Arabes des Marais par dizaines de milliers puis fit creuser un canal pour détourner les cours du Tigre et de l'Euphrate, asséchant ainsi plusieurs centaines de kilomètres carrés de marais. Ce crime n'est rien moins que l'un des plus grands actes de vandalisme écologique de tous les temps.

Ce jour-là, donc, j'accompagnais des journalistes qui filmaient dans un petit village situé à proximité du Canal Saddam, le canal de dérivation qui avait apporté la désolation sur ces terres. Après la chute de Saddam, les derniers Arabes des Marais s'étaient empressés d'ouvrir une brèche dans le canal afin que l'eau puisse reprendre son cours naturel. Des canaux et des lagons avaient ainsi commencé à se reformer et l'un des villageois m'emmena me promener sur une pirogue traditionnelle. C'était l'endroit le plus calme que j'avais jamais vu en Irak.

Dans ce genre de situation, en général, j'allais chercher mes fournitures médicales dans la voiture et proposais des soins à ceux qui en avaient besoin. Dans ce village, comme à l'accoutumée, on m'amena des enfants à soigner. Je commençai à parler avec un vieil homme par le biais d'un interprète. Il portait une veste de costume rayé par-dessus sa longue robe ainsi qu'un turban enroulé à la manière des Mahd. Il me traita comme un invité de marque et me proposa de partager un repas de dattes et de lait.

« J'avais un fils qui devrait aujourd'hui avoir votre âge, me raconta-t-il, mais l'armée l'a emmené quand Saddam a déclaré la guerre à nos frères iraniens, et je ne l'ai plus jamais revu. Pourquoi mon fils aurait-il voulu se battre contre l'Iran ? C'est une chose terrible. »

Je lui parlai alors de Kurt, de la peur que j'avais éprouvée pour la vie de mon fils, et je lui exprimai ma tristesse pour la perte de son enfant. Quelqu'un amena ensuite sa petite-fille, qui avait une vilaine entaille sur la jambe, que je nettoyai et suturai. Je me rappelle encore ces grands yeux bruns qui me regardaient avec une confiance totale, et qui me firent songer à ma propre fille. Je sentis en moi une volonté farouche de défendre ces gens qui avaient tant souffert. Je fis quelques points de suture à un autre enfant, donnai quelques gouttes de collyre à un troisième, puis en soignai une quinzaine d'autres pour des problèmes de gale ; ce problème étant fréquent dans les campagnes, je ne manquais jamais de prendre avec moi une bouteille de la lotion adéquate.

Quand vint le moment de quitter le village, le vieil homme me serra dans ses bras et me bénit. J'emportai cette bénédiction avec moi sur l'Autoroute. Il me restait un travail à finir là-bas.

Les deux passagers de la voiture semblaient installés tout à fait confortablement, leurs armes bien calées sur les genoux. Ils semblaient même plutôt détendus devant ce paysage monotone de pierres et de sable qui défilait sous leurs yeux tandis que leur chauffeur fonçait sur l'Autoroute en direction de Bagdad. Ils avaient un rendez-vous à honorer à la mi-journée, juste avant la rocade de Fallouja, mais, pour quelque raison inconnue, ils décidèrent de ne pas s'arrêter et de continuer encore un peu sur l'Autoroute. Ils n'avaient aucune raison de s'inquiéter. Il y avait encore le temps et tout allait bien, même s'ils étaient sans doute un peu trop à leur aise pour leur premier voyage en Irak. Ils avaient bien sûr été informés des dangers mortels qu'ils risquaient de rencontrer, mais peut-être en avaient-ils trop entendu ? Peut-être pensaient-ils qu'on leur avait brossé un tableau caricatural de la situation ? Les événements allaient les éclairer bien avant la fin de la journée.

Tout commença quand le chauffeur leur fit remarquer que le voyant de la jauge d'essence commençait à clignoter. Ils lui demandèrent s'il connaissait une station-service dans les environs, ce qui était le cas. Vingt minutes plus tard, ils quittaient l'Autoroute et pénétraient dans la banlieue d'une grande ville. Ils passèrent sans sourciller devant le panneau indiquant le nom de la ville en question : Fallouja. Jumelée avec Hadès. Aucune alarme ne se déclencha dans l'esprit des deux hommes. Elle aurait pourtant dû déjà les rendre sourds. Il ne s'agissait pourtant pas de nouveaux venus dans l'univers de la sécurité. L'un des deux était un ancien du Régiment de la Garde, l'autre un ancien du 14e Régiment, une unité de renseignement militaire pour laquelle il avait effectué plusieurs missions clandestines en Irlande du Nord. Son expérience dans le monde de l'espionnage lui avait appris à se tenir sur ses gardes, et pourtant à ce moment-là il n'avait pas encore réalisé que rien ne se déroulait comme prévu.

Leur chauffeur continua à rouler, apparemment sans la moindre crainte à l'idée d'accompagner deux « yeux blancs » en territoire insurrectionnel. Mais rien ne permettait de penser qu'il pût être lié à l'insurrection. Peut-être traversait-il lui aussi une mauvaise passe ? Ils dénichèrent enfin leur garage et, tandis que le chauffeur s'occupait de faire le plein, les deux hommes sortirent de la voiture pour se dégourdir les jambes. L'un d'eux alluma une cigarette, prit un peu plus ses aises, et tous deux se laissèrent aller comme si de rien n'était ; comme si un champ de force capable de les protéger s'était établi tout autour d'eux. Soudain, le gars du 14e sortit de sa torpeur et réalisa que quelque chose n'allait pas. La même voiture venait de passer pour la troisième fois devant eux et son instinct lui hurlait maintenant : « C'est un putain d'indic ! »

Il avait vu juste. Les requins avaient flairé l'odeur du sang et commençaient à tourner autour de leurs proies. C'est à ce moment-là que son téléphone mobile sonna. Une voix forte retentit lorsqu'il décrocha. C'était celle de Mike Curtis.

– Putain, vous êtes où ? Vous devriez être au rendez-vous !

– On est à Fallouja, répondit une voix atone.

– Nom de Dieu ! Restez où vous êtes, on arrive !, beugla Mike.

Cet appel leur sauva la vie, car il est évident que les indicateurs avaient passé leurs coups de fil de leur côté. Ils avaient appelé leur propre brigade lourde – des camarades armés jusqu'aux dents – pour qu'elle vienne cueillir les deux cinglés qui patientaient dans une station-service de Fallouja pour y recevoir leur combinaison orange. Et il arriva ce qui devait arriver : les deux cavaleries appelées en renfort se croisèrent sur la route.

Je me trouvais en compagnie d'un Sud-Africain et d'un chauffeur jordanien dans la voiture qui suivait celle de Mike, et nous venions de nous engager sur la bretelle d'autoroute pour foncer à la rescousse de nos collègues désireux de se lier d'amitié avec la bande d'Al-Zarkaoui. Soudain, deux pick-up Toyota apparurent au croisement devant nous. Ils tentèrent de bloquer le véhicule de Mike, de le pousser hors de la bretelle d'accès et le percutèrent pour le faire se retourner sur le talus qui dévalait jusqu'à l'autoroute.

J'entendis Mike hurler dans mon oreillette : « Tout droit ! Tout droit ! »

Il réussit à les contourner et à accélérer, mais le premier des Toyota lui fonça dessus et percuta à nouveau sa voiture par le flanc. Le choc provoqua une gerbe d'étincelles et la chute de débris métalliques sur la route. Mais Mike, qui était au volant, réussit à repousser le Toyota des attaquants sur le côté. Aussitôt, Stu, son partenaire, ouvrit le feu et explosa au passage les vitres du 4 x 4. Deux des insurgés qui se trouvaient sur la plate-forme arrière du pick-up furent touchés et projetés sur la route comme de vulgaires poupées de chiffon. Mike arrêta sa voiture quelques mètres plus loin. Il se rua dehors et prit position derrière le capot sans que Stu cesse une seconde de cribler le Toyota de ses balles. Le pick-up quitta la route, avec à son bord trois insurgés qui continuaient de tirer. Mike se déplaça derrière son 4 x 4 et visa le deuxième pick-up des insurgés, sans prêter la moindre attention aux balles qui déchiraient la carcasse métallique derrière laquelle il était abrité.

Voosh !! Le premier Toyota prit feu au moment où le Sud-Africain et moi-même courions nous planquer derrière notre véhicule pour vider nos chargeurs sur le deuxième pick-up. Les insurgés étaient plutôt mal partis. Combien étaient-ils ? Nous ne nous arrêtâmes pas pour les compter et j'en abattis un au moment où il tentait un saut périlleux pour se mettre à couvert dans le fossé qui bordait la route. Je l'atteignis tout d'abord à la cuisse, puis le touchai d'une deuxième balle dans la poitrine à mi-saut.

Quelques minutes plus tard, Mike faisait irruption dans la station-service et engueulait les deux bizuths, les traitant de « foutus ânes bâtés ». Mais comme nous n'avions guère de temps à perdre en explications, nous quittâmes les lieux sur les chapeaux de roues. Une chose était sûre : si nos deux hommes ne nous avaient pas eus sous la main, ils auraient été tués ou pris en otage. Nous étions tout simplement entrés en contact avec leurs tourmenteurs avant qu'ils ne les rencontrent eux-mêmes à la station-service. Simple coup du sort. Le gars du 14e nous prouva par la suite que son inattention n'avait été que le fruit d'un moment d'égarement. Je doute qu'il puisse jamais expliquer comment il avait pu déraper à ce point, mais il se révéla un excellent professionnel. L'autre gars disparut après avoir commis une négligence – en tirant à un moment où il n'aurait pas dû – puis il refit surface à Bagdad, où, aux dernières nouvelles, il faisait du bon travail.

Pour Mike et pour Stu, la journée avait été éprouvante. Pour moi, cet accrochage m'avait permis de vérifier que j'étais toujours aussi réactif et que je n'avais pas eu que de la chance au cours de mes voyages sur l'Autoroute. Il représentait une sorte de succès personnel. J'avais traversé le pire. J'avais survécu à mes cauchemars peuplés d'alcool et d'insurgés ainsi qu'au stress sans fin de l'Autoroute. Qu'en était-il des hommes que nous avions laissés sur le bord de la route ? En repartant, je jetai un coup d'œil dans le fossé et vis le corps de l'homme que j'avais tué. Qui était-il ? Que faisait-il dans la vie ? Était-ce un truand, un baassiste, un activiste d'Al-Qaida ?

Je n'étais sûr que d'une chose : cet homme avait une mère. Suis-je pour autant hanté par son fantôme et par ceux des autres morts de l'Autoroute ? Non. Parce que, tandis que je regardais son cadavre, je me demandais ce qu'il aurait ressenti s'il avait vu mon corps gisant, sans vie, dans ce fossé. Et je savais qu'il en aurait été heureux.

Vous comprenez, l'Autoroute vers l'Enfer est une autoroute à péage. Quelqu'un doit payer. Et ce quelqu'un, ce ne sera pas moi.

Achevé d'imprimer par Corlet, Imprimeur, S.A. - 14110 Condé-sur-Noireau
N° d'Imprimeur : 95897 - Dépôt légal : novembre 2006 - *Imprimé en France*